# ESTADO CRÍTICO

# RobinCook
# ESTADO CRÍTICO

Traducción de **Alberto Coscarelli**

PLAZA  JANÉS

Título original: *Critical*

Primera edición: junio, 2008

© 2007, Robin Cook
  Todos los derechos reservados, incluidos los de reproduc-
  ción parcial o total en cualquier formato
© 2008, Random House Mondadori, S. A.
  Travessera de Gràcia, 47-49. 08021 Barcelona
© 2008, Alberto Coscarelli Guaschino, por la traducción

Printed in Spain – Impreso en España

ISBN: 978-84-01-33668-3
Depósito legal: M. 20.245-2008

Fotocomposición: Lozano Faisano, S. L. (L'Hospitalet)

Impreso en Brosmac, S. L.
Pol. Ind. N.º 1. Calle C, n.º 31, Móstoles (Madrid)

Encuadernado en Atanes-Láinez

L 336683

*Para Cameron y la alegría que aporta*

# Agradecimientos

A: Dominique Borse, capitalista de riesgo en espectáculos; Jean E. R. Cook, psicóloga; Joe Cox, extraordinario abogado fiscalista y de herencias; Rose Doherty, académica; Mark Flomenbaum, jefe médico forense, Commonwealth de Massachusetts; Angelo MacDonald, abogado criminalista.

# Prólogo

En el curso de una semana, que iba de marzo a abril de 2007, un serio e inesperado acontecimiento en la salud de tres extraños, dos de los cuales perdieron la vida, acabaría afectando a las vida de centenares, incluso millares de personas en una complicada red de casualidades. Las víctimas no presagiaban su tragedia personal. Los tres eran hombres casados de edades similares y sanos, se dedicaban a trabajos totalmente distintos y no se conocían de nada ni por cuestiones sociales ni a través de sus empleos. Uno era un médico caucásico que sufrió una dolorosa lesión deportiva; el segundo un programador informático afroamericano que contrajo una fulminante y fatal infección posquirúrgica en un hospital; y el tercero un contable asiático americano, víctima de una despiadada ejecución.

Como la mayoría de las personas, el doctor Jack Stapleton nunca había apreciado realmente la maravilla anatómica y fisiológica de sus rodillas hasta que le fallaron, la tarde del 26 de marzo de 2007. Había estado en su puesto de patólogo forense en la Office of the Chief Medical Examiner (OCME), el departamento de investigación criminal forense, desde primera hora de la mañana. Iba y venía de la OCME en su querida bicicleta de montaña Cannondale sin tener nunca en cuenta la contribución que hacían sus rodillas. Durante aquella mañana había practicado tres autopsias, una de las cuales había sido una complicada intervención que requería la laboriosa disección de los rastros de múltiples heridas de bala. En total, había permanecido de pie en la sala de autopsias, llamada coloquialmente «el pozo», durante más de cuatro horas, moviéndose instintivamente. Ni una sola vez había pensado en sus rodillas, y en el esfuerzo realizado por los varios ligamentos, que mantenían con fidelidad la integridad de las articulaciones a pesar de las considerables tensiones que sufrían, o en los meniscos, que amortiguaban la tremenda presión ejercida por los extremos distales de los fémures, o en la parte superior de las tibias.

Fue más tarde, al final de una de las carreras nocturnas de Jack en la iluminada cancha de baloncesto del barrio, cuando ocurrió el desastre. Para enfado de Jack, él y algunos de los mejores jugadores con los que había formado equipo, incluidos sus amigos Warren y Flash, no habían ganado ni un solo partido, y se habían visto obligados a permanecer sentados durante largos períodos en el banquillo antes de volver al juego.

Transcurría la tarde, y aunque Jack no necesitaba que Warren le recordase que había sido el responsable de varias de las derrotas, ya fuese por errar lanzamientos fáciles o por perder el balón, Warren lo criticaba implacablemente. Jack no podía decir que no se lo merecía; al final de uno de los partidos, con el marcador empatado, Jack se avergonzó de sí mismo al perder la pelota y el partido tras tropezar con su propio pie.

La verdadera catástrofe ocurrió poco antes de acabar el último encuentro, cuando Jack recibió un largo pase de Warren. Otra vez estaban empatados, y, con la consiguiente canasta que determinaría el resultado, Jack estaba dispuesto a redimirse. Para su gran alegría, en lo que esperaba que fuese la última jugada solo había una persona entre él y el tablero. Su apodo era Spit,* en alusión a uno de sus hábitos menos atractivos, pero mucho más importante, desde la perspectiva de Jack, era que se trataba de un tipo larguirucho y desmañado que de ningún modo podría igualar la rapidez de Jack.

* En inglés, «escupir». (N. del T.)

—¡Canasta! —gritó Warren desde el extremo de la cancha del rival, convencido de que Jack regatearía a Spit para un lanzamiento sencillo.

Después de un convincente amago con la cabeza hacia la izquierda completado por una rápida finta cruzada, Jack inició la carga por la derecha. Levantó la pierna derecha del suelo, y la rodilla derecha se flexionó rápidamente para después extenderse. Tan pronto como su pie se clavó firme en el suelo, Jack giró el torso a la izquierda para eludir a Spit, que todavía se estaba recuperando del amago de cabeza y de la finta. Con el pie izquierdo de Jack ahora levantado, todo su peso se transfirió a la rodilla izquierda un tanto flexionada, que además tuvo que soportar la súbita torsión en el sentido contrario a las agujas del reloj.

Si Jack se hubiese parado a calcular las fuerzas que actuaban en su rodilla de cincuenta y dos años, quizá se habría pensado dos veces exigir aquello que le estaba pidiendo soportar a su hasta aquel momento fiel anatomía. Si bien los ligamentos laterales aguantaron, dado que distribuían con eficacia las fuerzas a lo largo de su considerable anchura, la situación era distinta para el ligamento cruzado anterior, que se había alargado un poco al cabo de los años a medida que Jack envejecía. En vano, la angosta banda de tejido, que la mayoría de las personas llaman tendón cuando la encuentran en una pierna de cordero pero que Jack sabía que era colágeno, intentó evitar que el fémur se dislocase hacia atrás desde la tibia. Por desgracia, las fuerzas requeridas sobrecargaron el ligamento, y con un sonido como el de un descorche, se rompió sin más, y por un segundo permitió que el fémur de Jack se saliese de la articulación y rasgase los delicados bordes de ambos meniscos.

La pierna derecha cedió, y Jack cayó bruscamente sobre la áspera superficie del pavimento, donde resbaló un par de metros y dejó atrás una significativa cantidad de piel. Un momento antes, aquella coordinada masa de músculos y huesos tenían un claro objetivo, y al siguiente no era más que un cuerpo lastimado en el suelo. Jack hacía muecas de dolor mientras se sujetaba la rodilla. Aunque no tenía plena seguridad de lo que le había pasado, sí tenía una idea aproximada. Lo único que podía hacer era desear que estuviese equivocado.

—Tío, vas de mal en peor —dijo Warren después de haberse acercado corriendo para asegurarse de que Jack estaba bien. El tono de Warren reflejaba tanto comprensión como disgusto. Se irguió y, con los brazos en jarras, miró a su amigo herido—. Quizá te estás haciendo demasiado viejo para esto; ya sabes a qué me refiero.

—Lo siento —se disculpó Jack. Se sentía avergonzado porque todos los miraban.

—¿Has acabado por esta noche o qué? —preguntó Warren.

Jack se encogió de hombros. El dolor había alcanzado una intensidad máxima, para después disminuir bastante y darle una falsa sensación de esperanza. Se levantó con mucho cuidado y, poco a poco, fue cargando peso en la articulación herida. Se encogió de hombros de nuevo y dio algunos pasos titubeantes.

—No parece estar muy mal —anunció después de haber observado los rasguños de la rodilla y del codo izquierdo. Luego intentó dar otro par de pasos, que no le causaron ningún problema hasta que se giró hacia la izquierda. En aquel instante, la articulación se dislocó por un momento, y Jack cayó de nuevo al suelo. Se levantó por segunda vez—. Se ha acabado —comentó con resignación y pesar—. Se ha acabado. Está claro que esto no es una simple torcedura.


Como la mayoría de las personas, David Jeffries nunca había apreciado realmente la maravilla molecular que eran las bacterias, ni el hecho de que una infección, una vez iniciada, sería contenida o se propagaría de acuerdo con el resultado de una épica batalla molecular librada entre los factores virulentos de la bacteria y los mecanismos de defensa del cuerpo humano. Tampoco había reflexionado a fondo acerca de la amenaza que continuaban planteando las bacterias, a pesar de la extensa farmacopea de antibióticos disponibles para el médico moderno. Sabía que las bacterias habían sido responsables de terribles epidemias en el pasado, incluida la peste negra, pero eso había ocurrido siglos atrás. Desde luego no le preocupaban las bacterias de la misma manera que lo hacían virus como el H5N1 (gripe aviar), el Ébola, o el causante del sida, cuya amenaza era un tema de debate habitual en los medios. Además, David tenía una vaga idea de las llamadas «bacterias buenas» que servían para hacer alimentos como el queso o el yogur. Así que cuando entró en el Angels Orthopedic Hospital a primera hora de un lunes de 2007 para que le reparasen el ligamento cruzado anterior con un injerto de tejido de un cadáver, las bacterias no eran una de sus preocupaciones. Lo que le preocupaba era la anestesia y no despertarse al final de la intervención. También le preocupaba tener que pasar por todo el proceso, que según le había dicho un amigo era doloroso y podía no funcionar, lo que significaría que no podría volver a jugar a tenis, ese deporte que tanto le gustaba.

Como programador informático de una importante empresa de software en Manhattan, David había pasado, como él mismo decía, muchas horas sobre el culo, amarrado a su monitor. Puesto que era un individuo con inclinaciones atléticas desde que tenía uso de razón, necesitaba el ejercicio competitivo, y el tenis era el elegido. Hasta su lesión, ocurrida un mes antes de la intervención, había jugado por lo menos cuatro veces a la semana. Incluso había intentado en vano interesar a sus dos hijos preadolescentes en aquel juego.

En cuanto a la lesión, no tenía idea de cómo se había producido. Siempre se había mantenido en buen estado físico. Lo único que recordaba del accidente fue que corría hacia la red después de empalar lo que él creía que era un buen saque. Por desgracia, no había sido tan bueno como había esperado, y su rival había restado con un bien colocado golpe a la izquierda de David. Mientras corría, David había apoyado el pie delantero y había girado a la izquierda en un intento de llegar a la pelota. Pero ni siquiera llegó a acercarse. En cambio, se encontró tumbado en el suelo, sujetándose la rodilla dolorida, que de inmediato comenzó a hincharse.

Teniendo en cuenta el fulminante proceso postoperatorio de

David, cualquiera hubiese dicho que debía haber sido más respetuoso con las bacterias. Pocas horas después de la intervención, un pequeño número de estafilococos que habían llegado a la rodilla y a los bronquiolos distales de los pulmones de David comenzaron su magia molecular.

El estafilococo es un tipo de bacteria común. En cualquier momento, dos mil millones de personas, un tercio de la población mundial, los tienen residiendo en su nariz o en zonas húmedas de la piel. David fue colonizado así. Pero las especies que habían entrado en el cuerpo de David no eran de su flora, sino de una particular variedad del estafilococo áureo que se había aprovechado de la facilidad con la que estas bacterias intercambian información genética para aumentar su virulencia y su poder. Aquella particular subespecie no solo era resistente a la penicilina, sino que también llevaba los genes para una legión de repugnantes moléculas, algunas de las cuales ayudaron a las bacterias invasoras a adherirse a las células que rodeaban todos los pequeños capilares de David, mientras otras destruían las células defensivas que su cuerpo enviaba para enfrentarse al desarrollo de la infección. Con las defensas celulares de David vencidas, las bacterias invasoras crecieron exponencialmente y en horas alcanzaron una etapa secretoria. En ese punto, un grupo de otros genes de aquel particular genoma del estafilococo se pusieron en marcha y permitieron a los microorganismos lanzar una biblioteca de moléculas todavía más perniciosas llamadas toxinas. Las toxinas comenzaron a sembrar el caos en el cuerpo de David; incluso causaron lo que se llama habitualmente «el efecto come-carne», además de los síntomas y señales conocidos como síndrome del choque tóxico.

David tuvo el primer aviso de la tormenta que se avecinaba por una leve fiebre, que apareció seis horas después de la intervención, mucho antes de que las bacterias invasoras llegasen a la etapa secretoria. David no dio mayor importancia a la subida de temperatura, ni tampoco la ayudante de enfermería, que lo anotó en su registro digital. Después notó lo que describió como una opresión en el pecho. Tras tomar calmantes, que él mismo podía administrarse, pensó que no valía la pena quejarse. Creyó que aquellos primeros síntomas eran parte del proceso, hasta que le costó respirar y escupió un moco con rastros de sangre. De pronto, fue como si no pudiese respirar. En ese momento se preocupó de verdad. Su ansiedad se disparó cuando llamó para que se ocuparan de su cada vez peor estado y las enfermeras respondieron con una actividad frenética. Mientras le extraían sangre para un cultivo, añadieron antibióticos a la botella de suero, y se hicieron urgentes llamadas para un posible traslado de emergencia al hospital universitario. David preguntó titubeante si iba a ponerse bien.

«Se pondrá bien», dijo una de las enfermeras. Pero a pesar de esas palabras, David murió al cabo de pocas horas de una septicemia y de un fallo multiorgánico mientras lo trasladaban a un hospital general.


Como la mayoría de las personas, Paul Yang nunca se había preocupado realmente por su destino, aunque debería haberlo hecho, sobre todo en el momento en el que David Jeffries perdía su batalla molecular con la bacteria. Al igual que el resto de los seres humanos maldecidos por el conocimiento de su mortalidad, Paul no reflexionaba sobre la dura realidad de la muerte, ni siquiera a pesar del inquietante recordatorio de un envejecimiento progresivo a un ritmo cada vez mayor que había comenzado cuando cumplió los dieciocho años. A la edad de cincuenta y uno, tenía unas preocupaciones mucho más inmediatas, tales como su familia, que incluía a una esposa manirrota que nunca estaba satisfecha, dos hijos en la universidad y otro que no tardaría en seguirlos, y una gran casa en las afueras con una hipoteca y constantes reparaciones importantes. Como si eso no fuese suficiente, a lo largo de los últimos tres meses su trabajo lo estaba volviendo loco.

Cinco años atrás, Paul había renunciado a un cómodo aunque previsible y algunas veces aburrido trabajo en una empresa que figuraba entre las quinientas de *Fortune*, para ser jefe y único contable de una prometedora empresa dedicada a construir y explotar hospitales especializados de medicina privada. Había sido agresivamente reclutado por su ex jefe, que a su vez había sido contratado como director financiero por una brillante doctora llamada Angela Dawson, que estaba acabando un máster en administración de empresas en la Universidad de Columbia. La decisión de cambiar de trabajo había resultado muy dura para Paul, dado que por naturaleza no era un jugador, pero la creciente necesidad de disponer de más ingresos y la oportunidad de progresar en el negocio multimillonario de los servicios médicos, que crecía a un ritmo imparable, borró las incertidumbres y los riesgos asociados.

Todo había ido de acuerdo con los planes de Angels Healthcare, gracias al innato instinto empresarial de la doctora Angela Dawson. Con las acciones, bonos y opciones que Paul controlaba, le faltaban unas pocas semanas para convertirse en un hombre rico junto con los demás fundadores, inversores ángeles, y en menor grado los más de quinientos médicos con acciones de dividendo no fijo. La Oferta Pública de Acciones, la OPA, estaba a la vuelta de la esquina, y gracias al enorme éxito de la promoción, que había hecho que los inversores institucionales estuviesen impacientes por comprar, el valor de las acciones estaba a punto de alcanzar unos límites que superaban cualquier expectativa.

Con un cálculo que auguraba unos ingresos iniciales de quinientos millones de dólares, Paul debería haber estado en el séptimo cielo. Pero no era así. Estaba más ansioso que nunca, pues se encontraba atrapado en un dilema ético exacerbado por una serie de recientes escándalos contables, incluido el de Enron, que había sacudido el mundo financiero durante los seis o siete años anteriores. El hecho de que él no hubiese manipulado los libros no era un consuelo. Seguía fielmente los procedimientos contables generalmente aceptados, y tenía la plena confianza de que sus libros eran exactos hasta el último centavo. El problema era que no quería que nadie excepto los fundadores los viesen, precisamente porque eran exactos y por lo tanto reflejaban con toda claridad una situación de liquidez negativa. Había comenzado tres meses y medio atrás, poco después de que realizaran una auditoría independiente para los folletos de promoción de la OPA. Al principio solo había sido un simple goteo, pero no había tardado en convertirse en un torrente. El dilema de Paul era que debía informar de la situación, no solo a su director financiero, cosa que ya había hecho, sino también a la SEC, la Securities and Exchange Comission.* El riesgo era, como se había apresurado a señalar el director, que dicho informe sin duda acabaría con la oferta pública de acciones, lo que significaría que todos los esfuerzos realizados durante casi todo un año se perderían, quizá incluso afectaría al futuro de la compañía. El director financiero e incluso la propia doctora Dawson habían recordado a Paul que aquella inesperada falta de liquidez no era más que un simple tropiezo temporal, dado que la causa estaba siendo tratada del modo adecuado.

Si bien Paul sabía que probablemente todo lo que le decían era cierto, también sabía que no presentar el informe violaba la ley. Forzado a escoger entre su innato sentido de la ética y sus ambiciones personales unidas a la insaciable necesidad de dinero de su familia, el conflicto lo estaba volviendo loco. Incluso lo había empujado de nuevo a la bebida, un problema superado años atrás pero que la actual situación había revivido. No obstante, tenía la seguridad de que controlaba la bebida, pues se limitaba a beber unos cócteles antes de tomar el tren para regresar a su casa en New Jersey. No había habido grandes borracheras ni salidas con mujeres de la noche, como en el pasado.

La tarde del 2 de abril de 2007 se detuvo en su abrevadero favorito camino a la estación, y mientras bebía su tercer martini con vodka y se miraba en el espejo ahumado detrás de la barra, de pronto decidió que presentaría el informe al día siguiente. Lo había estado retrasando durante días, pero súbitamente se dijo que quizá podría nadar y guardar la ropa. En su estado de ligera ebriedad razonó que ahora que estaban tan cerca de la salida a bolsa quizá el informe se traspapelaría en alguna mesa de la burocrática SEC y no llegaría a tiempo a los inversores. De esa manera

* Organismo equivalente a la Comisión Nacional del Mercado de Valores española. (*N. del T.*)

tranquilizaría su conciencia y, esperaba, no haría fracasar la OPA. Con una repentina euforia después de tomar la decisión incluso si más tarde cambiaba de opinión, Paul se recompensó a sí mismo con un cuarto cóctel.

Esa última copa le pareció mucho mejor que las anteriores, pero también podía ser la responsable de que una hora más tarde hiciese algo que en otro momento no habría hecho. Mientras recorría tambaleándose ligeramente el trayecto desde la estación hasta su casa, permitió que lo abordasen e inició una conversación con dos hombres vestidos con elegancia pero un tanto inquietantes que se habían apeado de un gran Cadillac negro antiguo, a pocos metros de su casa.

«¿El señor Paul Yang?», le había preguntado uno de los hombres con una voz áspera.

Paul se detuvo, y ese fue su primer error. «Sí», respondió. Fue su segundo error; tendría que haber seguido caminando. Al detenerse de manera brusca, se tambaleó un poco para mantener el equilibrio y parpadeó varias veces en un intento de enfocar su visión un tanto borrosa. Los dos hombres parecían tener la misma edad y altura, con los rostros afilados, los ojos muy hundidos y el pelo oscuro peinado hacia atrás. Uno de los hombres tenía unas grandes cicatrices en la cara. Era el otro quien hablaba.

—¿Sería tan amable de permitirnos charlar con usted un momento? —preguntó el hombre.

—Supongo que sí —respondió Paul, sorprendido por el contraste entre la graciosa sintaxis de la petición y el fuerte acento neoyorquino.

—Lamento entretenerlo —continuó el hombre—. Estoy seguro de que está ansioso por irse a casa.

Paul volvió la cabeza y miró la puerta de su casa. Le molestó un poco que los desconocidos supiesen dónde vivía.

—Mi nombre es Franco Ponti —añadió el hombre—, y este caballero es Angelo Facciolo.

Paul miró por un momento al hombre de las horribles cicatrices. Parecía no tener cejas, algo que le daba un aspecto sobrenatural en la penumbra.

—Trabajamos para el señor Vinnie Dominick. No creo que usted conozca a dicho caballero.

Paul asintió. Hasta donde él sabía, nunca había conocido al señor Vinnie Dominick.

—El señor Dominick me ha autorizado a comunicarle algo que tiene una gran relevancia financiera para Angels Healthcare. Nadie en la compañía lo sabe —continuó Franco—. A cambio de esta información, que el señor Dominick está seguro de que será interesante para usted, solo le pide que respete su privacidad y no se lo diga a nadie más. ¿Está de acuerdo?

Paul intentó pensar, pero dadas las circunstancias le resultaba difícil. No obstante, como jefe de contabilidad de Angels Healthcare, sentía curiosidad por cualquier cosa que fuese una información financiera relevante.

—De acuerdo —acabó por responder Paul.

—Debo advertirle que el señor Dominick valora mucho la palabra de las personas, y sería muy grave que usted no cumpliera lo prometido. ¿Lo ha comprendido?

—Creo que sí —dijo Paul. Tuvo que dar un súbito paso atrás para mantener el equilibrio.

—El señor Vinnie Dominick es el inversor ángel de Angels Healthcare.

—¡Caray! —exclamó Paul. Como contable, sabía que había un inversor ángel que había aportado quince millones de dólares cuyo nombre nadie sabía. Además, el mismo individuo había aportado hacía poco un crédito puente de un cuarto de millón de dólares para cubrir la actual falta de liquidez. Desde el punto de vista de la empresa, y de Paul, el señor Dominick era un héroe.

—Ahora bien, el señor Dominick quiere pedirle un favor. Le gustaría tener un breve encuentro con usted sin el conocimiento de los titulares de Angels Healthcare. Me pidió que le comunicase su preocupación ante la posibilidad de que los ejecutivos de la compañía no estén cumpliendo con el texto de la ley. No estoy muy seguro de lo que eso significa, pero él dijo que usted lo sabría.

Paul asintió de nuevo mientras intentaba despejar su cerebro confundido por el alcohol. Ahí estaba la salida que había estado buscando en solitario durante semanas, y de pronto le estaban ofreciendo un apoyo inesperado. Se aclaró la garganta y preguntó:

—¿Cuándo quiere que nos encontremos? —Paul se inclinó para ver el interior del coche negro, pero no pudo.

—Ahora mismo —contestó Franco—. El señor Dominick tiene un yate amarrado en Hoboken. Podemos llevarlo allí en quince minutos, mantiene su conversación y luego lo traeremos de regreso a casa. Será como mucho una hora.

—¿Hoboken? —preguntó Paul, que ahora deseaba no haber tomado esos cócteles. Cada vez le resultaba más difícil pensar. Por un momento, ni siquiera recordó dónde estaba Hoboken.

—Estaremos allí en quince minutos —repitió Franco.

A Paul no le entusiasmaba la idea, y detestaba que lo apremiaran. Era un contable acostumbrado a trabajar con los números, y no a hacer apresurados juicios de valor, sobre todo cuando estaba un tanto ebrio. En circunstancias normales, Paul nunca habría subido a un coche en plena noche, con unos completos desconocidos, para ir a encontrarse en un yate con un hombre que no conocía. Pero en su momentáneo estado de confusión y con la perspectiva de que lo ayudara a tomar decisiones un inversor importante como Vinnie Dominick, no pudo resistirse. Con un último gesto de asentimiento, dio un paso vacilante hacia la puerta abierta del coche. Angelo lo ayudó haciéndose cargo del ordenador portátil de Paul, que le devolvió una vez que Paul se hubo sentado.

No hablaron mientras regresaban a Nueva York. Franco y Angelo ocupaban el asiento delantero, y desde el punto de vista de Paul, en el asiento de atrás, sus cabezas parecían figuras recortadas inmóviles y bidimensionales contra el resplandor de los faros de los coches que iban en sentido contrario. Paul miró a través de la ventanilla y se preguntó si por lo menos tendría que haber entrado un momento en su casa para informar a su esposa de lo que hacía. Exhaló un suspiro e intentó mirar el lado bueno. Aunque el interior del coche apestaba a humo de cigarrillos, Franco y Angelo no fumaron. Paul lo agradeció.

El puerto deportivo estaba oscuro y desierto. Franco condujo hasta el muelle principal, y allí se bajaron los tres. En aquella época del año, la mayoría de las embarcaciones estaban fuera del agua, colocadas sobre soportes y cubiertas con fundas blancas que parecían mortajas.

El grupo caminó en silencio por el muelle. Paul se reanimó un poco con el aire fresco. Contempló la belleza nocturna del perfil urbano de la ciudad, deslucida en parte porque, en primer plano, el río Hudson parecía llevar petróleo en vez de agua. Se escuchaba el suave chapoteo de las olas contra los pilotes y la orilla sembrada de basura. Un leve olor a pescado podrido flotaba en la brisa. Paul se preguntó si era racional lo que estaba haciendo, pero consideró que era demasiado tarde para cambiar de opinión.

A medio camino se detuvieron delante de la popa de caoba de un impresionante yate con el nombre *Full Speed Ahead* escrito en letras doradas. Las luces de la cabina principal estaban encendidas, pero no había nadie a la vista. Una hilera de cañas de pescar salían de sus soportes cilíndricos a lo largo de la borda de la cubierta de popa como erizos en el lomo de un insecto gigantesco.

Franco subió a bordo, trepó por la escalerilla de estribor y desapareció.

—¿Dónde está el señor Dominick? —preguntó Paul a Angelo. La inquietud de Paul aumentó al no ver al inversor.

—Estará hablando con él en dos minutos —lo tranquilizó Angelo. Con un gesto indicó a Paul que siguiera a Franco por la angosta pasarela. Resignado, Paul obedeció. Una vez a bordo, Paul tuvo que sujetarse cuando la gran embarcación cabeceó con la suave marejada.

La siguiente sorpresa fue cuando Franco puso en marcha los motores, que soltaron un profundo y poderoso rugido. Al mismo tiempo, Angelo soltó rápidamente las amarras y recogió la pasarela. Era obvio que los dos hombres estaban acostumbrados a tripular el barco.

La inquietud de Paul no dejaba de aumentar. Había creído que la breve reunión con el señor Dominick tendría lugar mientras el barco estaba amarrado. Cuando el yate se apartó del muelle, Paul pensó por un momento en saltar, pero su indecisión natural hizo que perdiese la oportunidad. Después de cuatro martinis, dudaba que lo consiguiera aunque hubiese decidido intentarlo, sobre todo cargado con el ordenador portátil.

Paul miró a través de las ventanillas el interior de la cabina principal con la esperanza de ver a su ausente anfitrión. Fue hasta la puerta y giró el pomo. Se abrió. Miró a Angelo, que estaba ocupado recogiendo los pesados cabos de amarre junto a varias pilas de bloques de hormigón. Angelo lo invitó a entrar con un ademán. El ruido cada vez más fuerte de los motores hacía que la conversación resultase difícil.

Una vez cerrada la puerta, Paul agradeció que desapareciese gran parte del ruido de los motores, aunque no la vibración. La decoración era vulgar. Había un gran televisor de pantalla plana con varios sillones delante, una mesa de juego con sillas, un gran sofá en L y un bar con un surtido impresionante. Cruzó la cabina y miró por la escalerilla que daba a la zona de la cocina, más allá de la cual había un pasillo con varias puertas cerradas. Paul se dijo que debían de ser los camarotes.

—Señor Dominick —llamó Paul.

No obtuvo respuesta.

Paul se sujetó cuando notó que aceleraban los motores; el ángulo de elevación del yate aumentó antes de volver a nivelarse al cabo de un instante. Miró por la ventana. El barco había cogido velocidad. Un súbito rugido devolvió la atención de Paul hacia la puerta que daba a la cubierta de popa. Angelo había entrado y se acercaba a Paul después de cerrar la puerta. A plena luz, Paul se sorprendió ante el tamaño de las cicatrices faciales del hombre. No solo no tenía cejas, sino que tampoco tenía pestañas. Pero lo más sorprendente era que sus delgados labios estaban retraídos hasta el punto de que parecía que no conseguían cerrarse del todo sobre los dientes amarillentos.

—El señor Dominick —dijo Angelo, al tiempo que ofrecía a Paul un teléfono móvil.

Paul reprimió un súbito resentimiento ante aquella absurda situación y arrebató el móvil a Angelo. Dejó el ordenador portátil sobre la mesa de juego, se sentó y se llevó el teléfono a la oreja mientras observaba cómo Angelo se sentaba de lado con las piernas sobre uno de los brazos de los sillones.

—Señor Dominick —dijo Paul con voz tajante, con la intención de manifestar su enfado por haber sido engañado y tener que mantener una conversación a través de un móvil, algo que podría haber hecho con toda tranquilidad desde el asiento trasero del coche. También deseaba decirle que no estaba dispuesto a mantener una conversación confidencial que podía ser escuchada por Angelo, que no parecía tener ninguna intención de marcharse.

—Escuche, amigo mío —lo interrumpió Vinnie—. Por qué no me llama Vinnie, dado que quizá usted y yo tengamos que trabajar juntos para poner las cosas en orden en Angels Healthcare. Antes de decir nada más al respecto, quiero disculparme por no estar allí en persona. Esa era la intención, pero he tenido que atender un problema de negocios urgente que necesitaba mi atención inmediata. Espero que me perdone.

—Creo… —comenzó Paul, pero Vinnie lo interrumpió de nuevo.

—Confío en que Franco y Angelo lo estén tratando con la adecuada hospitalidad, dado que no estoy allí para hacerlo personalmente. El plan era que ellos me recogiesen en el muelle del Jacob Javits Center, pero estoy atascado aquí en Queens. Dígame, ¿le han ofrecido una copa?

—No, pero no la necesito —mintió Paul. Se moría por una copa de algo fuerte—. Lo que me gustaría es que me llevasen de vuelta al puerto deportivo. Usted y yo podemos hablar de camino.

—Ya les he dicho a Franco y a Angelo que lo traigan de vuelta —contestó Vinnie—. Mientras tanto, usted y yo podemos hablar de negocios. Espero que ya sepa el alcance de mis intereses en Angels Healthcare.

—Por supuesto, y gracias. Angels Healthcare no podría haber llegado a donde está sin su generosidad.

—La generosidad no tiene nada que ver con mi participación. Esto es estrictamente un negocio; un negocio muy serio, debería añadir.

—Desde luego —se apresuró a decir Paul.

—Como director, a través de una persona interpuesta he oído rumores de que hay un serio problema de liquidez a corto plazo. ¿Son ciertos estos rumores?

—Antes de responder —dijo Paul, con la mirada puesta en Angelo, que se entretenía en limpiarse las uñas—, uno de sus hombres está sentado aquí y nos escucha. ¿Es eso apropiado?

—Totalmente —contestó Vinnie sin vacilar—. Franco y Angelo son como de la familia.

—En ese caso debo admitir que los rumores son ciertos. Hay un problema muy grave de liquidez. —La voz de Paul hacía un curioso seseo, como si tuviese la lengua hinchada.

—También me han dicho que las normas de la SEC requieren que ese cambio en la situación fiscal de la compañía sea comunicado dentro de un plazo.

—Eso también es verdad —admitió Paul en tono culpable—. El formulario requerido se llama ocho-K, y debe presentarse en un plazo de cuatro días.

—Asimismo, se me ha informado de que este formulario no ha sido presentado.

—Una vez más, está usted en lo cierto —confesó Paul—. El formulario ha sido rellenado pero no se ha presentado. Mi jefe, el director financiero, me dijo que no lo hiciera.

—¿Cómo se presenta?

—Por correo electrónico —dijo Paul. Miró a través de la ventana, y se preguntó por qué no habían cambiado de rumbo. Se sentía un poco mareado y notaba cierto malestar en el estómago.

—Eso me han dicho. Dado que ese informe no se ha presentado, estamos violando las normas de la SEC.

—Sí —manifestó Paul con renuencia. El hecho de que le hubiesen dicho que no lo presentara no lo absolvía de la responsabilidad. Las nuevas normas de la ley Sarbanes-Oxley lo dejaban muy claro. Miró a Angelo, cuya presencia todavía le preocupaba, dada la naturaleza de la conversación y a pesar de las garantías del señor Dominick.

—También se me ha señalado que no presentarlo en el plazo debido puede considerarse un delito, lo que me lleva a preguntarle si tiene la intención de presentarlo, para que ninguno de nosotros seamos considerados cómplices.

—Mañana hablaré de nuevo con mi jefe. No importa lo que diga, asumiré la responsabilidad de enviarlo. Por lo tanto, la respuesta es afirmativa.

—Bueno, eso me tranquiliza —dijo Vinnie—. ¿Dónde tiene el documento?

—Lo tengo archivado aquí, en mi ordenador.

—¿En algún otro lugar?

—Está en una memoria USB. La tiene mi secretaria —respondió Paul. Sintió que disminuían las vibraciones de los motores. Al mirar a través de la ventana, vio que habían aminorado la marcha.

—¿Hay alguna razón en particular para que la tenga ella?

—Solo es una copia de seguridad. Es obvio que mi jefe y yo no estamos de acuerdo en esta cuestión, y el ordenador en realidad pertenece a la compañía.

—Desde luego me alegra que tengamos esta conversación —manifestó Vinnie—, porque al parecer usted y yo coincidimos. Quiero agradecerle su sentido moral. Debemos hacer lo correcto, incluso si significa retrasar momentáneamente la salida a bolsa. Por cierto, ¿cómo se llama su secretaria?

—Amy Lucas.

—¿Es leal?

—Completamente.

—¿Dónde vive Amy?

—En algún lugar de New Jersey.

—¿Qué aspecto tiene?

Paul puso los ojos en blanco; tuvo que pensarlo.

—Es muy menuda, con facciones de niña. Parece mucho más joven de lo que es. Creo que el rasgo más notable en ella es el pelo. Ahora mismo es rubio con toques verde lima.

—Yo diría que eso es algo único. ¿Sabe lo que hay en el disco portátil digital?

—Lo sabe —contestó Paul, consciente de que los motores funcionaban casi al ralentí. A través de la ventana, por las distantes luces de la costa vio que casi se habían detenido. Al mirar en la otra dirección, vio la Estatua de la Libertad iluminada.

—¿Hay alguien más que haya participado en la preparación del ocho-K o que tenga conocimiento de su existencia? No quiero preocuparme por que algún chivato envíe el maldito comunicado a la SEC antes de que usted lo haga, con la excusa de que no iba a presentarlo, y gane unos dólares.

—Nadie, que yo sepa —respondió Paul—. El director financiero podría habérselo dicho a alguien, pero lo dudo. Fue muy claro cuando insistió en que la información no debía trascender.

—Fantástico —dijo Vinnie.

—Señor Dominick, creo que debería usted hablar de nuevo con sus hombres para decirles que me lleven de regreso al puerto deportivo.

—¿Qué? —preguntó Vinnie con exagerada incredulidad—. Déjeme hablar con uno de esos cabeza hueca.

Paul estaba a punto de llamar a Angelo y darle el teléfono cuando Franco, como si hubiese recibido una señal, bajó ruidosamente la escalerilla del puente de mando y se acercó a Paul con la mano extendida. Paul, sorprendido, pensó que quizá Franco había estado escuchando la conversación.

Mientras Franco se apartaba para hablar con su jefe, Angelo se levantó. No podía estar más contento ante la perspectiva de regresar al puerto deportivo. A pesar de que hacía frecuentes viajes en el yate, nunca se había acostumbrado a ir a bordo. Siempre era por la noche, y por lo general para recoger las drogas de los barcos procedentes de México o de Sudamérica. No sabía nadar, y acabar en el agua, sobre todo en la oscuridad, lo inquietaba. Lo que necesitaba de inmediato era una copa de algo fuerte.

En el bar, Angelo cogió una copa anticuada y se sirvió un par de dedos de whisky. Podía escuchar cómo Franco, en el teléfono, repetía una y otra vez «Sí», «Vale» y «Por supuesto», como si estuviese hablando con su madre. Angelo tomó la copa de un trago y se volvió hacia la habitación en el momento en que Franco decía: «Delo por hecho», y guardaba el móvil.

—Lo llevamos a su casa —le dijo Franco a Paul.

—Ya era hora —replicó Paul.

—Por fin. —Los labios de Angelo formaron las palabras sin emitir ningún sonido, al tiempo que metía la mano debajo de la americana para que sus dedos se cerrasen alrededor de la culata de la Walther TPH calibre 22 semiautomática que llevaba en la sobaquera.

# 1

*2 de abril de 2007, 19.20 horas*

A la edad de treinta y siete años, Angela Dawson sabía qué eran la adversidad y la angustia, pese a haberse criado en una familia de clase media alta en las ricas afueras de Englewood, New Jersey, donde había disfrutado de todas las ventajas materiales, además de una educación selecta. Dotada de una licenciatura en medicina y otra en económicas, y una excelente salud, su vida en aquellas primeras horas de esa noche de abril en plena ciudad de Nueva York podría haber sido relativamente despreocupada, sobre todo teniendo en cuenta que gozaba de todas las ventajas de un estilo de vida adinerado, incluido un fabuloso apartamento en la ciudad, y una maravillosa casa en la playa en Martha's Vineyard. Pero no era este el caso. Por el contrario, Angela se enfrentaba al mayor desafío personal de su vida y en aquel momento padecía una creciente ansiedad y angustia. El Angels Healthcare SRL, que ella había fundado y levantado durante los cinco años anteriores, se balanceaba en el borde de lo que podía ser un éxito extraordinario o un completo fracaso, y el resultado debía decidirse en las próximas semanas. El resultado recaía totalmente sobre sus hombros.

Como si aquel enorme desafío no fuese suficiente, la hija de diez años de Angela, Michelle Calabrese, estaba pasando por una crisis. En consecuencia, mientras el director financiero, el director de gestión, los presidentes de los tres hospitales de Angels Health-care, y la recién contratada especialista en control de infecciones la esperaban impacientes en la sala de juntas, Angela tenía que ocuparse de Michelle, con la que llevaba hablando por teléfono más de quince minutos.

—Lo siento, cariño —dijo Angela, con un esfuerzo para mantener la voz calmada pero firme—. ¡La respuesta es no! Lo hemos discutido, lo he pensado, y la respuesta es no. Para que quede claro: ene, o.

—Pero mamá —sollozó Michelle—. Todas las chicas lo tienen.

—Eso es difícil de creer. Tú y tus amigas solo tenéis diez años y estáis en quinto grado. Estoy segura de que muchos padres opinan lo mismo que yo.

—Papá dijo que podía. Eres muy mala. Quizá tendría que irme a vivir con él.

Angela rechinó los dientes y venció la tentación de replicar al cruel comentario de su hija. En cambio, se volvió en su sillón para mirar a través de la ventana de su despacho que daba a dos calles. Angels Healthcare tenía su sede en el piso veintidós de la Trump Tower en la Quinta Avenida. Su despacho privado daba al sur y al oeste, con la mesa orientada al norte. En aquel momento miraba hacia el sur, a la avenida, donde los coches estaban atascados. Las luces rojas de los pilotos traseros parecían miles de rubíes resplandecientes. Sabía que su hija estaba respondiendo a su propia ira contra la vida por tener unos padres divorciados e intentaba utilizarla para salirse con la suya. Por desgracia, esos comentarios hirientes respecto a su ex marido habían funcionado varias veces en el pasado y habían hecho que Angela perdiera los estribos, pero estaba dispuesta a evitar que volviera a ocurrir. Sobre todo, dada la tensión que soportaba, debía hacer todo lo posible para mantener la calma; estaba a las puertas de una importante reunión. Hacer de madre y ocuparse de un negocio multimillonario eran dos cosas que a menudo estaban reñidas, y ella debía mantenerlas separadas.

—¿Mamá, estás ahí? —preguntó Michelle. Sabía que se había pasado y ya lamentaba su comentario. De ningún modo quería vivir con su padre y todas sus novias locas.

—Sigo aquí —respondió Angela. Se volvió de nuevo para contemplar su moderno despacho con escaso mobiliario—. Pero no me ha gustado nada tu último comentario.

—Pero estás siendo injusta. Dejaste que me hiciera agujeros en las orejas.

—Las orejas son una cosa y ponerse un *piercing* en el ombligo es otra cosa muy distinta. Además, no quiero seguir hablando de esto, al menos por el momento. ¿Has cenado?

—Sí —contestó Michelle en tono triste—. Haydee preparó paella.

«Gracias a Dios que está Haydee», pensó Angela. Haydee Figueredo era una encantadora colombiana que Angela había contratado de niñera inmediatamente después de separarse de su esposo Michael Calabrese. Michelle solo tenía tres años, y a Angela le faltaban seis meses para acabar la residencia como médico interno. Haydee había sido un regalo del cielo.

—¿Cuándo volverás a casa? —preguntó Michelle.

—Todavía tardaré un par de horas —respondió Angela—. Tengo una reunión importante.

—Siempre dices lo mismo.

—Puede que sí, pero esta es más importante que la mayoría. ¿Tienes deberes?

—¿El cielo es azul? —replicó Michelle.

A Angela no le gustó nada la falta de respeto que desprendían el comentario y el tono de Michelle, pero no dijo nada.

—Si necesitas ayuda con cualquiera de las materias, te ayudaré cuando llegue a casa.

—Creo que estaré durmiendo.

—¡Vaya! ¿Por qué?

—Tengo que levantarme temprano para la visita a The Cloisters.

—Oh, sí, lo había olvidado —se excusó Angela con una mueca exagerada. Detestaba olvidar acontecimientos que eran importantes para su hija—. Si estás durmiendo cuando llegue a casa, entraré sin hacer ruido, te daré un beso y te veré por la mañana.

—Vale, mamá.

A pesar de la tensa conversación anterior, madre e hija se despidieron cariñosamente antes de colgar. Por unos momentos, Angela permaneció sentada a su mesa. Pero la conversación telefónica con su hija le había traído a la memoria un episodio que había sido al mismo tiempo un desafío y le había creado un desasosiego familiar similar al de la situación actual. Fue cuando tuvo que enfrentarse al juicio de divorcio y a la bancarrota de su consulta de medicina privada en la ciudad; recordar que entonces había sobrevivido le daba confianza en las actuales circunstancias.

Con un poco más de optimismo que a principios de la tarde, Angela se levantó, recogió sus notas y salió del despacho. Se sorprendió al ver a su secretaria, Loren Stasin, todavía sentada a su mesa. Angela no se había acordado de la mujer en las últimas tres horas.

—¿Por qué estás aquí todavía? —le preguntó con un leve remordimiento.

Loren encogió sus hombros estrechos.

—Creí que podía necesitarme.

—Cielos, no. ¡Vete a casa! Te veré por la mañana.

—¿Debo recordarle que mañana por la mañana tiene una cita en el Manhattan Bank and Trust, y luego una reunión con el señor Calabrese en su despacho?

—No es necesario. Pero gracias de todas maneras. ¡Ahora, largo de aquí!

—Gracias, doctora Dawson —dijo Loren mientras guardaba con disimulo una novela.

Angela caminó por el desnudo pasillo. Por infinidad de razones, no le entusiasmaban las reuniones del día siguiente. Siempre le parecía degradante tener que pedir dinero, y en aquel momento, en su desesperada situación, sería aún mucho más humillante. Para colmo, una de las personas a las que pediría dinero era su ex marido. Siempre que se encontraba con él, con independencia del motivo, le evocaba todo el conflicto emocional del divorcio, para no hablar de la irritación que sentía hacia sí misma por haberse casado con él. No tendría que haber sido tan tonta. Había habido demasiados sutiles indicios de que él se convertiría en alguien como su padre, molesto por su éxito hasta el punto de adoptar un mal comportamiento.

Al llegar a la puerta cerrada de la sala de juntas, Angela hizo una pausa, respiró profundamente para darse ánimos y entró. En el mismo estilo que su despacho privado, el interior era moderno y espartano, y dominado por una gran mesa central que consistía en un cristal de cinco centímetros de grosor colocado sobre un capitel jónico de mármol blanco. El suelo era de losas de mármol blanco. En cada una de las paredes laterales a izquierda y derecha había pantallas planas de televisión para las presentaciones en PowerPoint. La pared más lejana era de cristal y daba a la Quinta Avenida. La dorada cúpula del Crown Building al otro lado de la calle llenaba la minimalista habitación con un cálido resplandor.

La mesa redonda había sido idea de Angela. Su forma de dirigir priorizaba el trabajo en equipo más que la jerarquía, y era más igualitaria que la habitual mesa de juntas. Aunque había sillas para dieciséis personas, únicamente cinco estaban ocupadas en ese momento. El director financiero estaba solo en el extremo opuesto, de espalda a la ventana. Los tres directores de hospital se encontraban a la izquierda de Angela. El director de gestión estaba a unas pocas sillas del director financiero, a la derecha de Angela. El profesional a cargo del control de infecciones estaba junto al director de gestión.

Con toda intención, ninguno de los jefes de departamento del Angels Healthcare, como eran los de abastecimiento, lavandería, mantenimiento, limpieza, relaciones públicas, personal, servicios de laboratorio, enfermería, personal médico o miembros ajenos a la junta, estaban presentes. De hecho, a ninguno de ellos se les había notificado la reunión, y mucho menos se les había invitado.

Angela sonrió cordialmente mientras miraba a cada uno de ellos y los saludaba. Las expresiones eran un tanto recelosas, excepto la del director financiero Bob Frampton, cuyo carnoso rostro mostraba el aspecto de una persona que siempre va corta de sueño, y la del director de gestión Carl Palanco, que parecía vivir en un estado de permanente sorpresa.

—Buenas tardes a todos —dijo Angela mientras se sentaba. Miró de nuevo a los presentes—. En primer lugar, permítanme que me disculpe por haberlos hecho esperar. Sé que es tarde y que todos están ansiosos por regresar a casa con sus familias, así que seré breve. La buena noticia es que todavía funcionamos. —Angela miró a los tres directores, que asintieron sin mucho entusiasmo—. La mala noticia es que nuestro problema de liquidez ha pasado de preocupante a crítico. Por supuesto, hace un mes ya considerábamos que la situación era crítica, pero ahora ha empeorado.

Angela señaló a Bob Frampton, que sacudió la cabeza como si quisiera despertarse. Se inclinó hacia delante y apoyó los codos en la mesa, con sus gordas manos juntas y los dedos entrelazados.

—Nos estamos acercando muy rápido, si es que no lo superamos ya, a nuestro margen del ochenta por ciento en nuestros créditos con el Manhattan Bank and Trust. Tuvimos que vender algunos bonos para pagar a nuestro proveedor de cánulas vasculares. Amenazaba con cortarnos el suministro.

—A la vista de nuestras apuradas finanzas, quiero agradecerle que lo haya hecho —manifestó la doctora Niesha Patrick. Era una joven afroamericana de piel clara y con unas pecas que formaban un dibujo de mariposa sobre la nariz y las mejillas. Como Angela, también tenía un máster en administración de empresas, además de ser médico. Angela se la había arrebatado a una gran compañía de la costa Oeste para que dirigiese el Angels Heart Hospital—. Con los quirófanos cerrados intermitentemente, nuestra única fuente de ingresos segura ha sido la angiografía y la cardioplastia invasiva. Sin las cánulas vasculares, incluso esos ingresos se habrían visto muy afectados.

—La angiografía invasiva y la técnica Lasik sin duda son lo que nos ha mantenido a flote —manifestó Angela. Hizo un gesto de reconocimiento a Niesha y al doctor Stewart Sullivan. Stewart era el presidente del Angels Cosmetic Surgery and Eye Hospital.

—Hacemos todo lo que podemos —afirmó Stewart.

—Por mucho que los hospitales especializados sean una mina

de oro en el actual sistema de reembolsos —dijo Angela—, están en grave desventaja cuando tienen cerrados los quirófanos.

—Pero los quirófanos están todos abiertos ahora —protestó la doctora Cynthia Sarpoulus, a la defensiva. Cynthia había sido compañera de curso de Angela en la facultad y se había especializado en enfermedades infecciosas y epidemiología. Angela la había contratado cuando habían comenzado las infecciones hospitalarias tres meses y medio atrás. Cynthia era una mujer morena, con el pelo negro azabache y con un carácter bastante fuerte. Angela estaba dispuesta a soportar su mal genio y a menudo cáustico estilo debido a sus conocimientos, dedicación, inteligencia y prestigio. Ostentaba el mérito de haber salvado a varias instituciones que se habían visto afectadas por problemas en el control de infecciones.

—Puede que estén abiertos, pero no están siendo utilizados excepto por un grupo reducido de nuestro personal médico —puntualizó el doctor Herman Straus. Angela había contratado a Herman cuando este trabajaba en un hospital de Boston, donde era un muy respetado subadministrador. Era un hombre fornido y atlético con un carácter abierto, y tenía un don especial para tratar con los cirujanos ortopédicos. Esto, combinado con su formación administrativa en el Cornell Hospital, lo hacían el director ideal del Angels Orthopedic Hospital; su trabajo así lo confirmaba.

—¿Y a qué es debido? —preguntó Angela—. Sin duda saben que nos hemos ocupado del problema desde el principio. Cynthia, recuérdales a todos lo que se ha hecho.

—Todo lo posible —dijo Cynthia en tono vivaz, como si la hubiesen desafiado—. Todos los quirófanos han sido limpiados con hipoclorito de sodio y fumigado al menos una vez con un producto llamado MAV-CO$_2$. Es un alcohol no inflamable en dióxido de carbono.

—No ha salido nada barato —señaló Bob.

—¿Por qué hubo que utilizar ese agente en particular? —quiso saber Carl.

—Porque el estafilococo áureo resistente a la meticilina, o más conocido por su abreviatura, EARM, es muy sensible a esta preparación en particular —replicó Cynthia, como si fuese algo que todos deberían saber.

—No nos enfademos —rogó Angela. Deseaba mantener un ambiente tranquilo y, esperaba, productivo—. Aquí estamos todos en el mismo barco. Nadie está acusando a nadie. ¿Qué más se ha hecho?

—A todas las habitaciones de los hospitales donde se ha producido una infección se les ha aplicado el mismo tratamiento —explicó la experta—. Y quizá aún más importante, como ustedes saben, todos los miembros del personal médico y todos los empleados de los hospitales se someten a análisis periódicamente, y aquellos que dan positivo como portadores son tratados de inmediato con mupirocina hasta que dan negativo.

—Eso también ha costado muy caro —añadió Bob.

—Por favor, Bob —dijo Angela—. Todos somos conscientes de los gastos de este desastre. Cynthia, continúa. ¿Crees que el análisis y el tratamiento del personal médico y los empleados es necesario?

—Por supuesto —afirmó Cynthia—. Quizá debamos considerar hacer lo mismo con los pacientes como un requisito previo a la admisión. Holanda y Finlandia tuvieron serios problemas con el EARM, pero lograron controlarlo tratando al personal y a los pacientes; a cualquiera que diese positivo como portador. Comienzo a preguntarme si tendríamos que hacer lo mismo. Sin embargo, mi principal preocupación es que el EARM ha aparecido en nuestros tres hospitales. ¿Qué significa eso? Significa que si hay un portador responsable, entonces este debe de visitar de forma rutinaria los tres hospitales. En consecuencia, a partir de hoy he ordenado el análisis y tratamiento de todos los empleados, incluso los de aquí en la sede central, que visitan regularmente los tres hospitales, estén o no en contacto con los pacientes.

—¿Algo más? —preguntó Angela.

—Hemos ordenado realizar un enérgico lavado de manos después de tratar a cada paciente —dijo Cynthia—, en particular al personal médico y a las enfermeras. También hemos dispuesto el aislamiento estricto de todos los pacientes con EARM, y que el personal médico se cambie la ropa con más frecuencia, como batas y prendas quirúrgicas. Además se insistirá en el lavado con alcohol del equipo rutinario después de cada uso, entre otros, de las bandas de los tensiómetros. Incluso hemos hecho cultivos de todas las fuentes de condensación de los acondicionadores de aire de los tres hospitales. Todos han dado negativo para patógenos, en particular para la cepa del estafilococo que nos afecta. En resumen, estamos haciendo todo lo posible.

—Entonces ¿por qué los doctores no admiten pacientes? —preguntó Bob—. Dado que todos ellos son propietarios, deberían ser conscientes de que les cuesta dinero de sus propios bolsillos no hacerlo, sobre todo si vamos a la bancarrota.

—No quiero escuchar esa palabra —manifestó Angela, que ya había pasado por esa humillante experiencia.

—Está claro por qué no los admiten —señaló Stewart—. Les aterroriza que sus pacientes sufran una infección posquirúrgica a pesar de todas las estrategias de control de infecciones. El reembolso solo afecta a los casos relacionados por el diagnóstico, por lo que los pacientes que sufren una infección posquirúrgica inciden negativamente en su productividad, y es la productividad lo que determina sus ingresos. Además, está la preocupación de un error médico. Varios de nuestros cirujanos plásticos, e incluso dos de nuestros oftalmólogos, han sido demandados por estas recientes infecciones de estafilococos. Por lo tanto, la explicación es muy sencilla: aunque sean propietarios, para ellos representa un mayor beneficio económico volver al University o al Manhattan General, al menos a corto plazo.

—Pero todos los hospitales tienen problemas con los estafilococos —objetó Carl—, en particular con el estafilococo resistente a la meticilina. Eso incluye al University y al General.

—Sí, pero no durante los últimos tres meses, ni tampoco con la misma frecuencia que hemos visto aquí —replicó Herman—. Pese a todos los esfuerzos que está dirigiendo la doctora Sarpoulus, el problema sigue sin resolverse, dado que nosotros, en el Angels Orthopedic, hemos tenido otro caso hoy mismo. Un paciente llamado David Jeffries.

—¡Oh, no! —se lamentó Angela—. No lo sabía. ¡Qué desastre! Nos habíamos librado desde hacía más de una semana.

—Como en todos los casos anteriores, hemos intentado mantenerlo en secreto —añadió Herman—. Como he dicho, se presentó a última hora de esta tarde.

Por unos momentos reinó el silencio. Todas las miradas se volvieron hacia Cynthia. Las expresiones iban de la cólera al desconsuelo y el desconcierto. ¿Cómo podía ser que hubiese ocurrido después de lo que Cynthia les había explicado que habían hecho con una considerable cantidad de dinero que no tenían?

—No se ha confirmado que sea el estafilococo resistente a la meticilina —afirmó Cynthia a la defensiva. El presidente del comité de control de infecciones del hospital la había llamado e informado del caso momentos antes de asistir a la reunión.

—Si se refiere a que no se ha hecho el cultivo, tiene razón —declaró Herman—. Pero ha dado positivo según nuestro sistema VITEK, y mi supervisora de laboratorio dice que nunca ha tenido un falso positivo. Falsos negativos sí, pero ningún falso positivo.

—Dios bendito —se lamentó Angela, que intentaba mantener la compostura—. ¿Cuándo fue intervenido el paciente?

—Esta mañana —respondió Herman—. De un ligamento cruzado anterior.

—¿Qué tal está, o no debo preguntar?

—Murió mientras lo trasladaban al University Hospital. Por razones obvias, una vez que quedó claro que sufría un choque séptico, no había ningún lugar donde pudiese recibir mejor tratamiento.

—Dios bendito —repitió Angela. Estaba desconsolada—. Espero que haya comprendido que fue una mala decisión. Enviando a dos pacientes a un hospital que cuenta con todos los servicios, corremos el riesgo de que los medios puedan enterarse de la historia. Ya veo los titulares: «Hospital especializado deriva a paciente en estado crítico». Sería una pesadilla para el departamento de relaciones públicas, y es lo que intentamos evitar a toda costa; afectaría muy negativamente la salida en bolsa.

Herman se encogió de hombros.

—No fue decisión mía. Fue una decisión médica. No estaba en mis manos.

—¿Cómo se lo ha tomado la familia Jeffries? —preguntó Angela.

—Como puede suponer —contestó Herman.

—¿Ha hablado con ellos en persona?

—Lo he hecho.

—¿Qué impresión le ha dado, van a demandarnos? —inquirió Angela. En ese momento, el control de daños era una prioridad.

—Es demasiado pronto para decirlo, pero hice lo que me correspondía. Asumí la responsabilidad en nombre del hospital, les ofrecí mis disculpas, y les dije todas las cosas que habíamos hecho y lo que haremos para evitar otra tragedia similar.

—De acuerdo, eso es todo cuanto podías hacer —manifestó Angela, más para tranquilizarse a sí misma que a Herman. Tomó nota—. Informaré a nuestro consejo general. Cuanto antes se ocupen, mejor.

—Si hay otra infección posquirúrgica, por trágico que sea para todos —intervino Bob—, lo mejor es trasladar al paciente de inmediato. El coste para nosotros es muchísimo menor, algo que podría ser crítico dada las circunstancias.

Angela se volvió hacia Cynthia.

—Averigua si la intervención se realizó en uno de los quirófanos que acababan de limpiar. En cualquier caso, ocúpate de que lo desinfecten de nuevo, pero no cierres todos los quirófanos. Averigua cuándo se hicieron los cultivos del personal que participó y si alguno de ellos era un portador.

Cynthia asintió.

—¿Hay alguna otra manera de que podamos conseguir que nuestros médicos aumenten el censo de casos? —preguntó Bob—. Sería enormemente beneficioso. Necesitamos ingresos. No me importaría facturar a Medicare por adelantado si solo es durante un par de semanas.

Los tres directores de hospital se miraron entre sí para ver quién hablaría. Fue Herman quien tomó la palabra.

—No creo que haya ninguna manera de aumentar el censo, sobre todo con este nuevo caso de EARM. No sé qué opinan mis colegas, pero los traumatólogos recelan mucho de las infecciones, porque las infecciones en los huesos y las articulaciones tienen tendencia a permanecer durante mucho tiempo y consumen gran parte del tiempo del cirujano, incluso en las mejores circunstancias. He hablado de ello con el jefe del servicio médico. Él es quien me informó.

—Yo también he hablado con mi jefe del servicio médico —señaló Niesha—. En esencia, recibí la misma respuesta.

—Y yo —añadió Stewart—. Todos los cirujanos se oponen a asumir cualquier riesgo cuando se trata de infecciones.

—En cualquier caso, es probable que sea demasiado tarde —manifestó Angela, que intentaba recuperarse de ese último alud de malas noticias—. Pero la pregunta de Bob va al fondo de la razón por la que he convocado esta reunión. Primero quería que todos escuchasen lo que ha hecho la doctora Sarpoulus en lo que concierne a nuestro problema con el EARM. Por supuesto, no sabía que se había producido un nuevo caso. De verdad confiaba en que ya estaba superado. Pero sea cual sea la situación, tenemos que resistir las próximas semanas. —Angela se volvió hacia Cynthia—. El Angels Healthcare te da las gracias por tus continuados esfuerzos, pese a lo sucedido hoy. Ahora, ¿te importaría dejarnos para la aburrida discusión financiera?

Cynthia no respondió. Sus ojos oscuros miraron un momento a Angela, y luego se fijaron en los demás. Sin decir una palabra, se apartó de la mesa y abandonó la habitación. La puerta se cerró con un portazo.

Durante unos instantes, nadie habló.

—Un tanto impetuosa —comentó Bob, que fue el primero en romper el silencio.

—Impetuosa pero comprometida —dijo Carl—. Se ha tomado este problema y su persistencia como algo personal. Estoy seguro de que cree que vamos a hablar mal de ella después de este nuevo caso.

—Mañana la tranquilizaré —señaló Angela—. Pero ahora

abordemos lo más importante. Como todos ustedes saben, dentro de dos semanas iniciaremos la oferta pública de acciones. Lo crucial es cómo vamos a llegar sin que ningún posible inversor o funcionario de la SEC se entere del desastre de la falta de liquidez. Hasta ahora hemos tenido suerte a pesar de las demandas por negligencia médica. También hemos sido afortunados por el hecho de que el problema con los estafilococos empezase después de la auditoría externa, y, por tanto, su impacto no aparece reflejado en el folleto de la OPA. Sé que todos ustedes han hecho enormes sacrificios personales. Ninguno de los cargos superiores ha percibido salario alguno en los últimos dos meses, y eso me incluye a mí. Todos hemos utilizado al máximo nuestro crédito personal. Se lo agradezco. Les aseguro que hemos suplicado a todos nuestros inversores al máximo, incluido el cuarto de millón de nuestro inversor ángel.

»La ironía de esta situación desesperada es que si la oferta va como esperamos, los agentes encargados de colocar las acciones nos han garantizado quinientos millones de dólares. Eso significa que todos seremos ricos y que la empresa nadará en la abundancia. También hay algo fundamental: comenzará la construcción de los tres hospitales propuestos para Miami y los otros tres para Los Ángeles. Estamos preparados para ser la primera compañía de hospitales especializados que saldrá a bolsa después de haberse levantado la moratoria del Senado para la construcción de este tipo de hospitales, y nosotros estamos preparados en las especialidades más lucrativas. El momento no podría ser más idóneo. El cielo es el límite. Solo tenemos que llegar allí.

Angela hizo una pausa y miró a los ojos a cada uno de los presentes para asegurarse de que no había ningún desacuerdo. Nadie se movió o habló. Consultó un momento sus notas.

—No hay ningún culpable en esta situación —continuó—. Ninguna de las proyecciones que utilizamos para calcular incluso el peor escenario indicaban semejante catástrofe, en la que todos nuestros quirófanos cerrarían prácticamente a la vez. Con los ingresos casi a cero y los costes fijos en alza, el descenso de nuestro capital de emergencia ha sido para dejarnos a todos en las oficinas centrales sin aliento. Pero todos ustedes ya lo sabían, y con su ayuda, hemos sobrevivido. Hemos seguido a trancas y barrancas, hemos retrasado los pagos a nuestros proveedores hasta que pudimos. Vamos a continuar haciéndolo, pero incluso así, quizá no sea suficiente. Bob, dinos cuánto capital necesitaremos para llegar hasta la salida a bolsa.

—Me sentiría muy tranquilo con doscientos mil dólares —respondió Bob—. A medida que la cantidad baja, también lo hace mi confianza.

—Doscientos mil dólares —repitió Angela con un suspiro—. Por desgracia, eso es un montón de dinero, y a mí se me han acabado las ideas. La cuestión es si alguno de ustedes, que son personas inteligentes, tienen alguna propuesta. Desde su perspectiva, el problema principal, por supuesto, es que todos tendrán que pagar las nóminas, y con una liquidez negativa eso es cada vez más difícil, a menos que podamos ayudarles. El problema es que todas nuestras cuentas a la vista están bajo mínimos.

—¿Qué tal si retrasamos el pago de impuestos? —propuso Stewart—. Solo son dos semanas.

—Es una mala idea —señaló Bob—. El impuesto de las nóminas y las retenciones se pagan por transferencia. Si alguno de vosotros o nosotros las retenemos, el banco lo sabrá, porque le hemos dado orden de hacerlo. Decirle al banco que no pague los impuestos sería una enorme bandera roja.

—¿Qué tal si volvemos a apelar a nuestro principal inversor ángel? —propuso Niesha.

—Lo intentaré mañana —prometió Angela—. Pero no soy optimista. Nuestro agente de colocación, que fue quien encontró al inversor ángel, ya le sacó otro cuarto de millón hace un mes, y en aquel momento me pareció que el pozo estaba seco. De todos modos, lo intentaré.

—¿Por qué no buscar un crédito puente del banco? —preguntó Stewart—. Ellos conocen la operación de la salida a bolsa. Demonios, solo serán dos semanas. Con el interés que les pagamos por los préstamos, están haciendo una fortuna con nosotros.

—Olvidas lo que dije al principio —interrumpió Bob—. El

viernes recibí una llamada del encargado de nuestras cuentas. Estaba inquieto porque habíamos vendido parte de los bonos para pagar a nuestro proveedor de cánulas vasculares. Ahora mismo no están muy contentos con nosotros. Si reclaman el pago aunque solo sea de una parte de los préstamos, el juego se habrá acabado.

Angela los miró uno tras otro. Todos se miraban los pies a través de la mesa de cristal.

—De acuerdo —manifestó, cuando quedó patente que nadie tenía más ideas—. Mañana iré al banco y después veré a nuestro agente. Haré lo que pueda. Si a alguien se le ocurre una idea, tengo el móvil conectado a todas horas. Gracias por su asistencia.

Se oyó el rozamiento contra el suelo de todas las sillas, excepto la de Angela, cuando fueron empujadas sobre sus patas con conteras de teflón. Todos salieron; la mayoría dieron una palmadita en el hombro a Angela para animarla. Por unos momentos ella permaneció donde estaba, con la mirada fija en la cúpula dorada del Crown Building al otro lado de la calle, mientras pensaba en la situación de su empresa. No le parecía justo que después de todo el trabajo y las preocupaciones, ella y su incipiente imperio pudiesen derrumbarse por una miserable bacteria. Al mismo tiempo, no estaba sorprendida. En el mundo de las finanzas, ya fuese ofreciendo servicios médicos o fabricando bombillas, la justicia era algo que brillaba por su ausencia. El dinero era el rey, y ella había aprendido la lección a las malas, cuando intentó en vano mantener a flote su consulta de atención primaria, que atendía a una gran cantidad de pacientes de Medicaid. Era la terrible experiencia de la bancarrota lo que, por encima de cualquier otra cosa, la había llevado a matricularse en la escuela de empresariales, donde destacó como si estuviera tomándose la revancha y donde llegó a comprender que la atención médica, si se hacía correctamente, no solo te daba tranquilidad económica, sino que incluso te hacía rico.

Con renovada decisión, Angela apartó la silla y se levantó. Recogió el abrigo y el paraguas de su despacho pero, con toda la intención, dejó las notas que llevaba y su maletín sobre la mesa.

Los recogería por la mañana antes de ir a su primera cita del día en el Manhattan Bank and Trust. Sabía que para conseguir dormir y estar en forma por la mañana, cuando necesitaba estar bien despierta, debía hacer un decidido esfuerzo para despejar la mente. Cuando lo había logrado, en las mismas circunstancias estresantes en el pasado, no solo se había sentido mejor al día siguiente, sino que a menudo había visto los problemas desde otra perspectiva y había tenido nuevas ideas. Era como si su subconsciente participara activamente en la toma de decisiones.

En la esquina de la Quinta Avenida y la calle Cincuenta y seis, Angela se acercó al bordillo y levantó la mano con la intención de llamar a un taxi, aun a sabiendas de lo difícil que era conseguir uno a las ocho y veinticinco, en una noche lluviosa de principios de abril, cuando la mayoría de los taxistas estaban acabando el turno; muchos de los que vio llevaban encendidas las luces de fuera de servicio; otros estaban ocupados. Hasta el mes anterior, Angela había utilizado un servicio de coches, pero con la cuenta en números rojos se había visto obligada a recurrir a los taxis. En el momento en que había decidido ir caminando a su apartamento en la calle Setenta, se detuvo un taxi para descargar a un pasajero. Tan pronto como el hombre pagó y bajó, Angela se subió.

Mientras el taxi la llevaba a su destino, Angela respiró hondo y soltó el aire como una explosión. Fue entonces cuando se dio cuenta de lo tensa que estaba. Con los brazos cruzados sobre el pecho, se masajeó los hombros, y después hizo lo mismo con las sienes. Poco a poco notó cómo se relajaban los músculos abdominales y de los muslos. Abrió los ojos y contempló las luces de la ciudad reflejadas en las calles mojadas. Había muchos peatones, algunos tomados del brazo para compartir los paraguas. Era en tales momentos, entre las exigencias del día de trabajo y las preocupaciones domésticas acerca de su hija, cuando Angela era consciente de que no tenía vida social, en particular con miembros del otro sexo. La interacción con los hombres se limitaba a encuentros relacionados con el trabajo, a las escasas reuniones de padres en la escuela de su hija o, todavía más triste, con alguien en la cola de la caja en el supermercado. Aunque había sido su elección, porque era una mujer con una meta y cuyas experiencias con los hombres le hacían cuestionarse su capacidad monogámica, seguía sintiendo algún ocasional deseo.

Poco dispuesta a dar mayor trascendencia a sus pensamientos, sacó el móvil y pulsó la tecla de marcado rápido para llamar a su casa. Esperaba escuchar la voz de su hija dado que, por lo general, era ella quien respondía antes de que acabara de sonar el primer timbrazo. Angela se encontró hablando con Haydee, la niñera y ama de llaves. Dada la atareada vida de Angela, permitía que Haydee cumpliese múltiples roles.

—¿Dónde está el Terror? —preguntó Angela. Con el apodo de «el Terror», Angela y Haydee se referían humorísticamente a Michelle a espaldas de la niña. Era divertido porque era lo opuesto de lo que ellas pensaban. Ambas mujeres creían que Michelle se mostraba empecinada y de vez en cuando respondona como correspondía a su edad, como en el caso del *piercing* en el ombligo, pero por lo demás era casi perfecta.

—Está en la cama, y creo que ya duerme. ¿Debo despertarla?

—¡Cielos, no! —respondió Angela, que sintió una suave punzada de soledad—. Por supuesto que no.

Después de hablar sobre varios asuntos domésticos, Angela tomó una súbita decisión. Le dijo a Haydee que no la esperase levantada, porque tardaría varias horas en volver a casa.

Se deslizó hacia delante en el asiento para hablar al taxista a través de la separación de plexiglás. En lugar de ir a casa para encontrarse con su hija dormida, había decidido ir al gimnasio. Con todo lo que estaba pasando, no había ido en meses, y desde luego le iría bien un poco de ejercicio por razones tanto mentales como físicas. Además, se dijo, habría más gente, y podría comer un bocado en el excelente bar restaurante del club.

El gimnasio de Angela estaba cerca de su apartamento, una calle más arriba y unas pocas manzanas más abajo por Columbus Avenue. Sin mucha dificultad, encontró en la cartera su poco utilizada tarjeta de socia. En cuestión de minutos se había vestido con sus prendas de gimnasia y se montó en una de las bicicletas estáticas mientras miraba la CNN. Le decepcionó ver lo poco en forma que estaba. En menos de cinco minutos se había quedado sin aliento. Al cabo de diez, sudaba hasta el extremo que creía tener el aspecto de un vaso de té frío en el trópico. No obstante persistió por pura fuerza de voluntad hasta alcanzar su meta de veinte minutos.

Angela bajó de la bicicleta, apoyó las manos en las caderas y, con el pecho jadeante, intentó recuperar el aliento. Por unos instantes necesitó toda su concentración. Para colmo, estaba empapada. La cinta que le rodeaba la cabeza, que en el pasado había sido más un adorno que una necesidad, rezumaba. Imaginó que parecería un adefesio con el rostro congestionado, las prendas de gimnasia pegadas al cuerpo y el pelo hecho un verdadero estropajo. Le avergonzaba ver que las personas montadas en las otras bicicletas pedaleaban con gran facilidad. Ninguno de ellos parecía sudar, y muchos eran capaces incluso de leer mientras pedaleaban. Angela sabía que de ninguna manera habría sido capaz de leer nada durante el ejercicio, sobre todo hacia el final.

Cogió la toalla y se secó el rostro. Muy consciente de su falta de resistencia y su aspecto desastrado, miró un momento los rostros de los demás ciclistas, mientras iba hacia la sala de máquinas. Por fortuna para su autoestima, nadie le prestó atención, hasta que cruzó la mirada con un hombre rubio que pedaleaba con furia aunque aún no sudaba. La rapidez con la que él había desviado la mirada confirmó el veredicto de Angela sobre su aspecto. Cuando pasó por detrás de él, no pudo evitar sonreír ante su paranoia; en realidad, no le importaba en lo más mínimo qué pensara el desconocido.

Angela caminó por la sala de máquinas sin ningún plan en particular, y utilizó los aparatos al azar. Tuvo la precaución de no cargar demasiado peso o hacer muchas repeticiones. Lo último que deseaba era una contractura o lesionarse una articulación. A pesar de la hora, la sala estaba bastante llena. Advirtió que algunos hombres observaban a las mujeres mientras fingían no hacerlo, lo que le recordó qué superficiales podían ser algunos. Cogió un par de pesas muy livianas, se colocó delante de un espejo y comenzó a estirar más que a ejercitar los músculos del tronco. Mientras lo hacía, se evaluó a sí misma e intentó ser objetiva. Seguía teniendo buena figura y su aspecto no había cambiado mucho desde que tenía veintitantos. Desde luego, eso se debía más a los genes que al esfuerzo, a la vista de lo poco que había utilizado el gimnasio mientras atendía Angels Healthcare. Su vientre era plano, a pesar del embarazo, sus piernas estaban bien definidas, y sus pechos eran más firmes de lo que merecía. En conjunto, estaba satisfecha de su apariencia, excepto de su cabello.

Angels Healthcare solo llevaba un mes afectado por la actual catástrofe provocada por el EARM cuando Angela encontró las primeras canas. Su madre había encanecido joven, y por lo tanto ella no debería haberse sorprendido, pero le preocupó hasta el extremo de comprar en secreto un tinte en la farmacia y utilizarlo varias veces. Aunque las canas habían desaparecido, le preocupó que con ellas también desapareciera parte del brillo natural. En aquel momento, mientras se miraba en el espejo de la sala de máquinas del club, se convenció de ello.

Angela hizo una súbita y breve pero exagerada expresión de absoluto horror en el espejo como una manera de burlarse de sí misma. En última instancia, no era una persona vanidosa. Le interesaban los logros, no el aspecto.

—¿Está usted bien? —preguntó una voz.

Angela se volvió y vio el rostro del hombre rubio con quien había cruzado una breve mirada en la sala de las bicicletas estáticas. Tendría unos cuarenta y tantos, era bastante apuesto, y sin duda también inteligente. Tenía unos brillantes ojos azules, el pelo corto y una encantadora sonrisa. Llevaba una camiseta con un globo que decía «Hazme feliz».

—Estoy bien —respondió Angela después de evaluar brevemente al desconocido—. ¿Por qué lo pregunta?

—Por un momento creí que iba a echarse a llorar.

Angela se rió de todo corazón. Cuando había hecho su expresión de burla en el espejo, se había olvidado por un momento de que se encontraba en una habitación con muchos varones secretamente atentos.

—¿Por qué se ríe? ¡De verdad! Hace un minuto, mientras estaba haciendo sus ejercicios, parecía que fuera a echarse a llorar en cualquier momento.

—Sería muy largo de explicar.

—El tiempo no es un problema para mí. ¿Qué tal una copa después del ejercicio y me lo cuenta? Después, ¿quién sabe?

Con una sonrisa irónica, Angela miró al hombre que estaba a su lado. Hacía mucho que no se encontraba con un ligue tan rápido y descarado. En circunstancias normales se habría limitado a sonreír y después se habría marchado. Pero en su actual humor, un poco de charla y compañerismo tenían su atractivo, al menos durante una hora. Después de todo, ella intentaba despejar su mente.

—No sé su nombre —dijo Angela, a sabiendas de que estaba abriendo la proverbial puerta.

—Chet McGovern. ¿Y el suyo?

—Angela Dawson. Dígame, ¿liga usted con las mujeres aquí en el club con mucha frecuencia?

—Continuamente —respondió Chet—. Es la razón por la que vengo aquí tan a menudo. El ejercicio en sí mismo se parece demasiado al trabajo.

Angela se rió de nuevo. Apreciaba tanto la sinceridad como el sentido del humor. Al parecer Chet McGovern tenía ambas cosas.

—Puede usted beber mientras yo como —dijo Angela—. Estoy hambrienta.

—Trato hecho, señora.

Cuarenta minutos más tarde, después de ducharse, estaban sentados a una de las mesas en el bar restaurante. El bar estaba a rebosar. Detrás de la barra había un televisor de pantalla plana donde ofrecían un encuentro de béisbol al que nadie prestaba atención. El ruido de fondo era como el de una bandada de aves marinas comiendo. Angela acusaba mucho el ruido, porque hacía años que no había estado en un entorno como aquel. Tenía que inclinarse por encima de su plato de ensalada con salmón a la plancha para escuchar.

—Le preguntaba en qué trabaja —repitió Chet—. Tiene usted el aspecto de una modelo.

—Sí, claro —se burló Angela. Comentarios como aquel confirmaban que estaba con un individuo que se creía todo un donjuán.

—¡De verdad! —insistió Chet—. ¿Cuántos años tiene, veinticuatro o veinticinco?

—Treinta y siete —dijo Angela, que resistió la tentación de ser sarcástica.

—Nunca lo habría adivinado. No con una figura como la suya.

Angela se limitó a sonreír. Era divertido escuchar aquel tipo de comentarios, aunque no tuvieran nada de sinceros.

—Si no es una modelo, ¿cuál es su trabajo?

—Soy empresaria —dijo Angela sin más explicaciones. Para desviar la conversación de sí misma, se apresuró a añadir—: ¿Usted qué es, una estrella de cine?

Ahora le tocó a Chet reírse. Luego se inclinó hacia delante y dijo:

—Soy doctor. —Luego se echó hacia atrás.

A Angela le pareció que había adoptado una sonrisa de autocomplacencia, como si ella tuviese que mostrarse impresionada.

—¿Qué tipo de doctor? —preguntó Angela después de una pausa—. ¿Doctor en medicina o en filosofía?

—En medicina, y especialista.

«¡Caray!», pensó Angela con sarcasmo aunque no lo manifestó.

—Como empresaria, ¿qué hace en realidad?

—Supongo que debo admitir que dedico la mayor parte de mi tiempo a buscar dinero, por desagradable que resulte. Las empresas que empiezan son como las plantas: necesitan riego constantemente, y a veces hace falta mucha agua antes de que den fruto.

—Eso es muy poético. ¿Cuánto le falta a la empresa para la que trabaja para que dé frutos?

—Muy poco. Estamos a dos semanas de la salida a bolsa.

—¡Dos semanas! Eso debe de ser muy excitante.

—Ahora mismo, causa más ansiedad que excitación. Necesito reunir doscientos mil dólares para solucionar nuestro problema de liquidez para llegar a la oferta de acciones.

Chet silbó entre dientes. Estaba impresionado, y dedujo que Angela debía de ser una ejecutiva de alto nivel.

—¿La empresa conseguirá hacerlo?

—Intento ser optimista, sobre todo dado que los encargados de la operación prometen que la salida a bolsa será un éxito. Quizá usted, como médico especialista, querría invertir. Desde luego podemos hacer que valga la pena con acciones, bonos, o ambas cosas. Tenemos muchos médicos inversores: más de quinientos para ser exactos.

—¿De verdad? —preguntó Chet—. ¿Qué tipo de empresa?

—Se llama Angels Healthcare. Construimos y gestionamos hospitales especializados.

—Supongo que eso significa que sabe usted algo de médicos.

—Podría decir que sí —admitió Angela.

—Por desgracia, en este momento no dispongo de esa cantidad —dijo Chet—. Lo siento.

—Ningún problema. Si cambia de opinión, llámenos.

—Lo haré —dijo Chet, que obviamente quería cambiar de tema—. ¿Es usted soltera, casada o algo por el estilo?

«De vuelta al ataque», pensó Angela. De pronto, ya no le interesó seguir con la conversación. Se había divertido, pero de repente se sintió cansada, que era su objetivo. Quería irse a casa.

—Divorciada —respondió, y luego añadió como si creyese que con ello facilitaría un rechazo—: Estoy divorciada y vivo con mi hija de diez años, que está en casa durmiendo.

—Entonces eso descarta su apartamento —dijo Chet—. Soy soltero, digamos que muy soltero, y tengo un magnífico apartamento a la vuelta de la esquina. ¿Qué tal una última copa?

—Para ver sus grabados, supongo. Lo siento, tengo que pensar en mi hija y en los doscientos mil dólares. —Angela hizo una seña a uno de los camareros para que trajera la nota.

—Yo invito —dijo Chet generosamente.

—¡No, de ninguna manera! —replicó Angela en un tono que no admitía réplica—. Me temo que en cierto sentido lo he utilizado. Como penitencia, debo insistir.

—¿Utilizado? —preguntó Chet desconcertado—. ¿A qué se refiere?

—Sería muy largo de explicar, y tengo que volver a casa.

Chet pareció inquietarse un poco mientras Angela firmaba la factura para que se la cargasen en la cuenta del club.

—¿Qué tal si cenamos mañana por la noche? —propuso cuando ella hubo acabado.

—Es muy generoso por su parte, pero me temo que no dispongo de tiempo. No estoy muy segura de qué me encontraré mañana en la oficina.

—Pero tendrá un momento para explicarme cómo «me ha utilizado» —dijo Chet—. De verdad no me siento utilizado, y me ha encantado conocerla. Si la he ofendido, me disculpo. Le prometo que no soy tan descarado. No es más que una pose.

Un tanto sorprendida porque Chet le revelara lo que parecía una debilidad, Angela le tendió la mano.

—He disfrutado de su compañía, lo digo de verdad —manifestó mientras se levantaba—. Quizá después de la salida a bolsa podremos encontrarnos para tomar una copa o incluso cenar.

—Eso me gustaría —manifestó Chet, que recuperó su aplomo—. Invito yo.

—Trato hecho —respondió Angela, consciente de que le tocaba a ella no ser sincera.

# 2

3 de abril de 2007, 7.15 horas

—Escucha —dijo el doctor Jack Stapleton sin disimular su irritación—. He tenido la suerte que me pongan en la lista del doctor Anderson. Diablos, es él quien opera las rodillas de todos los grandes atletas de la ciudad. Tiene que haber una razón, y la razón es que sin duda es el mejor. Si cancelo la intervención para este jueves, quizá no vuelvan a conseguirme otra oportunidad durante meses. El hombre esta ocupadísimo.

—Pero te lesionaste hace solo una semana —replicó la doctora Laurie Montgomery con idéntica emoción—. Desde luego, no soy una cirujana ortopédica, pero es lógico que operar tu rodilla, que ha sufrido un trauma hace muy poco, sea un riesgo añadido. Por amor de Dios, tu rodilla todavía tiene el doble del tamaño normal, y los rasguños no han cicatrizado del todo.

—La hinchazón ha disminuido considerablemente —afirmó Jack.

—¿El médico propuso que te operases tan pronto?

—No del todo. Le dije que quería operarme lo antes posible, y él me pasó con su secretaria para que me diese una fecha.

—¡Ah, fantástico! —exclamó Laurie en tono de burla—. La fecha la fijó una secretaria.

—Ella debe de saber lo que hace —señaló Jack—. Lleva años trabajando con Anderson.

—Vaya, una deducción muy inteligente —dijo Laurie en el mismo tono.

—Otra razón por la que no quiero cancelar la operación es que tuve la buena fortuna de que me asignaran la primera intervención de Anderson. Si tienen que operarme, quiero ser el primer caso. El cirujano está descansado, las enfermeras están descansadas, todos están descansados. Recuerdo que en mis intervenciones, cuando ejercía de oftalmólogo, yo habría deseado ser mi primer caso.

—¿Dónde está el Angels Orthopedic Hospital? —preguntó Laurie enfadada. No hizo caso del intento humorístico de Jack—. Nunca lo he oído mencionar.

—Está en la zona norte, no muy lejos del University Hospital en el Upper East Side. Es relativamente nuevo. No sé la fecha exacta, pero abrió hace menos de cinco años. Anderson me dijo que para los pacientes es como alojarse en el Ritz, algo que no se puede decir del University o del Manhattan General. Le gusta porque los médicos llevan la voz cantante, y no algún administrador burócrata. En la misma cantidad de tiempo pueden atender el doble de casos.

—¡Maldita sea, Jack! —protestó Laurie.

Se volvió para mirar a través de la ventanilla del taxi las calles azotadas por la lluvia. Decir que Jack era tozudo era quedarse corto, y cuando se enfadaba, creía que la palabra empecinado se aproximaba más a la verdad. Cuando comenzaron a trabajar juntos como patólogos forenses en la OCME, ella había creído que sus alocados viajes de ida y vuelta del trabajo en bicicleta y sus agotadores partidos de baloncesto con muchachos que tenían la mitad de su edad, eran algo encantador. Pero doce años más tarde y casada con él desde hacía menos de un año, creía que una conducta tan arriesgada por parte de una persona de cincuenta y dos años era algo juvenil e incluso irresponsable, ya que entonces tenía una esposa y la posibilidad de un hijo. En honor a la verdad, ella quería retrasar la intervención, no solo para disminuir el riesgo quirúrgico, sino también porque creía que cuanto más tiempo estuviese alejado de la bicicleta y el baloncesto, mayores eran las posibilidades de que renunciase a ambas.

—Quiero que me operen el jueves —afirmó Jack, como si le

hubiese leído el pensamiento—. Necesito volver cuanto antes a mi rutina de ejercicios.

—Pues yo quiero un marido intacto. Podrías acabar muerto si sigues como hasta ahora.

—Hay muchísimas formas de acabar muerto —contestó Jack—. Como médicos forenses, es algo que sabemos mucho mejor que la mayoría.

—Retrásala un mes —suplicó Laurie.

—Me operaré. Es mi rodilla.

—Es tu rodilla, pero se supone que ahora somos un equipo.

—Somos un equipo —asintió Jack—. Dejemos de hablar de ello. Podremos continuar esta noche si insistes.

Jack apretó la mano de Laurie y ella le devolvió el apretón. Como conocía muy bien a Jack, aceptó su intención de volver a hablarlo como una pequeña victoria.

Cuando cambió el semáforo en la esquina de la calle Treinta y la Quinta Avenida, el taxista dobló a la izquierda y aparcó delante de un edificio de ladrillos de seis pisos con ventanas de aluminio encajado entre el NYU Medical Center a un lado y el complejo Bellevue al otro. Habían llegado a la OCME, donde Laurie llevaba trabajando dieciséis años y Jack doce. Aunque Jack era mayor, la patología forense había sido una segunda carrera médica para él después de que una gran empresa de servicios sanitarios se apoderara de su consulta privada en los años en los que dichas empresas estaban en auge.

—Algo se cuece —comentó Jack. Delante de ellos había varias furgonetas de la televisión aparcadas junto al bordillo—. Las muertes interesantes atraen a los reporteros como la miel a las moscas. Me pregunto qué debe de ocurrir.

—Yo veo a los reporteros como unos buitres —dijo Laurie mientras bajaba, y luego se volvía para sacar las largas y un tanto incómodas muletas de Jack—. Se alimentan de carroña, destruyen las pruebas y son de un molesto insoportable.

Jack pagó al taxista al tiempo que le reconocía a Laurie el mérito de un símil más ajustado e inteligente. Ya en la calle, cogió las muletas, se las calzó en las axilas y fue hacia la escalera.

—Detesto los taxis —murmuró por lo bajo—. Me hacen sentir tan vulnerable...

—Esa es una afirmación sorprendente —le señaló Laurie—, teniendo en cuenta que viene de una persona que cree que ir y volver del trabajo en bicicleta y arriesgarse al tráfico urbano es apropiado.

Tal como esperaban, había una media docena de reporteros en el vestíbulo, conversando animadamente mientras tomaban café y comían donuts. Había varias cámaras de televisión sobre un montón de revistas viejas en la mesa de centro. Los reporteros miraron un instante a Laurie y a Jack cuando cruzaron el vestíbulo. Jack se movía rápido con las muletas. Como podía cargar peso en la rodilla herida sin sentir mucho dolor, podría haberse apañado sin las muletas, pero no quería correr el riesgo de agravar la lesión. La recepcionista abrió la puerta para Laurie y Jack antes de que alguno de los reporteros pudiesen reconocerlo.

En la sala de identificación había dos grupos que ocupaban lados opuestos. Un grupo lo formaban seis individuos de aspecto hispánico de diversas edades. Eran lo bastante parecidos como para ser miembros de una misma familia. Dos eran niños, que parecían asustados en aquel extraño lugar. Tres eran adultos que susurraban a una mujer con aspecto de matrona que, de vez en cuando, se enjugaba las lágrimas con un pañuelo de papel.

El segundo grupo era una pareja que podían ser marido y mujer y que parecían, como los niños hispanos, asustados como un ciervo cegado por unos faros.

Laurie y Jack pasaron por una tercera puerta a una habitación donde estaba instalada la cafetera de la OCME. Era allí donde el médico forense de turno aquella semana repasaba los casos que habían llegado durante la noche y decidía cuales debían ser objeto de una autopsia y cuál de los once médicos la haría. Laurie y Jack eran de los que solían llegar pronto, más que nada por la insistencia de Jack, porque Laurie era una persona nocturna y a menudo tenía problemas para levantarse por la mañana. Jack prefería llegar temprano para escoger los casos, y siempre pedía los más importantes. A los demás forenses no les importaba, porque Jack siempre hacía más de lo que le correspondía, a modo de compensación.

La doctora Riva Mehta, la compañera de despacho de Laurie, que había entrado en la OCME el mismo año que Montgomery, estaba sentada a la mesa detrás de varias pilas de grandes sobres, cada uno con un caso diferente. Saludó con una sonrisa a la pareja. Había otras dos personas en la habitación, ambas sentadas en sillas de vinilo y ocultas detrás de sendos periódicos, con humeantes tazas de café al alcance de la mano. Laurie y Jack sabían quién estaba detrás del *Daily News*. Tenía que ser Vinnie Amendola, el técnico forense que llegaba antes que los demás técnicos para ayudar en el cambio de turno. Con frecuencia trabajaba con Jack porque a él le gustaba ser el primero en bajar a la sala de autopsias.

Jack y Laurie no sabían quién estaba oculto detrás del *New York Times*. Las muletas de Jack cayeron con estrépito en el suelo de madera al intentar dejarlas contra una de las otras dos sillas de la habitación. El ruido fue muy fuerte, muy parecido al de un disparo. Se bajó el *New York Times* y dejó a la vista al sorprendido, tenso y siempre falto de sueño teniente de detectives Lou Soldano. En un acto reflejo, la mano derecha del detective voló hasta debajo de la solapa de su arrugada chaqueta. Con la corbata, manchada de puré, floja y el botón del cuello de la arrugada camisa desabrochado, tenía un aspecto desaseado.

—¡No dispares! —gritó Jack, y levantó la mano en un falso gesto de rendición.

—Joder —se quejó Lou mientras se relajaba. Como era habitual, mostraba la sombra de barba de quien lleva un día sin afeitarse. Era obvio que aquella noche no se había acostado.

—A la vista de los reporteros que hay en el vestíbulo, supongo que no debería sorprendernos verte aquí —comentó Jack—. ¿Cómo demonios estás, Lou?

—Todo lo bien que se podría esperar después de haber pasado casi toda la noche en la bahía. Es algo que no te recomiendo.

Lou había sido amigo de Laurie. Incluso habían salido juntos algunas veces después de resolver juntos un caso, pero su breve romance no había funcionado. Cuando Jack apareció en escena y comenzó a salir con Laurie, Lou fue un firme partidario de su relación. Incluso había asistido a la boda el junio anterior. Todos eran grandes amigos.

Laurie se acercó a Lou y rozaron las mejillas antes de dirigirse hacia la cafetera. Jack se sentó en la silla junto al policía y levantó la pierna lesionada para apoyarla en una esquina de la mesa. Laurie preguntó a Jack si quería un café. Jack levantó el pulgar.

—¿Qué ocurre? —preguntó Jack a Lou. Dado que Lou se había convertido en un firme partidario de la contribución de la medicina forense en los casos de homicidio, era un visitante frecuente del depósito, aunque hacía más de un mes que no aparecía por allí. Por experiencia, Jack sabía que, cuando se presentaba, era muy probable que se tratase de un caso interesante. El día anterior Jack había realizado tres autopsias de rutina, dos muertes naturales y una accidental. No habían presentado ningún desafío. La presencia de Lou auguraba que las cosas cambiarían.

—Ha sido una noche agitada —respondió Lou—. Hay tres homicidios en los que necesito ayuda. Desde mi punto de vista, el más importante es el de un tipo que pescamos en el río Hudson.

—¿Han identificado a la víctima? —preguntó Jack. Laurie se acercó y dejó la taza de café. Él le dio las gracias con un gesto.

—No, ni una sola pista, al menos hasta ahora.

—¿Estás seguro de que fue un homicidio?

—Totalmente. Le dispararon en la nuca a quemarropa con un arma de pequeño calibre.

—Desde el punto de vista forense parece algo muy claro —señaló Jack con cierta desilusión.

—Pero no desde el mío —manifestó Lou—. El cuerpo es de un hombre asiático muy bien vestido; no es un vagabundo. Lo que me asusta es que pueda tratarse de un asesinato relacionado con el crimen organizado. Sabemos que hay cierta fricción entre los sindicatos del crimen establecido y las nuevas bandas de asiáticos, rusos e hispanos, sobre todo en lo referente a las drogas de diseño. Si estalla alguna guerra entre bandas, morirán muchas personas inocentes. Confío en que tú o Laurie podáis encontrar algo, alguna pista que nos permita acabar con esto de raíz, antes de que se desaten los infiernos.

—Haré todo lo posible —prometió Jack—. ¿Qué más?

—El siguiente caso es una historia muy triste. Un sargento detective de la división de fraudes, un buen tipo, tiene una hija que ha sido arrestada por matar anoche al inútil de su novio con un bate de béisbol. Su nombre es Satan Thomas, si os lo podéis creer. Ella siempre ha sido un desastre; desde los primeros años de la adolescencia, siempre ligando con indeseables y metida en drogas y en todo lo que se os ocurra. De todas maneras, ella niega haber matado al tipo y dice que el novio estaba utilizando el bate para destrozar su apartamento. Incluso dice que él intentó atacarla, algo que ya había hecho en el pasado. Por cierto, la encantadora familia de Satan está acampada en la sala de espera.

—Te refieres a que él la agredía físicamente.

—Eso parece. Afirma que cuando escapó, él todavía seguía destrozando el apartamento.

—¿Parece como si hubiese muerto de un trauma producido por un golpe?

—¡Oh, sí! Me temo que tiene el aspecto de alguien a quien le hubiesen pegado en la frente con el bate.

Jack puso los ojos en blanco.

—Pinta mal para tu amigo detective, y todavía más para la hija. —Jack se sintió decepcionado. Dos de las tres autopsias iban a ser sencillas. Sin mucho entusiasmo, preguntó los detalles del tercer caso.

—Es similar al anterior, pero es la muchacha quien resultó muerta. Ella también estaba metida en una relación de malos tratos, según sus padres, los Barlow, otros que están en la sala de espera. Por lo que parece, Sara Barlow y su novio discutieron porque ella no limpiaba el apartamento como a él le gustaba. Él admite que le dio algunas bofetadas, pero jura que cuando se marchó para calmarse ella estaba bien, y que solo lloraba y prometía hacerlo mejor la próxima vez. Afirma que cuando regresó la encontró tumbada en la cama con el rostro y las manos rojas.

—¿Manchas rojas o todo el rostro?

—Uno de los agentes que llegó a la escena en respuesta a la llamada insistió en que el novio dijo todo el rostro, pero cuando él observó el cuerpo, solo vio lo que describió como unas manchas rojas.

—¿Qué hay de las manos?

—No dijo nada.

—¿Has visto el cadáver?

—Lo vi. Yo estaba en la zona por el caso de la hija del detective, así que me acerqué.

—¿Y? —preguntó Jack.

—A mí también me parecieron manchas. Estoy convencido de que le dio una buena paliza.

—¿Qué pasa con las manos?

—Creo que estaban un tanto moradas. ¿En qué estás pensando?

—Estoy pensando que este caso podría resultar interesante —respondió Jack, mientras cogía las muletas y se levantaba—. ¿Qué te parece si empezamos por esta?

—Me interesa más el tipo que pescamos en el agua —respondió Lou—. Quizá no pueda mantenerme despierto para las tres autopsias, así que te agradecería que hicieras primero la del flotador.

Jack se acercó a la mesa. Riva aún estaba ocupada con los casos, una indicación de que aquel sería un día muy atareado. Laurie tenía un par de sobres en el regazo. Estaba sentada en la silla junto a Vinnie, que seguía oculto detrás del periódico.

Al recordar a los reporteros en el vestíbulo, Jack preguntó al teniente cuál de los tres casos había hecho que los periodistas acudiesen a la OCME a aquellas horas y mostrasen tanto interés. Aparte del tipo muerto de un disparo, le costaba imaginar que alguno de los tres fuese digno del interés periodístico. En una ciudad como Nueva York, los episodios violentos eran algo demasiado común.

—Ninguno de los casos que he mencionado —respondió Lou—. La prensa está interesada en la muerte de un hombre llamado Concepción López que estaba bajo vigilancia policial en el Bronx. Será uno de esos escándalos de brutalidad policial. Lo que a mí me dijeron fue que el tipo se metió una sobredosis de cocaína.

Jack se limitó a asentir, y agradeció que Lou no lo animase a hacerla. Los casos de vigilancia policial siempre eran un problema político que Jack encontraba agotador. Nadie quedaba nunca satisfecho con el informe, y siempre hablaban de encubrimientos.

—Nos veremos abajo —dijo Lou, y se levantó de la silla con esfuerzo—. Quiero pasar por el cubículo del sargento Murphy y ver si han presentado una denuncia de desaparición por el desconocido.

—¿Tienes el sobre del desconocido de Lou? —preguntó Jack a Riva.

Ella puso el dedo en el sobre de inmediato, porque estaba encima en la pila de presuntos homicidios. Se lo dio.

—¿Qué hay de los dos casos de traumatismo? —añadió Jack—. Los nombres son Thomas y Barlow.

Riva tuvo que buscar los casos en la pila, que era inusualmente alta.

—Una fea noche en la Gran Manzana —comentó Jack—. Yo creía que las personas podían resolver sus diferencias de una manera más amigable.

Riva sonrió cortésmente ante el poco logrado intento humorístico de Jack. Era demasiado temprano para dar una respuesta. Encontró los sobres, y también se los dio.

—¿Te importa si me encargo de estos casos?

—En absoluto —contestó Riva con su voz suave y sedosa. Era una amable y menuda india americana de piel oscura y ojos más oscuros todavía.

—¿Quién se ocupa del caso de la vigilancia policial? —preguntó Jack.

—El jefe llamó para decir que se encargaría él —respondió Riva—. Dado que yo estaba de guardia, supongo que seré quien deba ayudarlo.

—Mi sincero pésame —dijo Jack.

Aunque el doctor Harold Bingham tenía un conocimiento enciclopédico de la medicina forense, ayudarlo en un caso siempre era toda una prueba de control de la frustración. No importaba lo que hicieses como ayudante, nunca estaba bien, y el caso siempre duraba horas.

Jack estaba a punto de despertar a Vinnie del trance inducido por las páginas de deportes cuando Laurie dejó a un lado su lectura. A diferencia de Jack, que se limitaba a echar una rápida ojeada al informe del caso antes de realizar la autopsia, a ella le gustaba leer hasta la última coma. Jack creía que demasiada atención a los detalles reducía su capacidad para mantener una mente abierta, mientras que Laurie consideraba que no repasar el historial aumentaba las posibilidades de pasar algo por alto. Habían discutido por ello hasta que por fin habían aceptado que estaban en desacuerdo.

—Creo que deberías leer esto —dijo Laurie en tono grave, y le ofreció el sobre de un caso—. Creo que lo encontrarás personalmente inquietante.

—¿Sí? —preguntó Jack. Leyó el nombre de la víctima, David Jeffries, que no reconoció. Frunció el entrecejo, desconcertado por el tono de Laurie, mientras sacaba el contenido del sobre—. ¿A qué te refieres con personalmente inquietante?

—Solo lee la nota del investigador forense —le indicó Laurie. Los IF eran los médicos asistentes que trabajaban como investigadores forenses. Según la política de la OCME, ellos acudían a los escenarios cuando era aconsejable en lugar de los patólogos forenses. El jefe, el doctor Harold Bingham, opinaba que no era un uso racional del tiempo de un médico, si bien admitía que en algunos casos una visita al lugar de los hechos era crucial para conocer el mecanismo y la forma de la muerte.

Bastaron unas pocas frases para que Jack comprendiese que Davis Jeffries había muerto de una fulminante infección de estafilococos después de una intervención de ligamento cruzado anterior, debido a una cepa muy virulenta llamada estafilococo áureo resistente a la meticilina, o EARM. A la vista de las diferencias que mantenían respecto a la siguiente intervención de Jack, parecía relevante, incluso si se trataba de otro hospital.

—Sé lo que está pasando por tu mente, pero cállatelo —dijo Jack—. Ya he tomado en cuenta el riesgo de una infección posquirúrgica. Hacer campaña con el miedo no va a funcionar.

—Pero esta coincidencia debería hacerte reflexionar —señaló Laurie. Ella sabía que desde luego sería un motivo muy a tener en cuenta si el caso fuera a la inversa y fuese ella quien iba a someterse a la intervención.

—En realidad, no tiene por qué —señaló Jack—. En primer lugar, no soy supersticioso, y segundo, le pregunté al doctor Anderson cuál era su promedio de infecciones posquirúrgicas. Me dijo que la única infección posquirúrgica que había tenido en toda su carrera había sido en una fractura compuesta, que es una situación totalmente distinta. Además, el caso que me muestras ocurrió en el University Hospital.

—Si lees un poco más, verás que esa no es toda la historia.

—¿A qué te refieres? —preguntó Jack. Comenzaba a enfadarse por tener que reanudar de nuevo la discusión sobre la operación. A veces, Laurie podía ser como un perro con un hueso, algo que en ocasiones encontraba desquiciante, aunque él sabía que muchos le acusaban de tener el mismo defecto.

—Al paciente lo intervinieron once horas antes en el Angels Orthopedic Hospital, no en el University Hospital. La razón por la que acabó allí fue para que lo tratasen del choque séptico y la fulminante neumonía producida por el estafilococo.

—¿De verdad? —Jack volvió su mirada al informe del investigador. Si bien confiaba en que Laurie nunca se inventaría algo como aquello, quería leerlo por sí mismo.

—Esto tendría que preocuparte —manifestó Laurie—. Que deban trasladar a un paciente en estado crítico, no habla muy bien del Angels Orthopedic Hospital. ¿Qué tipo de hospital se quita de encima la ropa sucia? Al parecer, el paciente murió en la ambulancia. ¡Esto es una locura!

—Los nuevos tratamientos para el choque séptico requieren personal especializado —replicó Jack. Estaba distraído con la lectura. La rapidez con la que se había desarrollado la infección del paciente era notable. Jack, como el gurú putativo de las enfermedades infecciosas de la OCME, porque había hecho varios diagnósticos (que él llamaba afortunados) en casos de enfermedades infecciosas diez años atrás, no pudo menos que sentirse impresionado. Incluso comenzó a preguntarse si el señor Jeffries no habría tenido realmente una enfermedad infecciosa como la fiebre maculada de las Montañas Rocosas—. ¿Está totalmente demostrado que el agente infeccioso fue el estafilococo áureo? —añadió Jack. Intentó recordar qué otras enfermedades causaban una infección tan fulminante.

—No se hizo mediante cultivo sino a través de un sistema automático de diagnóstico con base monoclonal. Tanto el lugar de la incisión como los pulmones dieron positivo para el estafilococo resistente a la meticilina, y, todavía más interesante, la cepa está asociada con lo que ellos llaman «un estafilococo adquirido comunitariamente», no el tipo de estafilococo resistente a los antibióticos que ha afectado a los hospitales durante los últimos diez o quince años.

—Eso significa que es probable que el paciente llevase el germen con él en lugar de contagiárselo en el hospital.

—Podría ser —admitió Laurie—. Pero no hay modo de saberlo. ¿Esto no te preocupa en absoluto? Me refiero a que la víctima tenía más o menos tu edad, el mismo tipo de lesión, y la habían operado en el mismo hospital. Desde luego, si fuese yo me lo pensaría dos veces. Eso es todo cuanto puedo decir.

—Reconozco que una infección posquirúrgica ha sido una de mis preocupaciones —dijo Jack—. Quizá incluso la mayor, por eso le pregunté al doctor Anderson por su historial y por eso he estado utilizando un jabón antiséptico desde que tuve el accidente. Quiero estar seguro de que no llevo ninguna bacteria al hospital, si puedo evitarlo.

Jack golpeó el dorso del periódico de Vinnie lo bastante fuerte para sobresaltar al lector.

—¡Eh, déjame! —protestó Vinnie cuando se recuperó de la sorpresa y vio quién era el culpable—. Por favor, Dios, no dejes que el superdetective forense insista en romper las reglas comenzando temprano —añadió Vinnie en tono sarcástico y con lo que parecía cierta falta de respeto. En realidad, precisamente el respeto mutuo entre Vinnie y Jack les permitía hacer esas bromas; además, técnicamente, estaban incumpliendo las normas. Por disposición del jefe Bingham, las autopsias debían comenzar a las siete y media en punto, aunque nunca lo hacían. Jack siempre empezaba más temprano, gracias en parte a que Vinnie acortaba su pausa para el café, mientras que los demás médicos forenses, incluida Laurie, siempre empezaban tarde porque Bingham, o el subjefe, Calvin Washington, casi nunca estaban allí para hacer cumplir la orden.

—El superdetective quiere que el supertécnico forense baje al pozo —dijo Jack dirigiéndose al periódico de Vinnie. En una actitud de desafío, Vinnie había vuelto a la lectura.

Laurie le preguntó a Riva si podía encargarse de la autopsia de David Jeffries.

—Por supuesto —contestó Riva—. Pero hoy va a ser un día atareado. Tendrás que hacer por lo menos una más. ¿Tienes alguna preferencia?

—Por supuesto —asintió Laurie distraída. Estaba releyendo el historial de David Jeffries.

—Vamos, Vinnie —llamó Jack, apoyado en sus muletas en la puerta que daba a la sala de comunicaciones. Vinnie estaba de nuevo absorto en el periódico.

—¡Estoy aquí! —gritó una voz—. Ahora puede comenzar oficialmente el día.

Todas las miradas se volvieron hacia la puerta que daba a la parte principal de la habitación. Incluso Vinnie que, de forma pasiva agresiva, evitaba a Jack, bajó el periódico para ver quién había llegado. Era Chet McGovern, el compañero de despacho de Jack.

—¿Me habéis dejado algo mínimamente interesante? Diablos, tendré que quedarme a dormir aquí para evitar que me den vuestros descartes.

Después de arrojar el abrigo sobre una silla vacía, se colocó detrás de Riva para rebuscar entre los sobres. En son de broma, como si se tratara de una celadora, Riva le pegó en la mano con una regla de madera.

—Hoy estás de muy buen humor, chico —comentó Jack—. ¿A qué se debe? ¿Cómo es que has llegado tan temprano?

—No podía dormir. Anoche, en el gimnasio, conocí a una mujer, una empresaria impresionante. Tuve la sensación de que era directora ejecutiva o algo así. Esta mañana me he despertado temprano para pensar cómo lograr que salga conmigo.

—Pídeselo —aconsejó Laurie.

—Oh, claro, no se me ocurrió pensar eso.

—¿Ella dijo no?

—Algo así —admitió Chet.

—Bueno, pídeselo de nuevo —dijo Laurie—, y sé directo. Algunas veces los hombres sois un tanto vagos para proteger vuestros frágiles egos.

Chet saludó, como si Laurie fuese su oficial superior.

—¡Vamos, haragán! —dijo Jack después de volver donde estaba sentado Vinnie y arrebatarle el periódico de las manos. Vinnie corrió detrás de Jack, que consiguió mantenerlo en su poder hasta llegar a la oficina más allá de la sala de comunicaciones. Hubo una breve lucha por el diario entre carcajadas.

Acabada la batalla por el *Daily News*, Jack le dio a Vinnie el sobre con el caso del desconocido y le pidió que «subiese» el cuerpo, o sea que preparase el cadáver para la autopsia. Mientras tanto, Jack asomó la cabeza en el cubículo del sargento Murphy. El maduro y amigable policía apartó la mirada de la pantalla de su ordenador. Llevaba asignado a la oficina forense toda la vida. Jack, como todos los demás, lo apreciaba. Murphy era una de aquellas escasas personas que conseguían llevarse bien con todo el mundo. Jack admiraba ese rasgo y deseaba que se le pegase algo de él. A lo largo de los años, se había vuelto cada vez más intolerante con los burócratas con mediocres capacidades administrativas o profesionales, y era incapaz de ocultar sus sentimientos, por mucho que lo intentara. En su mente, había demasiados inútiles escondidos en la OCME.

—¿Ha visto al detective Soldano? —preguntó Jack.

—Ha estado aquí antes, pero ha bajado al depósito —respondió el sargento Murphy.

—¿Le preguntó por el muerto no identificado que llegó anoche?

—Lo hizo, y le respondí que la única denuncia por una persona desaparecida que se presentó anoche corresponde a una mujer.

Jack dio las gracias al sargento y consiguió alcanzar a Vinnie, que había llamado al ascensor. Abajo, Jack encontró a Lou en los vestuarios, ya vestido con un mono Tyvek, que había reemplazado los trajes espaciales, mucho más abultados, excepto para los casos de infecciones desconocidas.

Mientras Jack se cambiaba deprisa, Lou no pudo evitar ver la hinchazón en la rodilla herida de Jack.

—Eso no tiene buena pinta —comentó el teniente—. ¿Estás seguro de que deberías estar haciendo estas autopsias?

—La verdad es que está mejor —declaró Jack—. Solo tengo que cuidarla hasta el jueves, cuando se ocuparán de repararla. Por eso llevo las muletas. Podría pasar sin ellas, pero utilizarlas es un constante recordatorio.

—¿Vas a operarte tan pronto? —preguntó Lou—. Mi ex cuñado se rompió el ligamento cruzado y tuvo que esperar seis meses antes de que lo intervinieran.

—Cuanto antes lo hagan, mejor, en lo que a mí respecta —manifestó Jack mientras se ponía un mono Tyvek—. Cuanto antes pueda volver a mi bicicleta y, con un poco de suerte, a mis partidos de baloncesto, mejor estaré. La competición y el ejercicio físico mantienen mis demonios a raya.

—Ahora que has vuelto a casarte, ¿todavía te atormenta lo que le pasó a tu familia?

Jack se detuvo y miró a Lou como si no pudiese creer que le hubiese formulado esa pregunta.

—Siempre me atormentará. Solo es cuestión de intensidad. —Jack había perdido a su esposa y a sus dos hijas, de diez y once años, en un accidente aéreo ocurrido quince años atrás.

—¿Qué opina Laurie de que te sometas a la operación tan pronto?

Jack dejó caer lentamente su mandíbula inferior hasta quedar boquiabierto.

—¿Qué es esto? —preguntó con obvia irritación—. ¿Una conspiración? ¿Laurie ha estado hablando contigo de esto a mi espalda?

—¡Eh! —exclamó Lou, que levantó las manos como si quisiera protegerse de un ataque—. ¡Cálmate! ¡No seas paranoico! Solo preguntaba; me interesaba por un amigo.

Jack volvió a ocuparse del cambio de ropa.

—Lamento el arrebato. Desde que se fijó la fecha, Laurie no ha dejado de incordiarme para que posponga la intervención. Me irrita, porque quiero que se cure cuanto antes.

—Comprendido —dijo Lou.

Con las capuchas puestas y los pequeños ventiladores a pilas que hacían circular el aire por los eficaces filtros de aire, los dos hombres entraron en la sala de autopsias sin ventanas, que no había visto ninguna mejora desde hacía casi cincuenta años. Las ocho mesas de acero inoxidable habían sido testigo de los casi quinientos mil cuerpos que se habían diseccionado laboriosamente para revelar sus secretos forenses. Encima de cada mesa colgaba una anticuada balanza y un micrófono para el dictado. A lo largo de una pared había mostradores de formica y fregaderos de loza para lavar los intestinos, y a lo largo de otra pared había vitrinas que iban desde el suelo hasta el techo; su contenido debería estar en un museo de los horrores. A un lado estaban las cajas para examinar las radiografías. Toda la sala estaba bañada por la resplandeciente luz blanca azulada que proporcionaban los tubos fluorescentes colocados en el techo. La iluminación parecía robar el color a todo lo que había en la sala, sobre todo al pálido cadáver en la mesa más cercana.

Mientras Vinnie continuaba con los preparativos de buscar los instrumentos, los frascos para muestras, los preservativos, las etiquetas, las jeringas y las bolsas de pruebas, Jack y Lou se acercaron a una de las cajas para mirar las radiografías de cuerpo entero que Vinnie había colocado allí. Una era anterior y posterior; la otra era lateral.

Después de comprobar el número de ingreso, Jack observó las radiografías. Luego comentó:

—Creo que tienes razón.

—¿Razón en qué? —preguntó Lou.

—Es una bala de pequeño calibre —contestó Jack. Señaló un objeto translúcido cilíndrico y de medio centímetro de largo en la parte inferior de la imagen del cráneo. Las balas hechas de metal absorben los rayos X, y dado que las radiografías se ven como negativos, la imagen aparece en el color de la iluminación posterior.

—Yo diría que es una bala del calibre veintidós —opinó Lou, que acercó el rostro a la radiografía.

—También creo que tienes razón en cuanto a que parece una ejecución. Desde su posición en las radiografías, no hay duda de que está alojada en el tronco del encéfalo, adonde apuntaría un asesino profesional. Echemos una mirada al orificio de entrada.

Con la ayuda de Vinnie, Jack colocó el cadáver de lado. Primero Jack tomó una foto digital. Luego, con la mano enguantada, apartó el pelo que cubría el punto donde la bala había entrado en la cabeza de la víctima. Dado que el muerto había estado flotando en el río Hudson, apenas había sangre.

—Es casi una herida de contacto —señaló Jack—. Pero desde luego no lo es, porque es circular, y no estrellada. —Sacó otra foto.

—¿A qué distancia? —preguntó Lou.

Jack se encogió de hombros.

—Por el ángulo, yo diría que unos treinta centímetros. Dada la posición de la herida de entrada en relación a la posición de la bala en la radiografía, yo diría que el asesino estaba detrás y por encima, quizá con la víctima sentada. Parecen confirmarlo las marcas un poco mayores debajo de la entrada que por encima.

—Más a favor de la ejecución.

—Estoy de acuerdo.

Jack tomó algunas medidas de la posición de la herida, y otra foto con una regla al lado. Luego, con un bisturí, quitó parte del hollín incrustado en las marcas. Guardó el material en un tubo de muestras. Por ultimo sacó más fotos, antes de señalar a Vinnie que podía colocar el cuerpo de nuevo en posición supina.

—¿Qué opinas de los profundos cortes en el muslo? —preguntó el teniente, mientras señalaba dos profundos cortes paralelos en la cara anterior del muslo derecho.

Jack tomó una foto antes de inspeccionar las heridas y palparlas.

—Desde luego fueron hechas por un objeto afilado —dijo, con la mirada puesta en los bordes limpios—. No hay desgarros en la piel. Diría que son heridas provocadas por una hélice, y estoy dispuesto a apostar que ocurrieron post mórtem. No veo derramamiento de sangre dentro de los tejidos.

—¿Crees que la víctima pudo haber sido arrollada después de que la arrojasen de un barco?

Jack asintió, pero algo más sutil llamó su atención. Se acercó a los tobillos para señalar unos rasguños de forma extraña.

—¿Qué pasa? —quiso saber Lou.

—No estoy seguro. —Jack fue hasta el mostrador y cogió un microscopio diseccionador separado de la base. Apoyó los codos en el borde de la mesa y observó los sutiles rasguños.

—¿Y bien? —dijo Lou.

—Voy a arriesgarme un poco —admitió Jack—, pero parece como si le hubiesen atado las piernas con cadenas. No solo hay rasguños, sino también unas marcas con una forma sospechosa.

—¿Ocurrió antes o después de muerto?

—Fuera lo que fuese, ocurrió después de muerto. Aquí tampoco veo rastro de sangre alguno en los tejidos.

—Quizá lo encadenaron a un peso para que se hundiera y permaneciese hundido. Alguien pudo haber metido la pata.

—Podría ser —dijo Jack—. Sacaré una foto, aunque probablemente no se verán.

—Si esto fue un fallo, podría ser importante mantenerlo callado —señaló Lou.

—¿Por qué?

—Si es una guerra entre bandas, habrá más cadáveres. Quiero que todos salgan a la superficie.

—Nuestros labios estarán sellados —prometió Jack.

—Eh, ¿no podemos seguir? —se quejó Vinnie—. A este paso, si no dejáis de charlar estaremos aquí todo el día.

Jack dejó caer los brazos a los lados y miró a Vinnie como si estuviese asombrado.

—¿Estamos impidiendo que el supertécnico forense no pueda ocuparse de algo más importante?

Sí, de la hora del café.

Jack miró a Lou y le dijo:

—¿Ves las cosas que tengo que soportar aquí? Este lugar se está yendo al garete. —Luego levantó la mano, acomodó el micrófono y comenzó a dictar el examen externo.


Laurie guardó el expediente de David Jeffries en el sobre. Este incluía una hoja de trabajo del caso, el certificado de defunción a medio rellenar, el inventario de los registros médicos legales, dos hojas para las notas de la autopsia, el aviso telefónico de su muerte recibido por comunicaciones, su hoja de identificación completa, el informe de investigador IF, la hoja de laboratorio de un análisis de sida, y las hojas que indicaban que el cuerpo había sido pesado, fotografiado, radiografiado, y que se le habían tomado las huellas digitales. Ella había leído todo el material varias veces, como había hecho también con su segundo caso, Juan Rodríguez, pero era Jeffries el que más le interesaba. Se apartó de su mesa con la sensación de estar preparada y fue hacia el ascensor de atrás. Quince minutos antes había llamado al depósito y había tenido la buena suerte de conseguir a Marvin Fletcher. Reconoció su voz al instante con gran placer, porque era su técnico forense favorito. Era un hombre eficiente, experimentado, inteligente, bien dispuesto y siempre de buen humor. Laurie sentía aversión hacia los técnicos malhumorados, como era el caso de Miguel Sánchez, o aquellos que siempre parecían estar moviéndose a cámara lenta, como Sal D'Ambrosio. Tampoco le gustaban los comentarios sarcásticos y de humor negro que hacían algunos de los técnicos. Cuando le había descrito brevemente el caso de David

Jeffries, no había omitido advertirle que se trataba de una infección, y al pedirle que preparase el cuerpo para la autopsia, la respuesta de Marvin había sido: «Ningún problema, deme quince minutos y estaremos preparados».

Mientras Laurie bajaba desde el quinto piso hasta el depósito, que estaba en el sótano, pensó en qué encontraría en Jeffries. Según el informe del IF el hombre había mostrado todos los síntomas de un síndrome tóxico: fiebre muy alta, una infección obvia en ambas incisiones, diarrea con dolor abdominal, vómitos, una postración grave, baja presión sanguínea, ninguna respuesta a la medicación, poca orina, pulso rápido y dificultades respiratorias con un poco de moco sanguinolento. Laurie se estremeció al pensar en lo rápido que había muerto el hombre y lo virulenta que debía de ser la bacteria. Tampoco podía evitar la inquietud de ver el caso como un augurio negativo, ya que era la misma intervención a la que debía someterse Jack, incluso la misma rodilla. Jack había descartado con total indiferencia esa coincidencia, pero ella no podía. Hacía que se sintiera aún más obligada a convencer a Jack para que, por lo menos, retrasara la intervención. Incluso veía un lado bueno a la tragedia de David Jeffries. Quizá si encontraba algo inesperado en la autopsia, podría cambiar la decisión de Jack; por eso había solicitado el caso. Por lo general, intentaba evitar los casos de infecciones fatales. Nunca lo admitiría ante nadie, pero la inquietaban. Sin embargo, mientras se acercaba al vestuario, reconoció que estaba más motivada y dispuesta a hacer aquella autopsia de lo que se había sentido ante cualquier otra.

Laurie se cambió deprisa; primero se puso las prendas quirúrgicas y luego el traje protector desechable. Aunque el nuevo equipo era menos pesado y más fácil de utilizar que los viejos trajes espaciales, de vez en cuando se quejaba del equipo, como todos los demás; pero en aquella ocasión, al tratarse de una infección fatal, agradeció tenerlo. Limpió con mucho cuidado el visor de plástico —hasta la más pequeña mancha podía molestarla— y puso en marcha el ventilador antes de colocarse el casco. Luego, ya preparada, entró en la sala.

Se detuvo apenas cruzada la puerta, para observar la escena.

Había cuatro mesas en uso. En la más cercana se hallaba el cadáver de un varón caucasiano muy pálido. Tres personas se agrupaban alrededor de la cabeza, que tenía el cuero cabelludo echado hacia delante y la tapa del cráneo quitada. El cerebro sanguinolento brillaba bajo la fuerte luz. Aunque Laurie no veía los rostros a través de los visores de plástico, adivinó que eran Jack, Lou y Vinnie, dado que habían empezado antes que ella.

En la mesa siguiente también había tres personas, y cuando Laurie las vio, se le subieron los colores. Había olvidado que el jefe, el doctor Harold Bingham, ese día estaba presente. Iba a la sala de autopsias muy de cuando en cuando, ya que dedicaba la mayor parte del tiempo a tareas administrativas o a testificar en juicios importantes. Era fácil distinguirlo, no solo por su silueta casi cuadrada, sino por su dura voz de barítono que de pronto reverberaba por la sala. Estaba dando una de sus improvisadas conferencias sobre cómo el caso del que se ocupaba le recordaba una de sus innumerables autopsias anteriores. Mientras peroraba, una figura más pequeña, de pie en un taburete frente a él, que Laurie supuso que era su compañera de despacho, Riva, estaba haciendo la autopsia. Bingham interrumpía de vez en cuando su monólogo para hacer comentarios críticos de su técnica.

En las otras dos mesas había dos personas trabajando en cada una. Laurie no tenía ni idea de quiénes eran. Sobre la quinta mesa se hallaba el cadáver de un varón afroamericano. En la cabecera de la mesa, una figura que supuso que era Marvin le hacía señas; por encima de la estruendosa voz de Bingham, le gritó:

—¡Estamos preparados en la mesa cinco, doctora Montgomery!

La cabeza de Bingham se volvió hacia Laurie, y ella deseó volverse invisible. Las luces fluorescentes se reflejaban en el visor de plástico y le impedían ver su rostro, así que no podía saber de qué humor estaba.

—¡Doctora Montgomery, llega media hora tarde!

—Estaba repasando mis casos para esta mañana, señor —se apresuró a responder Laurie con todo el respeto posible. Notó cómo se le aceleraba el pulso. Laurie había tenido que luchar contra las figuras autoritarias desde la infancia—. También necesitaba hablar con Cheryl Myers para conseguir una información adicional. —Cheryl Myers era una investigadora forense a quien Laurie había ido a ver después de salir de la sala de identificación. Aunque Cheryl había escrito un buen informe sobre la muerte en la obra en construcción, Laurie había advertido que la distancia desde el edificio hasta donde había acabado el cadáver después de la caída fatal no estaba incluida.

Tal como había supuesto correctamente Laurie, Cheryl había averiguado la distancia pero había olvidado incluirla en el informe.

—Se supone que esto tiene que estar hecho antes de la siete y media —replicó Bingham.

—Sí, señor —contestó Laurie, que no tenía ningún deseo de discutir. A diferencia de Jack, Laurie solía respetar las normas. Sin embargo, la que disponía que las autopsias debían comenzar a las siete y media en punto, por lo general se la saltaba, dado que entraba en conflicto con su convicción de que era más importante conocer el caso a fondo antes de iniciar la autopsia. En un intento por impedir que prosiguiera la conversación con Bingham, Laurie se acercó sin más a la mesa de Jack y preguntó cómo iba su caso.

—De forma estelar —se burló Jack—, excepto por el molesto detalle de que el paciente está muerto. Lo único malo es que se está alargando. Habríamos hecho muchos más progresos si tuviésemos alguna ayuda que valiese la pena.

—¡Que te follen! —replicó Vinnie—. Si no estuvierais charlando como dos viejas cotillas, ya podríamos estar tomando café.

—Caballeros —sonó la voz de Bingham—. No tolero ninguna falta de respeto, ni palabras ofensivas, en la sala de autopsias.

Para no incitar más comentarios de Jack y las consiguientes réplicas de Bingham, Laurie se apresuró a ir hacia Marvin y dedicarse a su propio caso. Al pasar por la mesa de Bingham, se encogió por miedo a que la llamara, pero por fortuna Bingham se había distraído con lo que llamó un «error catastrófico» de Riva cuando diseccionaba el cuello.

—¿Va a necesitar algo en particular? —preguntó Marvin cuando Laurie llegó a la quinta mesa. Previsora como era Laurie, por lo general sabía por adelantado cuándo se necesitaba algo especial para un caso.

—Una buena cantidad de tubos de cultivo —respondió Laurie mientras observaba el cadáver de David Jeffries. Para un hombre de cincuenta y un años de edad, parecía haber estado en buenas condiciones físicas antes de su muerte. No había exceso de grasa. Es más, sus músculos, sobre todo los pectorales y los cuádriceps, tenían la definición de una persona mucho más joven.

Laurie hizo una mueca detrás del visor de plástico. Además de la obvia infección en las incisiones quirúrgicas a cada lado de la rodilla derecha, había pequeñas pústulas por todo el cuerpo, que de haber tenido tiempo se habrían convertido en abscesos o granos. Pero lo más sorprendente eran las zonas descamadas, en particular en la pelvis, donde la piel se desprendía en grandes trozos.

—¿Está mirando sus manos? —preguntó Marvin.

Laurie asintió.

—¿Cuál es el motivo de que la piel se desprenda de ese modo?

—El estafilococo produce una gran cantidad de toxinas. Una de ellas hace que las células epiteliales se separen de sus vecinas.

—Puaj —dijo Marvin.

Laurie volvió a asentir. Había visto otras infecciones de estafilococos, pero aquella era la peor.

—En cualquier caso, en respuesta a su pregunta sobre los tubos de cultivo —dijo Marvin—, tengo en abundancia.

—¿También ha traído una buena cantidad de jeringas?

—Sí.

—Muy bien, empecemos —dijo Laurie, al tiempo que bajaba el micro colgado.

—¿Quiere mirar las radiografías? Las tengo preparadas.

Laurie se acercó a la pantalla y observó las radiografías. Marvin la siguió para mirar por encima de su hombro.

—Estas radiografías sirven principalmente para ver si hay fracturas o cuerpos extraños —explicó Laurie—. De todos modos, se ve la neumonía y lo difusa que es. Parece como si los pulmones estuviesen llenos de líquido.

—Hum —dijo Marvin. Las radiografías eran un misterio para él. No podía entender cómo los médicos podían ver algo en esa imagen difusa.

Laurie volvió a acercarse al cadáver y completó el examen externo. Después de asegurarse de que el tubo endotraqueal estaba donde se suponía que debía estar, lo sacó. Lo habían colocado allí los médicos para darle ventilación cuando había comenzado a tener dificultades respiratorias. Sacó el moco sanguinolento adherido y lo introdujo en un tubo de ensayo. Luego se ocupó de los múltiples tubos intravenosos, se aseguró de que todos estaban correctamente colocados y, después de hacerlo, los sacó y también tomó muestras para el cultivo. Los forenses insistían en que dichos tubos debían dejarse puestos para comprobar que no tenían nada que ver con la muerte del paciente. También tomó una muestra de cultivo del pus que supuraban las incisiones quirúrgicas.

Una vez que acabó de dictar el examen externo, Laurie comenzó el interno con la habitual incisión en forma de Y. Los cortes se iniciaban en los hombros, se encontraban a la altura del esternón y después bajaban hasta el pubis. Trabajó en silencio, para evitar la habitual charla que por lo general mantenía con Marvin, que era un muy buen estudiante. Por unos momentos, también Marvin permaneció en silencio al interpretar correctamente el asombro de Laurie ante la virulencia del microbio que había provocado semejante caos en todo el cuerpo de David Jeffries. No fue hasta que Laurie sacó el corazón y los pulmones y los dejó en la bandeja que él sostenía que rompió el silencio.

—Mierda —comentó—. Pesan una tonelada.

—Ya me he dado cuenta —asintió Laurie—. Creo que encontraremos los pulmones llenos de líquido. —Después de sacar los pulmones y pesarlos cada uno por separado, hizo en ellos múltiples cortes. Como si fuesen esponjas empapadas, soltaron una mezcla de fluido de edema, sangre, tejido necrótico y pus.

—¡Caray! —exclamó Marvin—. Esto es horrible.

—¿Alguna vez ha oído el término bacterias devoradoras de carne?

—Sí, pero creía que las personas solo tenían eso en los músculos.

—Este es un proceso similar, pero en los pulmones y mucho más letal. Su nombre oficial es neumonía necrotizante. Incluso se pueden ver los abscesos iniciales. —Laurie señaló las pequeñas cavidades con la punta del bisturí.

—Parece que se están divirtiendo mucho —dijo Jack, que se había acercado en silencio al lado derecho de Laurie.

Laurie soltó una breve y sarcástica carcajada que fue suficiente para empañar por un momento el visor de plástico. Dirigió una rápida mirada a Jack antes de levantar la superficie cortada del pulmón para que él lo viese.

—Si tú llamas divertido ver el peor caso de neumonía necrotizante, entonces Marvin y yo nos estamos divirtiendo muchísimo.

Jack utilizó su dedo índice enguantado para probar la turgencia del trozo de pulmón.

—Debo admitir que es bastante malo. Esto demuestra lo que puede ocurrirte si fumas muchos habanos cubanos.

—Jack —dijo Laurie, sin hacer caso del chiste de su marido—, ¿por qué no te quedas con nosotros unos minutos? Creo que deberías ver todo el alcance de esta infección posquirúrgica. Este pobre individuo fue literal y rápidamente consumido de dentro hacia fuera. Este podría ser el peor o el mejor anuncio que he visto para no decidirse por una operación.

—Gracias por la invitación, pero tengo que hacer otros dos casos antes de que Lou se duerma —contestó Jack—. Además, sé cómo funciona tu mente, sobre todo con tu poco sutil recordatorio de que la víctima había sido operada, y por lo tanto sé que tienes otro motivo para tu amable invitación, a la vista de mis planes para el jueves. Por consiguiente, dejaré que vosotros dos os quedéis con toda la diversión. —Con un pequeño gesto, comenzó a alejarse.

—¿Qué hay de tu primer caso? —preguntó Laurie, consciente del interés de Lou—. ¿Qué has encontrado?

—Poca cosa. Hemos recuperado un proyectil del calibre veintidós, que no sé para qué sirve. Lou dice que es una bala de punta hueca de alta velocidad Remington, pero creo que solo intentaba impresionarme. La bala ha quedado un poco aplastada después de atravesar el cráneo del tipo. También había algunos rasguños y marcas en las piernas, lo que parece indicar que había estado encadenado, y quizá sujeto a un lastre. Creo que esperaban que permaneciese hundido, una posible indicación de que lo arrojaron por la borda de un barco, y no lanzado al agua desde la costa. Lou cree que eso es importante. Por lo demás, el tipo estaba sano, excepto por un principio de cirrosis en el hígado.

Después de que Jack se alejara cojeando, Marvin preguntó qué había querido decir con aquello de que ella tenía un motivo oculto.

—Estamos manteniendo una discusión respecto a cuándo se hará la operación de rodilla —respondió Laurie sin más explicaciones—. Venga, volvamos al trabajo.

—¿Qué tenéis aquí? —preguntó Arnold Besserman. Trabajaba en la mesa contigua, y había escuchado la conversación de Laurie y Jack. Arnold llevaba en la OCME más que cualquier otro de los médicos forenses. Aunque Jack lo había descartado por ser anticuado, poco fiable y muy charlatán, Laurie era amable con él, como lo era con todos los demás.

—¿Os importa si interrumpo?

—Por supuesto que no —manifestó Laurie con toda sinceridad. Que se hubiese acercado a su mesa era lo que hacía que trabajar en la sala de autopsias comunitaria fuera agradable y estimulante para ella—. Es un caso sorprendente. Echa una ojeada a este pulmón; nunca había visto una neumonía necrotizante tan impresionante, y al parecer se desarrolló en menos de doce horas.

—Impresionante —corroboró Arnold mientras miraba la superficie del corte en la pierna de David Jeffries—. Déjame adivinar: es una infección de estafilococo. ¿He acertado?

—Justo en la diana. —Laurie estaba impresionada.

—He tenido otros tres casos hospitalarios similares en los últimos tres meses; el más reciente hará unas dos semanas —comentó Arnold—. Quizá no tan malos, al menos no todos, pero sí bastante. Los míos eran de una cepa resistente a la meticilina proveniente del exterior del hospital pero que, al parecer, se había cruzado con una bacteria dentro del hospital.

—Eso es lo mismo que parece haber ocurrido en mi caso —dijo Laurie, todavía más impresionada.

—La cepa se llama EARM contraída comunitariamente, o CC-EARM, para distinguirla de la habitual cepa contraída en el hospital, la CH-EARM.

—Recuerdo haberlo leído —añadió Laurie—. Alguien tuvo un caso hace cinco o seis meses, de un jugador de fútbol americano que se contagió en el vestuario y tuvo una infección que le comió parte del muslo.

—Ese fue un caso de Kevin —manifestó Arnold. Kevin Southgate era otro de los viejos forenses que había ingresado en la OCME solo un año después que Arnold. Como miembros de la vieja guardia, Arnold y Kevin formaban un equipo, aunque eran polos opuestos en sus opiniones políticas. Ambos tenían una pésima fama en el trabajo porque conspiraban constantemente para hacer el menor número de autopsias posible. Era como si trabajasen todo el tiempo a medio ritmo.

—Recuerdo cuando presentó el caso en la reunión de los jueves —dijo Laurie.

Aparte del informal pero efectivo toma y daca en la sala de autopsias, la reunión de los jueves, de asistencia obligatoria, era la única ocasión en la que los diecinueve forenses de la ciudad podían compartir sus experiencias. Laurie era una de las que lamentaba aquella situación, porque perjudicaba la capacidad de la oficina forense para identificar tendencias. Se había quejado al respecto, pero al no poder ofrecer una solución, la cuestión había sido descartada. Como la OCME hacía más de diez mil autopsias al año, no había mucho tiempo para una mayor interacción, y tampoco había fondos para contratar a más patólogos forenses; solo habían contratado a uno aquel año.

—La bacteria CC-EARM asusta, como este caso demuestra con toda claridad —manifestó Arnold—. Se podría considerar como una mini epidemia fuera del hospital, que causó la muerte del jugador de fútbol de Kevin e incluso ha tenido consecuencias trágicas para algunos niños sanos que se lastimaron en parques y patios de juegos. Ahora parece estar volviendo a los hospitales. Ese es el lado malo. El bueno es que es más sensible a los antibióticos, pero los antibióticos deben suministrarse de inmediato, porque, créase o no, ser más sensible a los antibióticos ha hecho que la cepa sea más virulenta. Al no crear la línea completa de moléculas defensivas para los antibióticos como las cepas CH-EARM, estas cepas contraídas comunitariamente son capaces de dedicar más tiempo y esfuerzos a preparar un caldo de poderosas toxinas para aumentar su virulencia. Una de ellas se llama Panton-Valentine leucocidina o PVL, que estoy seguro ha tenido algo que ver en este caso. La toxina PVL se come las defensas celulares del paciente, en particular en los pulmones, e inicia una abrumadora y perversa descarga de citoquinas, que por lo general ayudan al cuerpo a luchar contra las infecciones. ¿Os dais cuenta de que casi la mitad de la destrucción que estáis viendo en las secciones de los pulmones que habéis hecho proviene del propio sistema inmunitario sobreestimulado de la víctima?

—¿Te refieres a algo así como a la tormenta de citoquinas que están encontrando en las personas que mueren de la gripe aviar H5N1? —preguntó Laurie. Por un momento pensó que tendría que aconsejar a Jack que reconsiderara la opinión que tenía de ese hombre. La estaba avergonzando al demostrar que sabía muchísimo más que ella sobre el EARM.

—Así es —afirmó Arnold.

—Mucho me temo que tendré que estudiar un poco más acerca de todo esto —reconoció Laurie—. Gracias por toda la información. ¿Cómo es que eres todo un experto?

Arnold se echó a reír.

—Me estás dando demasiado mérito. Hace cosa de un mes, Kevin y yo nos interesamos en ello porque habíamos atendido varios casos cada uno. Digamos que nos desafiamos el uno al otro para ver quién aprendía más. Es un buen ejemplo de la versatilidad genética de la bacteria y lo rápido que puede evolucionar.

Laurie intentó controlar su mente, que saltaba de un tema a

otro. Miró el abultado y casi sólido trozo de pulmón que sujetaba. Sabía que las bacterias patológicas estaban reapareciendo, pero a lo que se enfrentaba en términos de patogenicidad parecía ir más allá de lo normal.

—¿Así que los casos que has mencionado antes eran de neumonía necrotizante? —preguntó—. Al igual que en este caso.

—Esa sería mi opinión, pero para estar incluso más seguro debería ver la sección microscópica. Con mucho gusto echaré una ojeada.

Laurie asintió.

—¿Los casos de Kevin eran idénticos a los tuyos?

—Muy parecidos.

—¿Los suyos también eran nosocomiales?

—Por supuesto. Eran nosocomiales, pero también estaban relacionados con la cepa contraída comunitariamente, igual que los míos.

—¿Por qué no lo planteaste en la reunión de los jueves?

—Bueno, con sinceridad, no aparecía en muchos casos, y todos somos conscientes del creciente problema del estafilococo, en particular del estafilococo resistente a los antibióticos.

—¿Los hospitales afectados estaban distribuidos por la ciudad?

—No, todos ocurrieron aquí, en Manhattan centro. Me refiero a que ha podido haber casos en Queens o en Brooklyn, pero no lo sabríamos porque ellos los enviarían a sus respectivos depósitos.

—¿Cuáles eran los hospitales de Manhattan?

—No puedo recordar exactamente las instituciones, pero los seis vinieron de tres hospitales especializados: el Angels Heart Hospital, el Angels Cosmetic Surgery and Eye Hospital, y el Angels Orthopedic Hospital.

Laurie se quedó rígida. Era como si Arnold la hubiese abofeteado.

—¿Ninguno del Manhattan General, el University o alguno de los otros grandes hospitales de la ciudad?

—No. ¿Eso te sorprende?

—En parte —respondió Laurie, intrigada por la coincidencia.

Había muchos hospitales en Nueva York. Se imponía la pregunta: ¿Por qué solo tres?

—¿Llamaste a los hospitales o te interesaste por la situación? Me refiero a por qué solo estos tres hospitales.

—A Kevin y a mí nos pareció que era una coincidencia , pero de todas maneras, sí, lo averiguamos. También le pedí ayuda a Cheryl Myers. Llamé al hospital ortopédico y hablé con una mujer muy amable cuyo nombre no recuerdo en este momento. Me facilitó el nombre del administrador del hospital. El individuo con el que hablé dirigía el comité interdepartamental de control de infecciones.

—¿Se mostró dispuesta a colaborar?

—Totalmente. Dijo que el hospital era muy consciente del problema y que habían contratado a un especialista en control de infecciones o que, por lo menos, la empresa propietaria del hospital lo había hecho, así que llamé a esa persona cuyo nombre no puedo olvidar: la doctora Cynthia Sarpoulus.

—¿Te ayudó?

—Supongo, al menos hasta cierto punto.

—¿Qué quieres decir?

—No se mostró muy entusiasta, aunque supongo que estaba sobrecargada y a la defensiva, dadas las circunstancias. Yo creo que el empleador, Angels Healthcare, que es el nombre de la empresa, había descargado en ella toda la responsabilidad. En esencia me dijo que no me entrometiese, que la situación estaba totalmente controlada, y que muchas gracias. Estoy seguro de que ya conoces esa actitud. En su favor diría que parecía estar muy encima del problema. A pesar de las objeciones de la administración, según ella, había insistido en que se cerraran todos los quirófanos de los tres hospitales, algo que, también según ella, había hecho que todos se le echasen encima. Después había ordenado que fumigaran todos los quirófanos con un agente con base de alcohol, que es el procedimiento recomendado. También había dispuesto un régimen de riguroso lavado de manos. Además de todo esto, había hecho que todo el personal se sometiera a pruebas como portadores potenciales, y se había tratado a todos los positivos. Debo decir que me quedé impresionado. Desde luego, no se habían quedado de brazos cruzados.

—Gracias por la información. Lamento haber abusado de tu tiempo —dijo Laurie.

—Ha sido un placer —respondió Arnold.

—¿Te importaría si más tarde paso por tu despacho y tomo nota de los nombres de los casos que has mencionado?

—¡En absoluto! Puede que todavía tenga los expedientes de un par de casos. También puedes consultar las notas que tomé sobre el CC-EARM si quieres. Podrías hablar con Kevin. Cuando estuvimos trabajando en esto, creo que él también llamó a uno de los hospitales involucrados, pero no recuerdo si me comentó lo que le dijeron.

Después de que Arnold regresara a su mesa, Laurie miró a Marvin, que había esperado pacientemente durante toda la conversación.

—Esto es increíble —dijo.

—¿Qué, que va detrás de usted? —preguntó Marvin.

—¡No, tonto! Lo que ha dicho. ¡No va detrás de mí!

—Eso no es lo que se comenta en el depósito. Es sabido por todos que tanto Southgate como Besserman se lanzarían a las vías del metro por usted.

—Pamplinas —exclamó Laurie, pero saber que aunque solo fuese de manera remota era motivo de cotilleos la inquietaba. Nunca le había gustado ser el centro de atención; por eso le costaba tanto hablar ante un grupo.

Cuando Laurie acabó con Jeffries, había encontrado mucha más patología de la que había esperado. Cada órgano estaba afectado por la obvia infección destructiva, o al menos por una hinchazón inflamatoria. Dentro del corazón encontró un principio de vegetaciones infecciosas en las válvulas. En el hígado había abscesos incipientes, como también en el cerebro y en los riñones, algo que indicaba que la víctima había sufrido una bacteriemia masiva. Incluso había úlceras en el intestino, prueba de la facilidad con la que se había propagado la bacteria.

—¿Cuánto falta para el próximo caso? —preguntó Laurie,

mientras ella y Marvin acaban de suturar la enorme incisión del pecho y el abdomen de Jeffries.

—Todo el tiempo que quiera —respondió Marvin—. Si quiere hacer una pausa para tomar un café, me quedaré un rato.

—Si no te importa, te llamaré cuando quiera hacerlo. Entre otras cosas, me gustaría ver si Cheryl Myers está aquí y la pillo antes de que se vaya para ocuparse de un caso.

—Entonces me tomaré mi tiempo —dijo Marvin—. Lláme-me cuando quiera empezar.

—Asegúrate de dejar una nota para que la persona que entregue el cadáver de Jeffries informe a la funeraria de que se trata de una infección grave y deben tomarse precauciones.

Antes de salir de la sala de autopsias, Laurie se detuvo un momento en la mesa de Jack.

—Ah, ¡la agorera! —exclamó Jack al verla—. ¡Cuidado, Vinnie! Sin duda está aquí para aterrorizarnos con los terribles horrores de su caso de infección posquirúrgica hospitalaria.

A pesar del reflejo en el visor de Vinnie, Laurie vio que ponía los ojos en blanco. Ella se sentía de la misma manera. Su humor negro ya no era gracioso. Después de llevar casada casi un año, veía que aquel comportamiento era un mecanismo de defensa y una manera de evitar decir lo que pensaba de verdad.

—Tengo que hablar contigo de mi caso —le informó Laurie—. Hay algunos hechos adicionales que deberías conocer.

—¿Cómo es que lo he adivinado? —preguntó Jack en un tono de burla.

—Pero puede esperar hasta que seas más receptivo.

—Alabado sea el Señor.

—¿Dónde está Lou?

—Se había quedado dormido apoyado en la mesa de autopsias. Me ha parecido mejor que se fuera a su casa, ante el riesgo de que algunos de los técnicos lo confundiesen con un cadáver.

—¿En qué caso estás trabajando ahora? —preguntó Laurie para cambiar de tema.

—Sara Barlow, y es muchísimo más interesante que el flotador desconocido.

—¿Por qué?

—Mira estos hematomas en el rostro y en los brazos. Está claro que la golpearon repetidamente, pero ¿dirías que alguno de ellos pudo ser fatal, como cree la policía?

—Es poco probable. ¿También tenía en el pecho anterior? —quiso saber Laurie. No podía verlo porque las paredes del pecho estaban abiertas como alas de mariposa. Por un caso que tuvo cuando comenzó en la OCME, sabía que los hematomas que no esperabas que fuesen letales podían serlo si se habían producido en el pecho—. ¿Alguna razón para sospechar de muerte súbita?

—¡No! El pecho estaba limpio. ¿Qué pasa si te dijera que había un extenso edema pulmonar rosado, ojos inyectados y escaras en el epitelio traqueal?

—¿Cuál es tu diagnóstico? —preguntó Laurie en tono resignado. En ocasiones los juegos de adivinanzas forenses de Jack le parecían tediosos, y aquella era una de ellas.

—¿Qué pasaría si te dijera que nuestra inteligente IF, Janice Jaeger, encontró unas botellas de fuertes productos de limpieza abiertas en una bañera con mampara junto con un cubo de agua y un trapo húmedo? Anteriormente, cuando vio el cuerpo, había advertido que las rodillas de los vaqueros de la mujer estaban mojadas, y que la víctima no llevaba calcetines ni zapatos.

—Necesitaría saber si los productos de limpieza contenían hipoclorito, como tienen algunos, y si los otros contenían ácido, que también es bastante frecuente, y si ella no hizo caso de la advertencia de no mezclarlos, y lo hizo.

—¡Bingo! —exclamó Jack—. Ha sido gas clorhídrico, el primer agente de la guerra química utilizado en la Primera Guerra Mundial, lo que la mató, y no su novio. No deja de sorprenderme cómo tantas personas hacen caso omiso de las advertencias de los productos. De todas maneras, a Lou le alegrará saber que no tendrá que ocuparse de otro homicidio.

—No, a menos que el novio fuese quien insistió en que utilizase los productos letales, y que los utilizara ya mezclados.

—Esta es una opción en la que no había pensado —admitió Jack.

—Bueno, os dejo que disfrutéis, chicos —dijo Laurie mientras se dirigía hacia la salida. No sentía ningún placer por haber adivinado la respuesta correcta a la adivinanza de Jack. Se habría sentido mucho más feliz si él no hubiese estado de un humor juguetón, ya fuese real o fingido. Le sorprendía e irritaba que él no viese la relación entre su caso y su próxima operación.

En lugar de dejar las muestras de Jeffries para que el personal las llevase a los correspondientes laboratorios, como era lo habitual, Laurie las llevó en persona. Quería hablar con la jefa de microbiología, Agnes Finn, y la jefa de histología, Maureen O'Connor, para intentar acelerar las cosas. Pero primero se detuvo en el primer piso y fue al despacho de la investigadora forense. Como a menudo estaban fuera ocupados en algún caso, Laurie se alegró al ver que Cheryl Myers aún estaba sentada a su mesa.

—¿Puedo ayudarte en alguna otra cosa? —preguntó Cheryl. Era una sorprendente mujer afroamericana que llevaba el pelo peinado en apretados rizos formando hileras. Pertenecía a la vieja guardia de la OCME. Es más, llevaba trabajando allí el tiempo necesario para que sus dos hijos hubieran acabado los estudios en la universidad.

—Eso espero —respondió Laurie—. Antes estuve hablando con el doctor Besserman de unos casos infecciosos ocurridos en tres hospitales de una empresa llamada Angels Healthcare. Me dijo que te había pedido que lo averiguaras. ¿Lo recuerdas?

—¿Te refieres a los casos pulmonares de EARM?

—¡Esos! ¿Fuiste a visitar los lugares?

—¡No! Lo que me pidió específicamente fue que consiguiera las respectivas historias, así que me limité a llamar y hablé con el departamento de historias clínicas de cada hospital. Fue sencillo conseguirlas, porque los hospitales Angels las tienen informatizadas. Me las enviaron por correo electrónico. No tuve necesidad de ir a visitarlos.

—¿Los hospitales cooperaron?

—Cooperaron al máximo. Incluso recibí una llamada de una mujer muy amable llamada Loraine Newman.

—¿Quién es?

—Es la presidenta del comité de control de infecciones del hospital ortopédico.

—El doctor Besserman la mencionó —dijo Laurie—. Él también comentó lo amable que era. ¿Por qué llamó?

—Solo para dejar su nombre y el número de su teléfono directo por si yo necesitaba alguna cosa más. Me dijo que estaba muy preocupada por el problema. Añadió que, antes de la aparición del EARM, no habían tenido ningún problema hospitalario. Dijo que la situación le impedía dormir por las noches. Si quieres saber la verdad, parecía desesperada.

—¿Mencionó a una tal Cynthia Sarpoulus?

—No, que yo recuerde. ¿Quién es?

—Acabo de practicar la autopsia de otro caso de EARM que llegó del Angels Orthopedic Hospital —explicó Laurie, sin hacer caso de la pregunta de Cheryl—. Me gustaría tener el teléfono de Loraine Newman.

—Ningún problema. —Cheryl utilizó el ratón para poner el número en pantalla.

—Necesito otros números —dijo Laurie—. El CDC* en Atlanta desarrolla un programa EARM como parte de su National Healthcare Safety Network. Me gustaría que me dieses un nombre y un número de teléfono de alguno de sus epidemiólogos. También querría que llamases a la comisión conjunta para la acreditación de organizaciones de asistencia sanitaria y me dieses el nombre y el número de alguien que supervise los programas obligatorios de control de infecciones en los hospitales.

—Haré todo lo que pueda —prometió Cheryl.

—El nombre de mi caso es David Jeffries —continuó Laurie—. Me gustaría tener su historia clínica.

—Eso será fácil —señaló Cheryl—. Pero no acabo de comprender con quién quieres hablar de la comisión conjunta. ¿Podrías darme una idea?

—La comisión conjunta requiere que los hospitales tengan un

* CDC: Centers for Disease Control and Prevention. *(N. del T.)*

comité de control de infecciones para la acreditación. Lo que quiero saber es si hay algún control de estos comités y si entre inspecciones rutinarias se requiere un informe de casos. Sé que esto es un tanto inusual, pero voy corta de tiempo.

—Otra vez, haré todo lo que pueda —prometió Cheryl muy bien dispuesta.

Laurie salió del despacho de la investigadora forense y fue hasta la escalera, sin acordarse del ascensor de atrás. Había comenzado el día con el egoísta deseo de convencer a Jack para que descartara la inminente intervención. Estaba preocupada por su bienestar, quizá incluso por su vida. Entre ella, Besserman, y Southgate se habían encargado de siete casos de la letal neumonía necrotizante EARM en un plazo de tres meses en los tres hospitales, en uno de los cuales iba a entrar Jack, y todos propiedad de la misma empresa. Lo peor era que esos casos se estaban produciendo a pesar de lo que Besserman había descrito como agresivas medidas de control de infecciones. Si bien Laurie era la primera en admitir que no sabía gran cosa de epidemiología, sí sabía lo bastante para preguntarse si podía haber un portador desconocido del letal EARM, algo así como una Typhoid Mary,* en la organización Angels Healthcare, que inadvertidamente propagaba el EARM mientras iba de hospital en hospital para cumplir su trabajo. Laurie quería un montón de información y, empecinada como Jack, la necesitaba rápido si esperaba influir en su opinión.

La siguiente parada fue en microbiología, que se encontraba en la planta de laboratorios en el cuarto piso. Laurie encontró a la taciturna y nervuda microbióloga Agnes Finn en su pequeño despacho sin ventanas. De entre todos los empleados, el aspecto de Agnes era el estereotipo de alguien que trabaja en un depósito, desde el punto de vista de una agencia de actores. Su tez gris amarillento contribuía; era como si nunca hubiese visto la luz del día. Sin embargo, de entre todos los supervisores, Laurie pensaba

---

* Referencia a Mary Mallon, una cocinera irlandesa y portadora sana de la fiebre tifoidea, que introdujo la enfermedad en Estados Unidos. (*N. del T.*)

que Agnes era siempre la más dispuesta a ayudar, con la mejor predisposición para hacer todo lo posible. Era como si no tuviese vida fuera del laboratorio.

Laurie se sentó y le explicó la situación, algo que tuvo como resultado que Agnes le diese una breve conferencia sobre el EARM, incluido todo lo que Besserman le había dicho y algo más. Le explicó en detalle que el estafilococo era un microbio pluripotente y quizá el más adaptable y exitoso de los patógenos humanos.

—Cuando piensas desde el punto de vista de la bacteria —dijo Agnes—, es un supermicrobio, capaz de matar a alguien en un plazo muy breve, mientras que la misma cepa solo es capaz de colonizar a un individuo, por lo general, solo en las fosas nasales. Este es un lugar idóneo para la bacteria, porque cada vez que el portador se mete el dedo en la nariz, sus dedos se contaminan y pueden contagiar a la siguiente persona.

—¿Hay alguna estimación de cuántas personas están colonizadas?

—Claro que sí. En cualquier momento, una tercera parte de la población mundial es portadora de estafilococos, o sea alrededor de dos mil millones de personas.

—¡Dios bendito! ¿Hay muchas cepas de EARM además de las adquiridas en los hospitales y la comunidad?

—Muchísimas —respondió Agnes—. Además evolucionan continuamente en la nariz y en cualquier superficie epidérmica húmeda, donde pueden intercambiar material genético.

—¿Cómo se diferencian las cepas en el laboratorio?

—De muchas maneras. La resistencia a los antibióticos es una de ellas.

—Pero esa no es particularmente sensible, si consideramos todo lo que has dicho.

—Es correcto. Los métodos más sensibles tienen todos una base genética: el más sencillo y utilizado es la electroforesis en gel con campo pulsante, y el más completo el genotipo. Entremedio, hay una serie de técnicas de identificación secuencial basadas en la reacción en cadena de la polimerasa.

—¿Cuál puedes hacer aquí en microbiología?

—Solo el más simple: el de resistencia a los antibióticos.

—Si es necesario, ¿dónde se pueden hacer los más complicados?

—El laboratorio de referencia estatal puede hacer la electroforesis en gel con campo pulsante. En cuanto a una tipología más específica, el CDC es el mejor. Ahora mismo están organizando una biblioteca nacional de las cepas de EARM, así que podrán darte mucha información. Animan a que se les envíen las cepas aisladas; cualquiera puede hacerlo. Por supuesto, el doctor Lynch, en nuestro laboratorio de ADN del nuevo anejo, puede hacer las diversas tipologías genéticas, pero no podremos decirte gran cosa de la cepa específica.

—¿Cuál de las pruebas genéticas es la más rápida? Me temo que no tengo mucho tiempo.

—A decir verdad, no lo sé. Sé que nuestros análisis de cultivos y antibióticos llevan entre veinticuatro y cuarenta y ocho horas. Los hospitales pueden hacerlo mucho más rápido porque utilizan métodos monoclonales de anticuerpos. Las máquinas que utilizan proceden de la NASA, que las dio de baja.

Laurie sacudió la cabeza. Se sentía apabullada.

—Hasta hoy creía saber lo suficiente sobre estafilococos. Pero estaba en un profundo error —reconoció con humildad.

—Todos tenemos que seguir aprendiendo —manifestó Agnes con filosofía—. ¿Qué quieres hacer con estas muestras que has traído?

—Le llevaré una a Ted Lynch al laboratorio de ADN. Quiero que te quedes una para cultivo; el resto puede ir al laboratorio de referencia. También quiero conseguir algunas muestras congeladas de los casos de los doctores Besserman y Southgate para compararlas. Quiero saber si son de la misma cepa. Me preocupa la existencia de un portador inocente, en particular después de lo que me has dicho.

—Dime cuáles son los casos que te interesan. Intentaré acelerar el proceso. En cuanto a la muestra de Ted Lynch, tendrás que dejármela a mí para que pueda darle un cultivo puro para su análisis de ADN.

Con la mente confusa, Laurie salió a toda prisa del laboratorio y fue hacia los ascensores principales, que eran más rápidos. Mientras pulsaba el botón una y otra vez, con la vana esperanza de acelerar la llegada del ascensor, intentó organizar el resto de la mañana. La primera parada iba a ser en el laboratorio de histología, donde Laurie rogaría a Maureen O'Connor que se ocupara de preparar las platinas con las secciones de pulmón de David Jeffries; a Laurie no le importaba el resto de las platinas por el momento, solo las del pulmón, dado que tenía en mente hacer ampliaciones de algunas fotos micrográficas si la patología resultaba ser tan mala como ella esperaba. Pensó que serían unas fantásticas imágenes para la presentación en PowerPoint que pretendía hacer a Jack con el objetivo de que desistiera de su operación de ligamentos cruzados.

Laurie entró en el ascensor y pulsó el botón del quinto piso. Consultó su reloj. Eran cerca de las diez. Al salir, corrió por el pasillo hasta el laboratorio de histología, donde llegó sin aliento.

—¡Vaya, señoras! —exclamó Maureen con su fuerte acento—, me parece percibir otra grave emergencia de la señorita Montgomery. Oh, perdón, la señora Montgomery-Stapleton. ¿Quién se ofrece voluntaria esta vez para decirle que su paciente ya está muerto?

Hubo una carcajada general por parte de las mujeres que trabajaban en histología. Gracias al buen humor de Maureen, era un lugar alegre. Incluso Laurie se sorprendió sonriendo a pesar de la ansiedad. Como en la mayoría de los comentarios humorísticos, había algo de verdad en las palabras de Maureen. Laurie y Jack eran los únicos patólogos entre el personal forense que, en ocasiones, sentían la necesidad de un rápido tratamiento de sus platinas. Todos los demás se daban por satisfechos con tenerlos a su debido tiempo.

Maureen escuchó la petición y las explicaciones de Laurie, y prometió hacerlas ella misma. En cuestión de minutos, Laurie estaba de nuevo en el pasillo. Fue a paso rápido hasta el despacho de Arnold Besserman y Kevin Southgate. Cuando llamó con los nudillos, la puerta se abrió sola, y Laurie asomó la cabeza.

El interior del despacho recordó a Laurie las enfrentadas posturas políticas de los dos hombres. Como archiconservador, Arnold tenía una mesa que era la imagen de la pulcritud, con una única bandeja de cartón con platinas a un lado del microscopio y un bloc de hojas amarillas en el otro. Ambas estaban alineadas en paralelo, junto con un lápiz afilado. El lado de la habitación correspondiente a Southgate era todo lo contrario, con bandejas de platinas, expedientes de casos sin cerrar, informes de laboratorio y toda clase de documentos apilados en la mesa y en el archivador, de tal forma que solo quedaba un pequeño arco de espacio despejado delante de su silla. Un montón de Post-it colgaban de la pantalla de la lámpara de escritorio como si fuesen musgo. Para Laurie era asombroso que aquellos dos hombres se llevaran tan bien y desde hacía tanto tiempo. Después de dejar una nota en la puerta para que cualquiera de los dos la llamara, Laurie caminó por el pasillo y llamó a las puertas de los demás forenses para hacer una rápida encuesta de sus recientes experiencias con el EARM. No había nadie en los despachos, algo comprensible, dado que la mañana era la hora de más trabajo en la sala de autopsias, pero no había visto ni a George Fontworth ni a Paul Plodget, o a su recién contratado compañero de oficina, Edward González. Edward era un dotado patólogo forense, producto del programa organizado por la oficina y la Universidad de Nueva York.

Dado que por el momento era imposible averiguar si había más casos en la OCME, Laurie volvió a su despacho. De pronto, al recordar el comentario de Arnold Besserman sobre Queens, Brooklyn y Staten Island, acerca de que todos tenían sus propias oficinas forenses, se dio cuenta de que su conclusión de que no había habido más casos fatales de EARM en ningún otro de los hospitales de la ciudad durante más o menos los últimos tres meses era prematura.

Con su agenda Rolodex abierta, Laurie llamó primero a Dick Katzenburg, el jefe de la oficina de Queens. Él la había ayudado en el pasado a encontrar casos que coincidían con dos series de casos en las que ella había estado trabajando. Mientras pasaban la llamada, Laurie recordó que aquellas dos series habían resultado ser homicidios, algo que nadie, ni siquiera ella, había sospechado. El recuerdo le hizo pensar por un momento que quizá las muertes de la actual serie no eran accidentales, y más aún si tenía en cuenta que una tercera parte de la población mundial estaba colonizada con organismos estafilococos en cualquier momento.

Le respondieron en la oficina forense de Queens, y Laurie pidió hablar con Dick. Mientras esperaba, tamborileó con los dedos nerviosa. Rogaba para que estuviese disponible, una expectativa razonable, según ella; como jefe de la oficina satélite, las tareas administrativas lo mantenían atado a su mesa y fuera de la sala de autopsias. Mientras pasaba el rato, sacó un bloc nuevo, y con el teléfono sujeto entre el hombro y el cuello dibujó múltiples rayas verticales paralelas, para crear una matriz donde pensaba escribir los datos sobre los casos de EARM a medida que los conociera. En sus dos series anteriores, habían sido las matrices las que le habían dado la información que necesitaba. Con el deseo de obtener un resultado similar, escribió David Jeffries en la primera fila, a la izquierda de la línea.

Dick se puso al teléfono y se disculpó por haberla hecho esperar. Tras una breve charla social, Laurie le preguntó si habían tenido en la oficina de Queens alguna infección hospitalaria de EARM durante los últimos tres o cuatro meses.

—¡Claro que sí! —dijo Dick sin vacilar—. No eran casos míos; le correspondieron a Thomas Asher. Los recuerdo porque fueron muy desagradables.

—¿A qué te refieres?

—Neumonía necrotizante. Las víctimas, que eran todas personas sanas, no tuvieron la menor oportunidad. Sus historias me recordaron los casos de la epidemia de gripe de 1918.

Laurie sintió una punzada de egoísta desilusión. El hecho de que otros hospitales de la ciudad se enfrentasen al mismo problema que las instituciones de Angels Healthcare, sin duda disminuiría el impacto de los casos en Jack.

—¿Sabes si ocurrieron en un único hospital o en varios? —inquirió Laurie.

—Solo en uno. Era un hospital ortopédico. ¿Por qué lo preguntas?

Laurie se irguió en la silla.

—¿Cuál era el nombre del hospital?

—Angels algo. Creo que Angels Orthopedic Hospital. Todos eran casos ortopédicos.

Una leve sonrisa retorcida apareció en las comisuras de los labios de Laurie. En lugar de perder fuerza, el éxito potencial de sus argumentos con Jack había ganado puntos.

—También hemos tenido algunos casos aquí —manifestó Laurie—, incluido uno cuya autopsia he realizado hoy. Voy a investigarlo, aunque me han dicho que el hospital ha desplegado todos sus esfuerzos para acabar definitivamente con el problema.

—Hazme saber si puedo ayudarte.

—¿Puedes facilitarme los nombres?

Laurie oyó el sonido del teclado de Dick. Un minuto más tarde le dijo:

—Philip Moore, Jonathan Knox y Eileen Dimalanta.

Laurie los añadió de inmediato a la matriz.

—¿Los tres han sido introducidos?

—Sí, puedes buscarlos en la base de datos.

—De todas maneras me gustaría ver los expedientes; los registros del hospital, si los tienes, y también una muestra de tejidos, para poder clasificar la cepa, si no se ha hecho todavía.

—Llevaré lo que tenga a la reunión del jueves.

—Preferiría que me lo enviaras por mensajero hoy mismo. Tengo un límite de tiempo.

—¿Cómo es eso?

—Un compromiso personal —respondió Laurie, que no tenía ganas de dar más explicaciones.

Luego llamó a Jim Bennett en Brooklyn y a Margareth Hauptman en Staten Island. Si bien Margaret no había tenido casos de EARM, Jim había tenido tres, como Dick. Dos eran de neumonía necrotizante como los demás y provenían del mismo hospital, pero otro era un síndrome tóxico de EARM secundario, derivado en una fulminante endotalmitis, una infección masiva en el interior del ojo derecho de la víctima, que se había producido de inmediato tras una rutinaria intervención de cataratas. Laurie colgó el teléfono y añadió a Carlos Suárez, Matt Collord y Kayla Westover a su matriz, que se ampliaba por momentos. Laurie estaba ahora convencida de que algo iba mal; algo iba muy mal.

# 3

*3 de abril de 2007, 10.20 horas*

—Rodger Naughton la atenderá en un momento —dijo la secretaria—. ¿Quiere sentarse?

Desde la perspectiva de Angela, la mujer parecía más una autómata que una persona real. Como había estado muchas veces en el despacho de Rodger, esperaba algún pequeño gesto de reconocimiento y no aquella fría indiferencia, y aunque se lo esperaba por haberlo soportado en todas las ocasiones anteriores, no dejó de incomodarla.

Hasta donde podía recordar, siempre había sido una persona independiente que detestaba pedir favores, dispuesta a hacer lo que fuese por sí misma. A medida que creció, esta característica incluyó tener que pedir dinero. Sin embargo ahí estaba, sentada en el esplendor del Manhattan Bank and Trust con su metafórico platillo, obligada a suplicar un préstamo.

El único aspecto reconfortante era que la personalidad de Rodger era totalmente opuesta a la de la señorita Darton. Desde su primer encuentro, Angela lo había encontrado amable, voluntarioso y notablemente simpático. En otras circunstancias habría esperado con ganas la visita, pero aquel día no. Después de haberse levantado, haber enviado a Michelle a la escuela mientras continuaban con la discusión por el *piercing* en el ombligo, hablar con los consejeros sobre la muerte de EARM del día anterior y confirmar a Cynthia Sarpoulus que nadie la culpaba por el problema de la infección, Angela había intentado establecer una estrategia para convencer a Rodger de que le concediese un considerable crédito personal o diese a Angels Healthcare un préstamo comercial.

Por desdicha, no se le ocurría otra estrategia que no fuese ponerse de rodillas y mendigar. Dada la gravedad de la situación, lo haría si eso podía ayudar.

—El señor Naughton la recibirá ahora —dijo la señorita Darton. El único cambio en su expresión fue un ligero enarcamiento de las cejas y un pestañeo.

Con la sensación de que iba al despacho del director después de haber sido pillada cometiendo una infracción como fumar un cigarrillo en la habitación de las chicas, Angela entró en el despacho de Rodger.

—¡Angela! —exclamó Rodger con entusiasmo mientras se apresuraba a salir de detrás de la mesa con la mano extendida—. Qué alegría verla. Es todo un placer. Por lo general tengo que tratar con su director financiero, y no es que me disguste Bob Frampton. Es todo un caballero, pero si por mí fuese, preferiría tratar con usted directamente. ¡Por favor, no se lo diga! —Rió mientras estrechaba la mano de Angela con vigor y la acompañaba hasta una silla delante de su mesa.

Angela se sentó mientras miraba cómo Rodger volvía a su silla tapizada en cuero. Era un hombre apuesto, de aspecto juvenil y con una apariencia muy cuidada. Llevaba el pelo rubio corto y tenía los ojos azul claro. En el banco era uno de los varios gerentes encargados de las cuentas de las empresas de asistencia sanitaria. Por ser un negocio sin un techo visible de crecimiento, la asistencia sanitaria era de gran interés para los bancos en general y para el Manhattan Bank and Trust en particular. Cuando Angela había acudido al banco cinco años atrás en busca del primer préstamo para la creación de Angels Healthcare, le habían asignado a Rodger. Durante los años siguientes, Rodger había sido el enlace entre la compañía y el banco, y había ganado una considerable cantidad de dinero para la entidad financiera. Durante ese tiempo,

Angels Healthcare había construido tres hospitales multimillonarios que habían sido verdaderas vacas lecheras hasta la reciente aparición del brote de EARM. Aquella era una realidad que Angela pensaba enfatizar, y con un poco de suerte aprovechar.

—¿Cómo está su hija? —preguntó Rodger con sincero interés.

—Aparte de la inevitable angustia preadolescente, está bien —respondió Angela, mientras su mente se preguntaba cómo empezar a pedir otro préstamo—. ¿Y la suya? —Sabía que Rodger tenía una hija un año mayor que Michelle, pero hasta ahí llegaba su conocimiento de la vida privada del hombre.

—Está luchando con los mismos problemas. Estoy aprendiendo que las hijas adolescentes pueden ser de armas tomar.

Angela recordaba con demasiada claridad sus propias dificultades de adolescente. Fue durante aquella estresante época cuando los problemas con su padre les habían llevado a una ruptura, y nunca los habían solucionado de verdad.

—Angela —continuó Rodger—. Supongo que está aquí por la llamada que hice a Bob, su director financiero. Quiero asegurarle que solo se trata de la política del banco. Los créditos de Angels Healthcare pasan automáticamente a mis manos cuando se acercan a un límite específico. Por supuesto, el problema es el crédito puente que acordamos hace poco más de un mes, combinado con la venta de bonos de la cuenta de gerencia de la empresa. Es parte de la política del banco que yo, como su gerente de enlace, haga la llamada. Puede estar tranquila, que no voy a reclamar ninguno de los préstamos concedidos.

—Se lo agradezco —dijo Angela, que gimió por dentro. Los comentarios, aunque hechos con la intención de tranquilizarla, habían tenido el efecto contrario. En realidad, Rodger le estaba diciendo que Angels Healthcare no tenía más crédito. No obstante, Angela se aclaró la garganta y añadió—: Pero su llamada a Bob no es la razón de mi visita.

—Oh. —Rodger se reclinó en la silla—. ¿En qué puedo ayudarla?

—Sé que está enterado de nuestra próxima salida a bolsa —comenzó Angela—. Está fijada para dentro de poco más de dos semanas, así que estamos en un período de silencio, y eso significa que no puedo divulgar ningún detalle específico. Solo puedo decir que nos han asegurado que la OPA será un éxito.

—Me alegro por usted —manifestó Rodger—. ¡Una colocación garantizada! ¡Vaya!

—Las felicitaciones pueden ser un poco prematuras. El problema a corto plazo que motivó nuestra necesidad para un crédito puente un mes atrás ha costado mucho más de solucionar de lo que habíamos calculado. Necesitamos otro crédito puente, pero solo por tres semanas. El interés no importa, lo pagaremos de inmediato.

Rodger se inclinó hacia delante. Su silla chirrió. Se frotó la frente y soltó un silbido. Luego miró a Angela. De pronto pareció cansado, e incluso un poco triste.

—¿De qué cantidad está hablando?

—Doscientos mil dólares es lo que querríamos, pero aceptaremos lo que pueda darnos.

—Está pidiendo lo imposible. —Rodger respiró profundamente—. Cuando dije que los préstamos a su empresa se estaban acercando al límite, no fui del todo claro. Ya están en el límite. Me temo que han sacado el máximo.

—¿No pueden hacer una excepción? —preguntó Angela. Detestaba suplicar, pero no tenía alternativa—. Lleva trabajando con nosotros casi cinco años. Usted sabe cómo funciona la actual economía médica. Sabe lo bien posicionados que estamos. Seremos la primera empresa de hospitales especializados que saldrá a bolsa después de que se levantase la moratoria del Senado el pasado octubre. Sabe que recibiremos una cantidad casi ilimitada de ganancias garantizadas por la manera en la que los reembolsos de la Seguridad Social priman las operaciones. También sabe que Angels Healthcare se convertirá en una gran empresa, y que el Manhattan Bank and Trust continuará siendo nuestro banco, con usted como nuestro gerente de relaciones. Le doy mi palabra. Incluso lo pondré por escrito.

—¿Qué hay de sus bienes personales? —quiso saber Rodger—. Puedo darle un préstamo sobre el patrimonio neto de su casa. Yo mismo lo gestionaré. Puedo tener el dinero para usted…

—Eso no funcionará —lo interrumpió Angela—. Ya he hipotecado todo el patrimonio neto de mis bienes personales, incluidas mis joyas. ¡Todo!

Durante unos minutos, reinó el silencio en el despacho de Rodger. El único sonido era el tictac del reloj de mesa Tiffany. Un delgado rayo de luz de sol entraba en el despacho. Un millón de motas de polvo bailaban silenciosamente en su luz.

Rodger se echó hacia atrás y levantó las manos. Sacudió la cabeza.

—Lo siento. No puedo autorizar un crédito sin una garantía. No es que no quiera hacerlo; solo que no está en mi poder. Lo siento, Angela. La admiro mucho como doctora, empresaria, y ser humano. Pero no puedo.

—¿Qué pasa con alguien que esté más arriba en la jerarquía del banco? Sin duda alguien puede autorizar dicho crédito, máxime si se considera el dinero que el banco ha ganado a corto plazo y el que ganará más adelante.

—Lo intentaré —dijo Rodger sin mucho entusiasmo—. Enviaré la solicitud a mis superiores.

—¿La recomendará? —preguntó Angela.

—Recomendaré que la consideren —manifestó Rodger, que eludió la pregunta.

—Gracias. —Angela se levantó, consiguió esbozar una media sonrisa y estrechó la mano de Rodger por encima de su mesa inmaculada. Fue entonces cuando vio sobre esta la foto enmarcada de una niña de más o menos la edad de Michelle. No había ninguna foto de familia, ni de una esposa.

—Sin embargo, debo decirle que aunque se aprobara el préstamo, pasarían varias semanas para completar el proceso. Lo siento, Angela. Por favor no lo tome como algo personal. Si de mí dependiese, lo haría al instante.

Angela se dirigió hacia la puerta. Cinco minutos más tarde estaba en la calle intentando coger un taxi para ir al centro. Aunque el resultado de la reunión había sido el que esperaba, estaba deprimida. De las dos reuniones que tenía aquella mañana, la que acababa de tener con Rodger al menos había sido cordial. La siguiente con su ex marido, Michael Calabrese, seguramente no lo sería; casi nunca lo era. Si bien Angela adoraba a su hija, a menudo lamentaba que la niña la atase inexorablemente a un continuado contacto con un hombre al que deseaba no haber conocido nunca, y mucho menos haberse casado con él. Por supuesto, había empeorado la situación al permitirle, contra su prudente juicio, actuar como agente de colocación de su empresa cuando había fundado Angels Healthcare.

La colaboración no había sido premeditada. La custodia compartida requería un contacto continuo, y Michael había aprovechado la oportunidad para preguntar a Angela acerca de sus experiencias para conseguir su máster en administración de empresas. Pese a que Michael había trabajado en el negocio bursátil con Morgan Stanley desde que se había licenciado en Columbia, donde había conocido a Angela, nunca había obtenido el título. Su curiosidad por las experiencias en el máster de Angela había sido una combinación de genuino interés y algo de celos. Como su padre, Michael se había sentido retado por el título de médico de Angela, sobre todo cuando sus amigos se burlaban diciendo que ella era el cerebro y él el músculo. Aunque estaban divorciados, que Angela hubiera obtenido un máster en empresariales, un campo donde él afirmaba ser el experto, había reavivado los sentimientos de inseguridad motivados por sus estudios. Las discusiones siempre acababan con ambos irritados, hasta el día en el que Angela describió un plan empresarial que estaba trazando como ejercicio para uno de sus cursos. Cuando acabó la descripción, Michael se sintió tan impresionado que la alentó a convertirlo en una empresa real. Le dijo que podía conseguir capital de lo que llamó sus clientes «de verdad únicos». Nunca le había explicado qué había querido decir con «de verdad únicos», pero Angela tenía razones para creer que no estaba alardeando. Michael, por aquel entonces, había dejado Morgan Stanley para formar su propia empresa bursátil. Por ello, a menudo trabajaba con su antiguo empleador Morgan Stanley, en las ofertas públicas de acciones, y le iba muy bien.

Animada por la insistencia de Michael, Angela acudió a varios de sus profesores, que también estaban intrigados por su plan empresarial, y utilizó sus contactos para fundar Angels Healthcare. Fiel a su palabra, Michael reunió parte del capital inicial de sus clientes, e incluso un posible «inversor ángel» formado por un sindicato de los mismos clientes, que aportó quince millones de dólares además del reciente crédito puente convertible en acciones. Sin embargo, el verdadero éxito llegó gracias a los esfuerzos de Angela, que recaudó el resto del capital. Durante sus estudios empresariales, había trabajado a tiempo parcial en el University Hospital y, como una vendedora innata, logró interesar a un grupo de ansiosos inversores médicos, que a su vez convencieron a otros colegas, y estos interesaron a más doctores de otras instituciones en un rápido proceso de crecimiento. Estos médicos inversores no solo aportaron dinero, sino que una vez construidos los hospitales, llevaron centenares de pacientes, que era en esencia el factor crítico de todo el plan.

Angela bajó del taxi delante de un gran edificio de oficinas de mármol y cristal, no muy lejos de la Zona Cero. Michael compartía la planta con otros agentes financieros independientes. Cada uno tenía su propio despacho, pero compartían las zonas comunes y los servicios de secretariado. Era un arreglo conveniente para todos, dado que gozaban de mejores oficinas y servicios de los que habrían tenido de forma independiente. El despacho de Michael tenía una impresionante vista del Hudson, con la Estatua de la Libertad en medio del río, en su minúscula isla. Al otro lado se alzaban los edificios de apartamentos de New Jersey.

La puerta de Michael estaba entreabierta, y dado que la secretaria compartida estaba a considerable distancia, Angela entró sin más. Su ex estaba al teléfono, reclinado en la silla con las piernas cruzadas y los pies apoyados en una esquina de la mesa. Su chaqueta estaba colgada del respaldo de la silla, el nudo de la corbata flojo y el botón superior del cuello desabrochado. Era la viva imagen de la tranquilidad. Sin interrumpir la conversación, hizo un gesto a Angela para que se sentara en el sofá.

Angela se quitó el abrigo, lo colocó sobre el brazo del sillón, dejó el maletín en el suelo y se sentó. En la mesa de centro que tenía delante estaban los habituales objetos masculinos, incluida una botella llena de un líquido ámbar, varios anticuados vasos de cristal tallado y un humidificador de caoba con un medidor de humedad incorporado. En la pared había un televisor de pantalla plana donde por la parte inferior pasaban las cotizaciones de la bolsa y en la superior había unos silenciosos locutores.

Ver a su ex marido le aceleró el pulso, pero ciertamente no por atracción, aunque debía admitir que era apuesto. Sus facciones eran angulosas y fuertes, y llevaba su pelo color antracita peinado hacia atrás. Con una mano sostenía el teléfono, y con la otra gesticulaba en el aire a medida que avanzaba la conversación. Era obvio que intentaba convencer a alguien de algo.

Angela lo conoció cuando ella estaba en primer curso y él en los últimos de la Universidad de Columbia, y la conquistó. Ella creía que era exactamente lo que buscaba. Muy masculino, un buen estudiante, un tanto rebelde, que hablaba con claridad, al parecer sincero, popular entre sus camaradas nuevos y antiguos, apasionado y abierto en su interés por ella, romántico, con pequeños gestos como regalarle flores en ocasiones especiales, y —muy importante para Angela— sin miedo a mostrar sus emociones. En resumen, era opuesto a su padre, un perfil que Angela exigía en cualquiera que pudiera considerar para una relación a largo plazo. Incluso apreciaba sus antecedentes como trabajador y su confirmada lealtad con sus amigos del instituto, de los cuales pocos habían podido ir a la universidad. Sugería que él tenía firmes valores. El único fallo fue la noche que Michael admitió que su dominante padre no había escatimado los correazos en su fanática obsesión de que sus hijos fuesen a una universidad de primera. Dado que el modus operandi había funcionado con Michael, aunque no con su hermano mayor, Angela no hizo caso del viejo proverbio de que el fin no justifica los medios, aunque debería haberlo hecho. De una manera muy fea, resultaría profético.

—¡De acuerdo, de acuerdo! —dijo Michael a modo de despedida, mientras agitaba la mano libre en el aire como si estuviese espantando a un insecto molesto—. ¡Llámame! —Colocó el auricular a un palmo del teléfono y lo dejó caer—. Dios, algunos tipos son unos gilipollas.

Angela, con mucha prudencia, contuvo la lengua.

—Bueno —dijo Michael, y se levantó con su metro noventa de estatura—. ¿Qué pasa? Rodeó la mesa, cogió una silla, la acercó a la mesa de centro y la giró para sentarse. Con los brazos cruzados y apoyados en el respaldo, miró a Angela con una irónica y desafiante sonrisa que, por desgracia, evocó tantos desagradables recuerdos que Angela descartó su plan inicial de limitar la conversación a la urgente necesidad de disponer de dinero en efectivo que afectaba a la empresa y después marcharse. En cambio, dijo:

—Primero vamos a aclarar algunos asuntos menores.

—Vale. ¿Cuál es tu idea de asuntos menores?

—¿Por qué demonios has permitido a nuestra hija de diez años que se perfore el ombligo antes de hablar conmigo?

—La pequeña lo quería. ¿Por qué no?

—¿Es esa razón suficiente para permitírselo? —preguntó Angela sin disimular su incredulidad—. ¿Solo porque ella lo quiere?

—Me dijo que todas sus amigas lo habían hecho.

—¿Tú la creíste?

—¿Por qué no iba a creerla? Es la moda.

Angela comprendió que era una pérdida de tiempo continuar aquella conversación. Michael nunca había sido un buen padre, ni tampoco un buen marido. Solo después de haberse casado, Angela se enteró de que Michael tenía una idea muy de «trabajador» respecto a los deberes matrimoniales. En su mente, su papel era volver a casa del trabajo, sentarse delante de la tele y mantener a su familia informada de los acontecimientos de la actualidad, en particular de los deportes. Eso ocurría las noches que no se reunía con sus amigos, en unas supuestas cenas de trabajo en Manhattan. Habían desaparecido los gestos románticos y los cumplidos. Angela se quedó embarazada y toleró su relación cada vez más deteriorada, con la vana ilusión de que el nacimiento del hijo tan esperado haría que Michael volviese a ser la persona que había sido durante el noviazgo. Pero el nacimiento de Michelle solo complicó todavía más la vida de Angela, que intentaba con desesperación buscar el equilibrio entre las prácticas de medicina y los rigores de criar a un recién nacido. Michael se negaba a ayudar, excepto en las cosas más superficiales. Incluso se vanagloriaba sin recato de no haber cambiado nunca un pañal. Tales tareas estaban simplemente por debajo de la dignidad de un joven y prometedor agente de inversiones.

—Escucha —dijo Angela, que intentó mantener la calma todo lo posible—, no vamos a discutir, pero te aseguro que no todas sus amigas lo tienen. Además siempre existe el riesgo de infección.

—¿Hay problemas de infección?

—¡Por supuesto! Pero la cuestión es que cuando surge algo como esto y tú crees que hay alguna posibilidad de que yo tenga una opinión formada al respecto, habla conmigo antes de tomar una decisión.

—Muy bien —asintió Michael, que puso los ojos en blanco—. Vale, ya has dicho lo que querías sobre el *piercing*. ¿Qué más? Diste a entender que había más cosas.

—Sí —dijo Angela mientras buscaba las palabras correctas—. Quiero que sepas con toda claridad que decirle a Michelle que fue culpa mía que tú y yo nos divorciáramos es inaceptable. Intentar que Michelle tome partido en un problema entre tú y yo no está bien. Tienes que dejar de hacerlo.

—Eh, yo no presenté la petición de divorcio, fuiste tú —replicó Michael—. Yo no quería divorciarme.

—Quién presentó la petición de divorcio no tiene nada que ver con la causa —afirmó Angela con viveza—. Fue tu comportamiento lo que nos llevó al divorcio.

—Vale, me emborraché y te pegué. Dije que lo lamentaba. ¿Qué eres tú, doña perfecta?

—No fui yo quien tenía aventuras. Además te emborrachaste y me pegaste más de una vez.

—No tenía aventuras. Solo estaba descargando presión. Muchos tipos lo hacen, sobre todo cuando sus esposas se marchan a los Hamptons en verano. No significa nada. Solo copas y diversión.

—Vivimos en planetas distintos —manifestó Angela—. Pero no he venido aquí a discutir. El pasado es pasado para nosotros, excepto por Michelle y Angels Healthcare. Por el bien de Michelle, no hables de quién tuvo la culpa del divorcio. Tú puedes pensar de una manera, y yo de otra. No la confundas con acusaciones. Yo solo le digo que no funcionó. No intento influir en su relación contigo. Eso es algo entre tú y ella.

—De acuerdo —dijo Michael, que de nuevo puso los ojos en blanco. En última instancia, no le importaba. Su vida actual era mucho mejor que la que había llevado cuando estaban casados. Pero en aquel momento le molestó que Angela tuviera la desfachatez de solicitar el divorcio y ponerlo en una situación embarazosa. Nunca se lo habría esperado. Ninguno de los otros tipos se había divorciado. Demonios, algunos de ellos tenían amantes e incluso se permitían aparecer en público con ellas.

—De lo que en realidad debemos hablar es de Angels Healthcare —dijo Angela.

—Espero que no hayas venido para decirme que aquel contable tuyo presentó el maldito ocho-K.

—No, no estoy aquí por eso —explicó Angela, negando con la cabeza—. Hoy todavía no le he visto. He estado en el despacho solo un momento antes de ir al banco, y luego he venido aquí. ¿Por qué me preguntas si lo presentó? Me aseguraste que conocías a alguien que hablaría con Paul Yang, y no habría ningún problema.

—Es verdad —dijo Michael—. Entonces ¿de qué quieres hablar?

—Necesito reunir más dinero. Si no lo hago, no estoy segura de que podamos llegar a la OPA con nuestra actual liquidez. ¡Tienes que ayudarme!

—No hablas en serio.

—Hablo muy en serio.

—¿Qué demonios ha pasado con el cuarto de millón de dólares que reuní para ti el mes pasado?

—Fue hace más de un mes.

—Eso es gastar a manos llenas.

—No se ha gastado todo, pero sí, se gasta muy rápido. Buena parte ha ido a los proveedores. Pero el verdadero problema es mantener los tres hospitales abiertos con muy pocos ingresos.

—La última vez que estuviste aquí me dijiste que teníais un problema de infecciones, y que muy pronto estaría solucionado. Dijiste que los ingresos se normalizarían muy pronto.

—No ha sido así.

—¿Por qué no? —preguntó Michael.

—La última vez que estuve aquí nuestros quirófanos estaban cerrados. Aparte de la pérdida de ingresos, el coste de contener la infección fue cuatro veces superior a la estimada, aunque las cosas mejoran. Ahora tenemos los quirófanos abiertos, pero la ocupación es baja. Excepto por unos pocos que nos son leales, nuestros médicos todavía desconfían. Las cosas mejorarán, pero no tan pronto como deseamos.

Michael se pasó una mano por la frente en un gesto nervioso y miró la plácida extensión del río Hudson.

Angela lo miró; lo conocía lo bastante bien como para reconocer la verdadera ansiedad. A él no le gustaba en absoluto lo que estaba escuchando. Se inquietó un mes atrás cuando le fue con sus quejas, pero ahora estaba más inquieto. No solo había comprometido una gran suma de dinero de sus clientes en Angels Healthcare, sino que también había comprometido mucho del suyo, sin mencionar su relación de trabajo con Morgan Stanley, a quien había convencido para que fuese el vendedor de la OPA.

Michael miró de nuevo a Angela. Se humedeció los labios.

—¿De qué cantidad de dinero estamos hablando?

—Mi director financiero dice que nos arreglaríamos con doscientos mil.

—¡Hostia santa! —exclamó Michael, que se levantó de un salto y echó a andar por su despacho—. Dime que bromeas —añadió, y se detuvo de pronto para mirar a Angela con una expresión expectante—. Dímelo. Me estás contando una historia como parte de un estudio psicológico.

—Te estoy diciendo las cosas tal como son. Esta es una situación demasiado grave para bromear o jugar.

—¿Qué diablos hace con el dinero tu director financiero?

—Michael, es muy caro mantener tres hospitales. Tú has visto nuestros libros. Solo los salarios ya son enormes, y los costes no desaparecen porque no haya ingresos. El hospital de ojos y el de corazón producen algo de dinero, pero el ortopédico casi no da nada. Hemos dejado marchar a algunas personas, pero estamos limitados si no queremos llamar la atención sobre nuestras dificultades de liquidez, algo que no queremos hacer. Muchos de nosotros ni siquiera hemos cobrado desde hace meses.

—Esto cada vez me da más mala espina. Ayer llamaste para hablar del problema con el contable. Hoy apareces para pedirme que reúna otros doscientos mil. ¿Qué pasará mañana?

—¡Espera un momento! —se enfadó Angela—. Fuiste tú quien se ofreció a ayudar con el contable cuando surgió el tema hace una semana. Dijiste que conocías a unas personas que podrían convencerlo de que presentar el ocho-K no era necesario. —Angela hizo una pausa antes de continuar—: Solo necesitamos el dinero durante tres semanas como máximo. Entonces Angels Healthcare estará nadando en dinero, incluso teniendo en cuenta la enorme cantidad que debemos pagar a Morgan Stanley.

—No te quejes de la comisión de Morgan Stanley. Ellos son quienes corren aquí el mayor riesgo, y por lo que estás diciendo, es incluso mayor de lo que creen.

—¡Acude de nuevo a tus clientes! Ofréceles lo que sea. Probé con el banco, supliqué a Rodger, pero no hubo manera.

—No puedo volver a recurrir a mi cliente —dijo Michael en un tono que indicaba que no había lugar a discusión.

—¿Cliente? ¿Creía que eran clientes? —Ella estaba desconcertada. Él siempre había dicho clientes. Estaba segura.

—En realidad es un único cliente —admitió Michael a regañadientes.

—¿Por qué no puedes acudir a él? Sin duda no querrá arriesgar sus ganancias, con tantas acciones y opciones como controla.

—Eso es lo que le dije cuando fui a pedirle el cuarto de millón de dólares.

—Díselo de nuevo. Asumo que es un hombre listo. Repítele exactamente lo que te he dicho: que los quirófanos están abiertos.

—Es un hombre muy listo, sobre todo cuando se trata de dinero. Si voy a verlo en estos momentos, sabrá que estamos desesperados.

—Estamos desesperados.

—Sea verdad o no, es una mala posición negociadora. Puede que reclame asumir el control.

Ahora fue el turno de Angela de mirar el río. La idea de perder el control de su empresa era anatema después de tantos esfuerzos. Sin embargo, ¿qué otras opciones tenía? Por un momento pensó en volver a ejercer la medicina y renunciar al mundo empresarial. Pero el pensamiento duró poco. Era lo bastante realista como para saber que la libertad que su actual estilo de vida le permitía, al menos antes del problema de la falta de liquidez, era adictivo. No pudo evitar recordar su desastrosa experiencia con su consulta de atención primaria y compararla con las realidades del actual sistema de reembolsos, que estaba totalmente fuera de su control. También se recordó a sí misma que era persistente. No iba a renunciar cuando estaba a cien metros de la línea de llegada, después de correr toda la maratón.

—Deja que hable yo en persona con tu cliente —dijo Angela, que rompió el silencio. De pronto volvió su atención hacia Michael, que estaba de nuevo sentado en la silla. Unas gotas de sudor perlaban su frente.

—¡Oh, sí, claro! —se burló Michael, como si fuera la propuesta más ridícula que ella hubiese podido hacer.

—¿Por qué no? Si tiene preguntas podrá formulármelas en persona en lugar de a través de ti. Puedo convencerlo. Con toda la experiencia que he acumulado, soy muy buena a la hora de persuadir a los inversores.

—Mi cliente ha dejado sobradamente claro que solo quiere hablar conmigo de asuntos de inversión.

—Oh, vamos, Michael, no voy a robarte tu cliente, no seas tan paranoico.

—No soy yo el paranoico, es él. Tienes que comprender la situación; hay varias empresas intermediarias entre él y su posición en Angels Healthcare, como también en otros negocios pendientes.

—¿A qué viene tanto secreto? ¿Hay algo que no me estás diciendo?

—Solo sigo sus órdenes.

—¿Es tu principal cliente en tus colocaciones?

—Digamos que es alguien importante. No puedo ser más específico.

Angela miró a su ex. Tanto secretismo aumentaba su inquietud. Aunque en realidad no sabía por qué, estaba claro que Michael no tenía ninguna intención de darle más explicaciones. En lugar de insistir, dijo:

—¿Por qué no buscas el dinero de otro inversor? Haz un trato favorable con alguno de tus otros clientes.

—Tenemos muy poco margen para eso. No conozco a nadie a quien pueda abordar.

—Entonces ¿qué me dices de ti mismo? Yo ya he hipotecado todo lo que tenía.

—Yo también.

—¿Qué hay de tu avión?

—También hipotecado. Diablos, lo están utilizando como avión chárter.

Angela levantó las manos y se puso en pie.

—No queda mucho más que pueda decir o hacer. Me temo que nuestro destino está en tus manos, Michael. Tú eres nuestro agente de colocación, para bien o para mal.

Michael respiró profundamente.

—Quizá pueda reunir cincuenta mil dólares —dijo sin mucho entusiasmo. Después de todo se había comprometido con la gente, y si aquella OPA fracasaba, sabía que estaría con el agua al cuello, y no solo financieramente.

—Ya es un comienzo —manifestó Angela—. No puedo decir que garantizará el éxito, pero serán muy bienvenidos. ¿Qué quieres como compensación?

—El doce por ciento como préstamo, pero convertible en cien mil dólares de acciones preferentes si lo deseo.

—¡Jesús! —murmuró Angela, y luego en voz alta, añadió—: Le diré a Bob Frampton que te llame tan pronto como llegue al despacho. ¿Cuándo tendremos el dinero?

—En un día o poco más —respondió Michael distraído. Ya estaba pensando en cómo conseguiría reunir esos fondos. No había bromeado cuando le había dicho a Angela que estaba hipotecado, aunque sí tenía algunos futuros del oro que había conservado por si ocurría un desastre. Se dijo que aquel podría ser el desastre.

—Estaré en mi despacho apagando fuegos si se te ocurre alguna idea brillante —manifestó Angela mientras recogía el abrigo y el maletín.

Miró a Michael antes de marcharse. Él volvía a mirar por la ventana.

Mientras iba hacia el ascensor, se preguntó si Michael era su propio peor enemigo. Siempre había pensado en aquel refrán que decía que puedes sacar a un chico del campo, o en este caso, de su viejo barrio, pero a menudo no podías sacar el campo del chico, máxime cuando Michael había vuelto a su viejo barrio después del divorcio. Para Angela, la historia de Michael sonaba a tragedia griega. Michael era un individuo inteligente, bien educado, apuesto y a menudo encantador, que lo tenía todo para triunfar en muchos frentes, y sin embargo cargaba con un fallo trágico: era prisionero de su pasado, cuando sin saberlo adoptó unas actitudes y unos valores que en última instancia eran destructivos.

Al pensar en Michael de ese modo, Angela no pudo evitar reflexionar sobre sí misma. Como persona realista que era, sabía que también cargaba con un lastre emocional de su pasado, y que su vida actual distaba mucho de ser serena. Al entrar en el ascensor, se preguntó si tenía un fallo trágico que explicara por qué había pasado de ser una idealista estudiante de primer año de medicina a hacer lo que estaba haciendo entonces: mendigar dinero a un hombre que despreciaba, para poner en marcha su naciente imperio financiero.

# 4

*3 de abril de 2007, 11.25 horas*

Laurie no podía recordar la última vez que se había sentido tan motivada. Enérgicamente, salió del despacho de Paul Plodget después de hablar con él y con Edward González. De nuevo había tenido suerte. La primera vez había sido media hora antes con George Fontworth, un forense que llevaba en la OCME casi tanto tiempo como Arnold y Kevin. Él le dio cuatro casos de EARM que había tenido en los últimos tres meses. Ahora se había enterado de que Paul también había visto cuatro casos de EARM en el mismo período, y Edward uno. Aunque uno de los casos de Paul era del Manhattan General, el trágico caso de una niña de cinco años que había desarrollado rápidamente una neumonía necrotizante debido a una herida parecida a un forúnculo sufrida en un parque, todos los demás eran de alguno de los hospitales de Angels Healthcare. El primero era el de Jonathan Wilkinson, que había muerto de neumonía necrotizante después de un triple baipás; el segundo era Judith Astor, que había muerto de un síndrome tóxico después de hacerse un estiramiento facial, y el tercero era Gordon Stanek, que había muerto de neumonía necrotizante tras someterse a una operación de la cabeza humeral. El caso de Edward era el de Leroy Robinson, que había muerto de neumonía necrotizante después de una intervención de una fractura expuesta de muñeca.

Caminando lo bastante rápido como para patinar por el suelo

encerado, Laurie entró en su despacho. Después de sentarse se acercó a la mesa y buscó su matriz cada vez más llena para añadir los casos de Paul y Edward.

—Recuérdame, si me lo piden, que nunca vuelva a hacer otra autopsia con nuestro amado jefe —dijo Riva volviéndose hacia Laurie. Era algo habitual en la oficina hacer ese tipo de comentarios después de trabajar con Bingham.

Riva había ido al despacho entre una autopsia y otra, para hacer unas llamadas de trabajo. Por un momento miró a Laurie, que trabajaba con mucha diligencia, y se preguntó por qué su compañera de despacho ni siquiera la había saludado. No era propio de Laurie.

—¡Eh! —exclamó Riva después de que pasaran varios minutos—. ¿Qué estás haciendo?

Laurie levantó la cabeza. Se disculpó al advertir su descortesía.

—He encontrado algo totalmente extraordinario.

—¿Como qué? —preguntó Riva en tono de duda.

Sabía que Laurie era una mujer que adoraba su trabajo y que con frecuencia se entusiasmaba con casos problemáticos. En ocasiones era acertado, y en otras no.

—Ha habido una miniepidemia de EARM hospitalario que ha pasado inadvertida.

—Yo no diría que ha pasado inadvertida —señaló Riva—. Lleva ocurriendo desde hace una década o más, no solo en este país, sino en muchos otros. ¿No comenzó en Reino Unido?

—Te lo diré de otro modo. En los últimos tres meses y medio se han producido varias infecciones graves de EARM con el resultado de muerte, y todas en tres hospitales propiedad de Angels Healthcare.

—¿Solo en esos tres hospitales?

—¡Así es! Excepto uno que he descubierto hace cinco minutos que se registró en el Manhattan General, todos los demás han sido en esos tres hospitales.

—¿De cuántos casos estás hablando?

Laurie miró de nuevo su matriz cada vez más llena y contó en silencio todos los que tenía registrados.

—Hasta ahora tengo veintiuno, pero aún he de hablar con Chet, nuestro jefe delegado, o con Jack, sobre ello.

—¿Son casos de neumonía necrotizante provocados por ese nuevo EARM contraído comunitariamente?

—La mayoría de ellos. Unos pocos han sido descritos como síndrome tóxico. En esos casos, hay una gran inflamación pulmonar debido a las toxinas bacterianas y a la superproducción de citoquinas, pero la infección en sí misma está en otra parte. En cuanto a la cepa, en aquellos casos donde he visto las historias clínicas, ha sido el EARM contraído comunitariamente. La dificultad es que aún tengo que ver muchos más expedientes.

—Entonces tienes veintitrés, y no veintiuno.

—¿Cómo es eso? —preguntó Laurie. Miró de nuevo la matriz y comenzó a contar.

—Porque yo también tengo dos —le explicó Riva—. Ocurrieron hace tres meses y quizá con una semana o dos de separación. —Hizo girar la silla y cogió una pequeña libreta encuadernada del estante que había encima de la mesa. A diferencia de los demás forenses, Riva llevaba un diario cronológico de todos sus casos. En varias ocasiones, Laurie había pensado que debería hacer lo mismo. En él, Riva añadía las observaciones y sentimientos personales que no podía incluir en el informe oficial. Era más un diario que un mero compendio de casos. Después de buscar rápidamente en las hojas, Riva llegó a las respectivas entradas. Las leyó antes de mirar a Laurie—. Tienes veintitrés: uno fue en el hospital ortopédico, y el otro en el hospital de ojos y cirugía estética.

—¿Puedo verlos? —preguntó Laurie entusiasmada.

Riva le pasó el diario y le señaló las dos entradas.

Laurie las leyó deprisa. Como patóloga concienzuda que era, Riva había anotado el nombre del hospital e incluso la cepa específica de EARM. Había escrito: CC-EARM, USA400, MW2, SCCmecIV, PVL.

—En los pocos casos que he visto, la bacteria no estaba tipificada. ¿Hubo alguna razón para que lo hiciesen en tus casos?

—Mandé que hicieran el subtipo —explicó Riva—. Como a

ti, me llamó la atención la patología en el pulmón. Por interés general, envié una muestra de cada caso al CDC porque había leído que buscaban muestras de EARM para su biblioteca.

—¿Tienes alguna idea de qué significan estos acrónimos alfanuméricos?

—Ni idea —admitió Riva—. Si lees un poco más, verás que me prometí a mí misma averiguarlo, pero por desdicha, como ocurre con muchas otras buenas intenciones, nunca lo hice.

—¿En el CDC se sorprendieron al ver que la cepa era la misma a pesar de proceder de hospitales diferentes?

—No creo haberles mencionado que eran de dos hospitales distintos.

Laurie asintió, pero que las dos cepas fuesen las mismas la preocupaba, si consideraba lo que Agnes le había dicho sobre la facilidad de los estafilococos para intercambiar material genético. Se sintió satisfecha de haber pedido a Cheryl que buscara un contacto adecuado con alguien que se ocupara del EARM en el CDC, porque le daría la oportunidad de formular la pregunta directamente a alguien competente.

—Anotaste en tu diario que habías conseguido las historias clínicas —dijo Laurie—. ¿Todavía las tienes?

—Es probable. Llegaron adjuntas con el e-mail. Por lo general, las conservo para este tipo de situaciones.

Riva se volvió hacia el ordenador y comenzó a teclear.

Laurie cogió el teléfono y llamó a Cheryl Myers. Por fortuna, ella aún estaba en su despacho y no en una visita.

Se disculpó antes de decirle que necesitaba algunas historias clínicas más de los hospitales de Angels Healthcare.

—Ningún problema —respondió Cheryl—. Pásame los nombres por e-mail.

—Sí que guardé las historias clínicas —dijo Riva cuando Laurie colgó el teléfono.

Laurie se levantó para ir a mirar por encima del hombro de Riva.

—Fantástico —exclamó—. Supongo que podré acceder desde mi ordenador. ¿Cuál es el nombre del archivo?

En cuestión de minutos, Laurie tenía las historias clínicas de Longstrome y Lucente en la pantalla. De todos los casos de EARM que habían sido objeto de autopsia en los últimos cuatro meses, aquellas eran las primeras historias clínicas que tenía. Arnold Besserman le había dado varios expedientes que aún tenía en su despacho, pero no había podido encontrar las historias clínicas.

—Me voy abajo a hacer mi siguiente autopsia —dijo Riva.

Laurie hizo un gesto por encima del hombro, pues estaba ocupada en imprimir los documentos.

—¿Tú no tenías otra autopsia? —preguntó Riva.

—¡Mierda! —exclamó Laurie. Cada vez más interesada en los casos de EARM, lo había olvidado. Le avergonzaba pensar que Marvin esperaba pacientemente.

—Estás muy ocupada —comentó Riva—. Estoy segura de que encontraré a alguien que la haga.

—La haré yo —respondió Laurie. Si bien no quería robarle tiempo a su actual proyecto, se sentía culpable por no hacer su parte—. Si ves a Marvin, dile que ahora mismo bajo.

Con un último gesto, Riva se marchó, dejando la puerta entreabierta.

Laurie volvió a su ordenador y marcó el segundo documento para ponerlo en la cola de impresión. Como sabía que tendría que esperar unos diez minutos para que se imprimiera, volvió a su matriz y añadió los casos de Riva. Cuando acabó, se reclinó en la silla. Era una larga lista, desde luego mayor que las dos matrices realizadas en pasadas ocasiones. En aquel momento debía decidir qué título dar a las columnas. Parte de la información que ella consideraba importante lo era por intuición: edad, sexo, raza, médico, fecha, hospital, diagnóstico, tipo de intervención, factores propensos, anestesia y tipo de estafilococo. Laurie trazó más rayas verticales junto a las que ya había trazado. Sabía que necesitaba poco espacio para datos como la edad y el sexo, y más para los factores propensos y el diagnóstico. Cuando acabó, se aseguró de que le quedaba espacio para más columnas. Por eso le satisfacía tener las historias clínicas: sabía que al leerlas encontraría más categorías.

Satisfecha con sus progresos, Laurie se apartó de la mesa; tropezó con Jack cuando este apareció en la puerta. Ambos se sorprendieron, pero más Laurie, que soltó una exclamación involuntaria. Al sujetar los brazos de Laurie, Jack dejó caer las carpetas que llevaba, junto con las muletas.

—¡Dios mío! —bromeó Jack—. ¿Qué pasa aquí, se ha declarado un incendio?

Laurie se llevó una mano al pecho. Tuvo que respirar varias veces a fondo antes de poder hablar.

—Lo siento. Supongo que estoy atareada y tengo mucha prisa.

—Ya sé que estás atareada —dijo Jack—. Me he cruzado con Riva al salir del ascensor. Me ha dicho que habías encontrado algo que te parecía muy interesante pero no ha explicado nada más. ¿Qué pasa?

—¿Has tenido algún caso de EARM en los últimos tres meses con problemas pulmonares?

—Tendrás que darme más datos. No soy muy bueno con los acrónimos.

—Estafilococo áureo resistente a la meticilina.

—Ah. ¿Es un montaje? ¿No es el EARM lo que has encontrado en tu caso de ligamento cruzado anterior de esta mañana?

—Lo es —admitió Laurie. Comenzó a agacharse para recoger los expedientes y las muletas de Jack.

Jack, que todavía sujetaba los brazos de Laurie, la detuvo y luego se agachó para recoger sus cosas.

—No recuerdo haber tenido nunca ningún caso de EARM —manifestó, al tiempo que se levantaba.

—¿Qué hay de Chet?

—Puede que sí. Me pareció haberle oído hablar por teléfono sobre el estafilococo con la señorita Sonrisas, Agnes Finn. Si era EARM o no, no tengo ni la menor idea.

—Gracias por la información. Tendré que preguntárselo.

—Por lo tanto es obvio que el EARM es lo que te tiene tan obsesionada y atareada.

—Desde luego es el motivo de la preocupación, pero la razón de la prisa es que había olvidado que tengo que hacer otra autopsia. El pobre Marvin lleva horas esperándome.

—Riva también ha mencionado la autopsia. Ha dicho que te ofreció encargársela a algún otro, y que tú no has aceptado, aunque ella cree que querías.

Laurie soltó una risita.

—Es tan intuitiva que casi asusta.

—Entonces deja que yo la haga —propuso Jack—. He acabado con todos mis casos, y, por lo que ha dicho Riva, la autopsia será sencilla. Me refiero a que parece tratarse de un simple trauma de un tipo que cayó de diez pisos de altura a la calle.

—¿No te importa? —preguntó Laurie—. Quizá quieras replanteártelo. Riva me mencionó que hay tres investigadores muy interesados en el caso. Los tres quieren una explicación diferente de la muerte. No importa lo que encuentres, las otras dos personas se llevarán una desilusión. No es de los casos que te agraden.

—Creo que podré soportarlo.

—Entonces aceptaré tu oferta. Pero hay otro dato importante que no aparecía en el informe del investigador forense, según me dijo Cheryl, y que podría ser importante. Es la distancia respecto al edificio desde donde cayó el cuerpo. Siete metros.

—Por lo visto tendré que refrescar la física que aprendí en el instituto —comentó Jack—. Ahora que hemos solucionado esto, ¿por qué te preocupa tanto el EARM? No es que sea algo nuevo; lleva siendo un serio problema en los hospitales desde hace tiempo. ¿O no debo preguntar?

—¡No debes preguntar! —admitió Laurie—. No hasta que tenga más información. Luego te sentaré para una muy convincente presentación en PowerPoint.

—¿Por qué tengo una inquietante intuición sobre el objetivo de esta supuesta presentación?

—¿Porque te preocupa que consiga que cambies de opinión?

—Lo tienes mal, Laurie. Voy a hacer que me curen la rodilla el jueves.

—Ya lo veremos —replicó Laurie con mucha seguridad—. Vamos, bajaré contigo en el ascensor. Tengo que recoger unas páginas que acabo de imprimir.

Mientras caminaban hacia el ascensor, Laurie preguntó a Jack por la autopsia anterior, la última de los tres homicidios que le interesaban a Lou. Había escuchado aquella mañana la descripción que había hecho Lou de la hija del sargento de detectives y del bate de béisbol.

—Ha sido buena —dijo Jack, que utilizaba las muletas como un profesional—. Otra oportunidad para el lucimiento de nuestros investigadores forenses. Steve Mariott advirtió que no había pisadas en la gran cantidad de sangre que había en el suelo. En sí, eso no significaba gran cosa, pero hizo que observara la escena con un poco más de atención de lo que habría hecho; y eso resultó ser la clave. La frente de la víctima estaba hundida, incluso se veía un trozo de tejido cerebral, pero la forma general de la herida no era cóncava como podías esperar de un bate. Hice un molde de la herida y de los bordes paralelos.

—¿Te refieres a que se parecía más a la que habría causado un borde filoso? —preguntó Laurie mientras entraban en el ascensor.

—Así es —dijo Jack, que sujetó las muletas con una sola mano para poder pulsar el botón del sótano.

Laurie se inclinó y pulsó el botón del primer piso. La impresora estaba en la sala de ordenadores, que formaba parte de la sección administrativa.

—Steve vio que había un poco de sangre en el borde de hierro forjado de una mesa de centro de granito. Incluso le sacó una foto, y también sacó una foto del bate. Creo que Satan Thomas, borracho y drogado, se cayó mientras destrozaba el apartamento y se golpeó la frente en el borde de la mesa de centro. Para demostrarlo, envié a uno de los investigadores forenses del turno de día a la escena para que sacara un molde del borde de la mesa.

—Eso es fantástico —afirmó Laurie—. Lou estará muy complacido.

—Creo que quien estará más complacida será la novia.

Se abrió la puerta del ascensor. Laurie dio a Jack un rápido beso y le agradeció haberse ofrecido voluntario para realizar su autopsia.

—Creo que pensaré la manera de que me recompenses —dijo Jack con un guiño y una sonrisa.

Después de que la puerta del ascensor se hubo cerrado, Laurie caminó por el pasillo principal hacia la sala de ordenadores. Estaba decidida a aprovechar aquel inesperado tiempo libre. Provista con las historias clínicas de los dos casos de Riva, pensaba trabajar más en la matriz; crearía nuevas categorías y rellenaría las casillas. A Laurie le interesaba sobre todo encontrar un factor común en todos los casos, lo que podría explicar la súbita epidemia.

Laurie también quería llamar a Cheryl Myers, si es que Cheryl no la había llamado todavía, y conseguir los números de teléfono que le había pedido. Deseaba hablar con alguien del CDC y de la comisión conjunta, pero quien más le interesaba era Loraine Newman. En el fondo, Laurie había comenzado a creer que sería útil hacer una visita al Angels Orthopedic Hospital y quizá incluso a Angels Healthcare, pese a que dichas excursiones eran poco recomendadas por el doctor Bingham.

Diez años atrás, llamaron a Laurie al despacho del jefe y le reprocharon haber hecho una visita similar; Bingham era de la opinión que visitar las escenas era trabajo de los investigadores forenses, y no de los médicos forenses. Pero dadas las circunstancias, se sentía justificada, incluso impelida a ello, y no solo para fortalecer sus argumentos contra la intervención de Jack. Su intuición le decía que había algo un tanto inquietante en aquella serie de casos de EARM, algo que iba más allá de la teoría de Typhoid Mary.

Su inquietud había aumentado tras los resultados de los dos casos de Jack de aquella mañana. Las muertes se habían producido por causas opuestas a las esperadas: ambas por accidente, y no como consecuencia de un homicidio. Tales sorpresas le recordaban que siempre era importante mantener la mente abierta sobre cómo se producían las muertes. Incluso los patólogos forenses de más talento podían equivocarse.

Laurie comenzó a preguntarse si en la actual serie de casos de EARM había algo más siniestro que la supuesta causa de la muerte: una complicación terapéutica, una designación relativamente nueva patrocinada por Bingham para sustituir la palabra «accidental» en un entorno hospitalario. Al pensar en sus dos series anteriores, la primera quince años atrás y la segunda dos, donde las muertes habían sido consideradas accidental y natural respectivamente, pero que en última instancia habían resultado ser casos de homicidio, Laurie no podía descartar la posibilidad de que en la actual serie pudiese ocurrir lo mismo. Consciente de que se burlarían de ella si manifestaba sus intuiciones, Laurie necesitaba saber si había alguna prueba real que apoyara sus suposiciones, y tenía que hacerlo rápido.

# 5

3 de abril de 2007, 11.55 horas

Angela se quitó el abrigo y se lo colgó del brazo al salir del ascensor en el piso veintidós de la Trump Tower y caminó con paso enérgico hacia Angels Healthcare. Durante el trayecto desde el despacho de Michael había podido utilizar su BlackBerry para responder a todos los correos electrónicos, y estaba bastante segura de que no se vería abrumada de trabajo cuando llegara a su despacho. Se preguntó cómo se las arreglaba la gente antes de internet.

Saludó a su secretaria, Loren, que estaba al teléfono cuando Angela pasó a su lado. Ya en su despacho, se dispuso a colgar el abrigo, pero se detuvo por la sorpresa. Había un jarrón de cristal transparente con unas hermosísimas rosas rojas colocado en una esquina de su mesa. Destacaban con atrevimiento en la espartana decoración blanca. Después de colgar el abrigo e interesada por saber quién le había enviado flores y por qué, buscó la tarjeta. No había ninguna.

Aún más intrigada, se asomó a la puerta. Tuvo que alzar un brazo para conseguir la atención de Loren.

—¿De dónde han salido estas flores? —Angela articuló las palabras pero ningún sonido salió de su boca. Loren todavía estaba al teléfono. Por los retazos de conversación que escuchaba, supo que se trataba del representante sindical, que desde hacía tiempo intentaba buscar afiliados entre el personal de los hospitales de Angels Healthcare. No estaba dispuesta de ningún modo a que se sindicaran, pero con todo lo demás, no había tenido ni tiempo ni paciencia para tratar con él, así que le tocaba a Loren darle largas.

Loren tapó el auricular con la mano.

—Lo siento. Llegaron con una tarjeta. Está aquí sobre mi mesa. —Hizo un gesto hacia el sobre.

Angela lo cogió y metió un dedo por debajo de la solapa. Una vez que lo hubo abierto, sacó la tarjeta. Solo decía: «Saludos del utilizado».

—¿Qué demonios? —Le dio la vuelta a la tarjeta, pero el dorso estaba en blanco. Intrigada pero abrumada por todo lo que tenía que hacer, guardó la tarjeta de nuevo en el sobre. Se ocuparía de ella más tarde.

Angela tocó un hombro a Loren y le hizo un gesto para que otra vez tapase el auricular con la mano.

—Dile que me reuniré con él dentro de tres semanas. Adelante, fija una cita. Eso lo tranquilizará. Luego llama a Bob Frampton y a Carl Palanco. Diles que vengan a mi oficina cuanto antes. ¿Dónde están las citas de la tarde?

Loren buscó la lista de las reuniones de la tarde y se la dio.

Angela volvió a su despacho y cerró la puerta. Sentada a su mesa, leyó la lista. La mayor parte de las cuestiones relacionadas con el funcionamiento de cada uno de los hospitales estaban a cargo de los supervisores de departamento, que informaban a sus respectivos directores de hospital y también a un jefe de departamento en las oficinas centrales de Angels Healthcare; estos individuos a su vez informaban a Carl Palanco como director de gestión, y en última instancia a Angela como directora ejecutiva. Leyendo la lista podía valorar cómo sería el resto del día. Tenía una cita con el consejo general, lo más probable para tratar de la muerte por EARM del día anterior y de cómo evitar una demanda; por la misma razón, otra con el presidente del comité de control de riesgos, y otra con el presidente del comité de seguridad del paciente. Luego debía ir al Angels Orthopedic Hospital para asistir a una reunión del personal médico. La última cita sería de nuevo en su despacho con Cynthia Sarpoulus, para que la profesional en el control de enfermedades infecciosas pudiera informarla de lo que había averiguado y de lo que pensaba hacer respecto al último fallecimiento.

De todas las reuniones, el encuentro con el personal médico era la más importante. Le daría a Angela la oportunidad, al menos en el hospital ortopédico, de transmitir a los médicos la importancia vital de aumentar el número de pacientes. A pesar de detalles menores como la muerte de David Jeffries. La única manera de conseguir que entrara dinero era que los cirujanos operasen. Angela era más consciente que nadie de que el éxito de un hospital especializado dependía exclusivamente de que los médicos accionistas admitiesen a sus pacientes de pago, o sea, a los pacientes que tenían un seguro, ya fuese privado o Medicare, o a aquellos que tuviesen suficiente dinero. El negocio de hospital especializado de acuerdo con el plan empresarial de Angela no contaba con los casos de caridad o de Medicaid, ni tampoco con ningún caso que significara que el coste superaba los ingresos.

El teléfono de Angela sonó bajo su brazo. Era Loren, que informaba a su jefa de que el director financiero y el director de gestión habían llegado.

—Hazlos pasar —dijo Angela, y dejó a un lado la agenda de la tarde.

Los dos hombres, que no podían ser más distintos en apariencia y modales, entraron en la habitación. Carl Palanco entró deprisa, cogió una de las cuatro modernas sillas de respaldo recto que estaban contra la pared más alejada, la colocó delante de la mesa de Angela y se sentó. Su expresión y su constante movimiento hacían pensar que se había tomado ocho tazas de café. En cambio, Bob Frampton se movía como si estuviese en aceite, y su rostro pedía a gritos una buena noche de sueño. No obstante, a pesar de sus diferentes aspectos, Angela sabía que ambos eran inteligentes y llenos de recursos, y por eso se había esforzado tanto desde el primer momento para contratarlos para que fuesen sus ejecutivos clave.

Bob tardó tanto en colocar una silla junto a la de Carl que Angela estuvo tentada de levantarse y hacerlo por él pero se quedó sentada. Su primera intención le hizo darse cuenta de su estado de ansiedad; se preguntó si parecía tan nerviosa como Carl.

—¿Ha ocurrido algo esta mañana que yo deba saber, aparte de los mensajes que me han enviado? —preguntó Angela para iniciar la conversación.

Carl miró a Bob. Los dos hombres sacudieron la cabeza.

—Me he reunido con los encargados de abastecimiento, enfermería, lavandería, mantenimiento, limpieza y servicios de laboratorio para hablar de importantes recortes de los gastos durante las próximas semanas —informó Carl—. He recibido varias ideas interesantes.

—Aplaudo la iniciativa —manifestó Bob—, pero en este punto cualquier esfuerzo llega un poco tarde, por lo que se refiere a la OPA.

—Me temo que Bob esté en lo cierto —asintió Angela.

—Tenía que hacer algo —explicó Carl—. No podía quedarme en mi oficina de brazos cruzados. Ocurra lo que ocurra, dar énfasis al control de costes es algo bueno para los directores de nuestro departamento central, y deberán tenerlo en cuenta en el futuro. Quiero decir que no es un esfuerzo desperdiciado.

Angela asintió. Mantener controlados los gastos era muy importante para la rentabilidad de los hospitales, como habían aprendido las empresas propietarias de cadenas de hospitales durante las últimas décadas. Gran parte de la rentabilidad de Angels Healthcare, al menos antes del problema con el EARM, se debía al plan de Angela de construir tres hospitales especializados al mismo tiempo y centralizar los servicios como la lavandería, el abastecimiento, la limpieza, el mantenimiento, los servicios de laboratorio, e incluso la anestesia. Cada hospital tenía un jefe para estos servicios, pero todos respondían ante un jefe de departamento en la oficina central.

—¿Qué tal su mañana? —preguntó Bob a Angela—. ¿Ha habido suerte?

—Mínima —admitió Angela—. Como mencionó anoche,

hemos agotado nuestra línea de crédito con el banco después de vender los bonos. La buena noticia es que Rodger Naughton me aseguró que no iba a reclamar el pago de ninguno de los préstamos. La mala noticia es que no puede autorizar un crédito sin un aval, cosa que ya me esperaba. Por otro lado, ha enviado la petición de un crédito adicional a sus superiores, pero por su actitud, creo que debemos asumir que es una causa perdida.

—¿Qué hay de su ex marido? —Como todos los ejecutivos, Bob sabía que el agente de colocaciones había estado casado con Angela pero se había divorciado un año antes de que ella funda se Angels Healthcare. Aunque al principio había titubeado sobre la idoneidad de aquella relación, Bob la había aceptado. Había manifestado su preferencia por una relación más directa con un banco de inversiones de primera fila, pero la capacidad de Michael Calabrese para encontrar a un inversor ángel durante la etapa que necesitaban reunir capital lo había conquistado.

—Logré que se comprometiera a aportar otros cincuenta mil de su propio dinero —respondió Angela. No hizo ninguna mención a lo humillante que había sido el encuentro.

—¡Bravo! —exclamó Carl.

—Se queda un poco corto con respecto a la cantidad con la que me habría sentido cómodo —dijo Bob.

—Hice todo lo posible. Conseguir que pusiera más dinero fue como sacar agua de debajo de las piedras.

—¿Hablaron de las condiciones? —quiso saber Bob.

—¡Por supuesto! ¿Cree que Michael Calabrese habría ofrecido ese dinero sin buscar una recompensa?

—¿Qué le ofreció?

—No le ofrecí. Él me lo exigió —contestó Angela, y pasó a explicar los términos.

—¡Caray! —exclamó Bob—. Está siendo más que generoso consigo mismo.

—No pude evitarlo, dadas las circunstancias —señaló Angela—. Llámelo y prepare los documentos. Quiero el dinero en nuestra cuenta antes de que cambie de opinión. Sé lo inconstante que puede ser.

—Lo haré —dijo Bob, y escribió una nota en su BlackBerry.

—Bueno, eso es todo —dijo Angela, y apoyó las palmas en la mesa como si fuese a levantarse—. Excepto que quiero estar segura de que todos los que saben algo acerca de la muerte por EARM ocurrida ayer comprendan que cuanto menos se diga, mejor. Me gustaría ocultárselo al equipo médico todo lo posible.

—Se lo he recordado a todos los directores ejecutivos de los hospitales —informó Carl—. También he hablado con Pamela Carson de relaciones públicas.

—Bien —aprobó Angela—. ¿Algo más?

—Hay algo que acabo de recordar ahora —respondió Bob. Se irguió en la silla—. Paul Yang no ha venido hoy al despacho.

—¿Ha llamado para decir que está enfermo? —Angela sintió cómo aumentaba su ansiedad.

—No. Le he dejado un mensaje en el móvil y también le he enviado un correo, pero no ha respondido. No sé dónde está.

—¿No es extraño en él? —preguntó Angela, mientras decidía si mencionar la posible intervención de Michael.

—¡Por supuesto que es extraño! Por lo general es muy metódico. Incluso he llamado a su esposa. Dice que anoche no volvió a casa y ni siquiera ha llamado.

—¡Vaya! ¿Ha avisado a la policía?

—No. Paul había hecho esto antes, aunque no en los últimos años. Tuvo un problema con la bebida que lo llevó a tener un comportamiento un tanto extraño. Su esposa me ha dicho que en los últimos tiempos se le veía inquieto y había vuelto al hábito de tomarse un par de cócteles antes de volver a casa.

—Nunca supe que había tenido un problema con la bebida —dijo Angela. No le gustaba que le ocultaran cosas de ninguno de los empleados de Angels Healthcare, y menos de sus ejecutivos.

—Lo dejé fuera de su currículo —admitió Bob—. Debería habérselo dicho cuando lo contraté, pero llevábamos trabajando juntos casi seis años, y nunca había bebido.

—¡Dios bendito! —Angela miró al techo por un momento—. Ahora tendremos que preocuparnos de la borrachera de nuestro contable, que ha estado amenazándonos con presentar un ocho-K. ¿Qué más puede salir mal? —Respiró hondo antes de mirar a Bob.

—Sé que ha estado luchando con su conciencia —declaró Bob—. Por eso la llamé ayer para comentarlo y mantenerla al corriente. Hasta entonces no había hablado del problema durante más de una semana. Creí que lo había olvidado. Al parecer, había leído un artículo sobre la sentencia de Enron y WorldCom. Le repetí lo que le había dicho antes, que no presentar el ocho-K estaba justificado. No estábamos intentando cometer un fraude para robar los ahorros o los fondos de pensiones de nadie, que es de lo que trata la norma de la SEC. ¡De hecho, es todo lo contrario! Estamos creando capital para la gente.

—Después de su llamada, llamé a Michael, porque la primera vez que usted me puso al corriente de la situación lo había discutido con él. Creí que con su experiencia con las OPA tendría algún consejo sobre cómo manejar el problema, y así fue. Dijo que conocía a alguien que podría hablar con él y convencerlo de que presentar el ocho-K no era necesario en nuestra situación.

—¿Era un abogado de empresa?

—No tengo ni idea. No lo pregunté, pero ahora dudo de si hablar con el conocido de Michael podría tener algo que ver con que Paul no haya venido a trabajar hoy.

—Es posible, pero yo creo que la razón de que esté ilocalizable es más prosaica: se ha emborrachado y ahora está durmiendo la mona en algún hotelucho.

—¿Hay alguna posibilidad de averiguar si presentó el ocho-K? —preguntó Angela titubeante.

—No, que yo sepa —respondió Bob—. Tendremos que esperar y ver si nos encontramos de pronto con la mierda hasta el cuello. —Se rió sin humor.

—Si se le ocurre una manera, hágamelo saber —dijo Angela—. Sería conveniente saberlo antes que después, así podríamos preparar a nuestro consejo general. Nos veremos forzados a buscar una explicación convincente de por qué no lo presentamos antes. Quizá tenga que comenzar a pensarlo, Bob.

Bob asintió.

—¿Qué hay de la secretaria de Paul? —inquirió Carl—. ¿Ha tenido alguna noticia de él?

—No, que yo sepa —manifestó Bob.

—Deberíamos preguntárselo —opinó Angela, y cogió el teléfono—. ¿Cómo se llama?

—Amy Lucas —contestó Carl.

Angela pidió a Loren que llamara a Amy Lucas y le dijera que se presentara lo antes posible. Consultó su reloj. Eran las doce y veinte, y eso significaba que quizá la secretaria estaba comiendo.

—¿A qué se deben las flores? —preguntó Carl—. Cuando las vi, deseé que tuviesen alguna relación con sus intentos de la mañana de conseguir capital.

—Ojalá. En honor a la verdad, no tengo ni idea de quién las envió ni por qué.

—¿No había una tarjeta? —preguntó Bob.

—Había una tarjeta, pero no ha servido de nada. —Angela buscó el sobre, sacó la tarjeta y la pasó por encima de la mesa.

Carl la cogió, y ambos hombres la miraron.

—¿A que se refiere «el utilizado»? —quiso saber Carl.

—Lo ignoro —admitió Angela—. No creerán que tiene algo que ver con Paul Yang, ¿verdad?

Ambos hombres sacudieron la cabeza. Carl le devolvió la tarjeta. Angela la miró unos segundos, y luego sonó el teléfono. Era Loren, para informarla de que había llegado la señorita Lucas.

—Hazla pasar. —Angela dejó la misteriosa tarjeta a un lado.

Loren abrió la puerta para que entrara la secretaria, y después la cerró.

Amy Lucas era una veinteañera de aspecto desamparado, facciones delicadas y tez pálida, salpicada de acné en las mejillas. Llevaba su rizado cabello rubio con toques verde lima peinado hacia atrás y sujeto con una gran hebilla de carey. Su aspecto casi adolescente quedaba acentuado por el sencillo vestido camisero abrochado hasta el cuello. Las manos cruzadas delataban su nerviosismo. Angela se presentó, porque no había visto antes a la joven, y le dio las gracias por acudir de inmediato.

—Ningún problema —dijo Amy—. Sé quién es usted.

—Bien. Por supuesto conoce a estos caballeros.

Amy asintió con un gesto.

—No se preocupe, solo la hemos llamado para hacerle un par de preguntas referentes a su jefe, Paul Yang.

Dado el ansioso estado de la propia Angela, no estaba segura, pero le pareció que su intento por tranquilizar a Amy había fracasado. Las manos de la muchacha, que antes mantenía entrelazadas, ahora se abrían y se cerraban inquietas. El comentario de Bob sobre el pasado de Paul la llevó a preguntarse si quizá Paul y Amy habían tenido o estaban teniendo una aventura.

—¿Qué tipo de preguntas? —La mirada de Amy pasó rápidamente a las tres personas de la habitación.

—¿Lo ha visto hoy?

—No —respondió Amy. A Angela le pareció que había respondido con excesiva rapidez.

—¿La ha llamado o se ha puesto en contacto con usted de alguna manera?

Amy sacudió la cabeza.

—¿Dijo algo ayer referente a no venir esta mañana?

—No.

Angela miró a Bob y a Carl e hizo una pausa por si ellos tenían alguna pregunta. Como no respondieron, Angela volvió a dirigir su atención a la secretaria.

—¿Sabe qué es un formulario ocho-K para la SEC?

—Creo que sí.

—¿Paul Yang le pidió que rellenara uno?

—Sí, hace unos diez días.

—¿Se presentó?

—No lo sé. Yo no lo hice. Me dijo con toda claridad que no presentara.

—¿Lo escribió en el ordenador de su puesto de trabajo?

—No, solo lo quería en su ordenador portátil.

—Comprendo. ¿El ordenador está en su despacho?

—No, siempre lo lleva con él.

—Así que se lo llevó anoche.

—Sí, como todas las noches.

Angela miró de nuevo a los hombres, pero ellos no formularon ninguna pregunta.

—Gracias por venir, Amy —dijo Angela.

—De nada —respondió Amy. Después de un momento de vacilación, se volvió para ir hacia la puerta.

—¡Amy! —llamó Angela—. Cuando tenga noticias de Paul Yang, por favor avísenos.

—Por supuesto —prometió Amy, y salió del despacho.

—Bueno —dijo Angela—. Ha sido un poco extraño.

—¿Por qué? —preguntó Carl.

—Parecía muy nerviosa.

—Yo también lo estaría si me llamaran a la oficina de la presidenta —señaló Carl.

—Quizá —dijo Angela—. Mi principal preocupación es que hay un ocho-K completo en el portátil de Paul, y por lo que parece, el desaparecido lo tiene en su poder.

—A mí no me sorprende —afirmó Bob—. Es una prueba más de que es un hombre metódico. Solo porque esté en su ordenador no significa que vaya a presentarlo.

—Espero que aparezca pronto —manifestó Angela—. Creo que eso es todo por ahora.

Los dos hombres se levantaron y llevaron las sillas a su posición original junto a la pared.

—No olvide llamar a nuestro valiente agente de colocaciones para que nos ingrese el préstamo cuanto antes —dijo Angela mientras ellos salían.

Bob agitó una mano por encima del hombro para señalar que la había oído.

—También avísenme en cuanto cualquiera de ustedes vea o se ponga en contacto con Paul Yang.

—Lo haremos —respondieron los dos hombres al unísono, mientras la puerta se cerraba tras ellos.

Angela exhaló un suspiro y miró a través de la ventana. Deseó no haber tomado café aquella mañana. Con todo lo que estaba ocurriendo, su habitual energía se había multiplicado por cien. Dio un salto cuando sonó el teléfono. Respiró lenta y profundamente para calmarse. Atendió la llamada. Su secretaria la avisó de que Rodger Naughton estaba al aparato. Se le aceleró el pulso. Una llamada de Rodger podía ser una excelente o una muy mala noticia, porque solo podía significar o que el banco les concedería el crédito puente que necesitaban con tanta desesperación, algo fantástico, o que habían decidido reclamar el pago de uno o más de sus préstamos, lo que sería una catástrofe.

Angela pensó que lo más probable era lo último. Con gran inquietud, pulsó el botón situado debajo de la luz parpadeante y saludó con el mayor optimismo del que fue capaz.

—Lamento molestarla —dijo Rodger.

—No es ninguna molestia —le aseguró Angela. Tuvo que contenerse para no preguntarle sin más si llamaba para darle buenas o malas noticias.

—Solo llamaba para decirle que fue muy agradable verla esta mañana.

—Bueno, sí que lo fue —respondió Angela desconcertada. Parecía una manera poco habitual de iniciar una conversación de negocios.

—También quería decirle cuánto lamento no haber sido más receptivo a sus necesidades de efectivo a corto plazo.

—Lo comprendo —dijo Angela, cada vez más desconcertada.

—Tal como le prometí, he enviado su petición a través de los canales correspondientes.

—Era todo cuanto podía pedir.

Hubo una pausa. Angela apretó las mandíbulas, a la espera de lo peor.

—Tengo una petición —continuó Rodger—. Esto puede parecerle poco apropiado, así que me disculpo de antemano. Pero me pregunto si estaría dispuesta a ir a tomar una copa conmigo después del trabajo. Podríamos ir al Modern, que es un lugar que me resulta muy agradable.

—¿Es una cita de trabajo o social? —inquirió Angela sorprendida.

—Totalmente social —contestó Rodger.

La inesperada invitación pilló a Angela por sorpresa. Excepto por la breve y poca habitual reflexión sobre su falta de vida social la noche anterior, estaba demasiado ocupada para pensar en esas cosas.

—Esto es muy halagador —manifestó, desde el lado crédulo de su personalidad. Pero entonces, con el cinismo producto de la experiencia, añadió—: Pero ¿qué pensará su esposa de este encuentro?

—No estoy casado.

—¡Oh! —Angela se sintió un tanto culpable. Apareció en su mente la imagen de la solitaria foto de su hija en la mesa.

—Mi ex esposa decidió que tener a un aburrido marido empleado de banca y a una niña exigente era una carga para su estilo de vida preferido, así que se marchó en busca de mejores campos con la mitad de mis bienes. Llevo divorciado y con la custodia única cinco años.

Angela se identificó con la situación de Rodger al instante, e incluso se sintió más culpable por su impulsivo cinismo referente a sus motivos. Su historial matrimonial era muy similar al suyo, salvo en la cuestión de la custodia. Solo podía desear tener la custodia única.

—Lamento haber sido descortés. Supuse que era otro hombre en plena crisis de los cuarenta.

—Es comprensible. Estoy seguro de que recibe invitaciones constantemente.

—No es así, pero he aprendido a ser escéptica.

—Entonces ¿puedo esperar verla cuando esté disponible? Podría ser incluso esta noche y a la hora que usted diga.

—Como habrá adivinado por mi visita a su despacho esta mañana, este no es un buen momento, así que me temo que debo declinar su oferta. Pero le agradezco que haya pensado en mí, y quizá después de la OPA, si aún está dispuesto, me encantaría ir a tomar una copa, y el Modern me parece perfecto. No he estado en muchos lugares desde hace años. Supongo que he caído en aquella triste categoría de la empresaria adicta al trabajo que solo piensa en perseguir y ser perseguida por el todopoderoso dólar.

—No creo que ese sea el caso —señaló Rodger—. Dado que tiene una hija preadolescente y no tiene un esposo, está claro. Pero seguiremos en contacto, y buena suerte para Angels Healthcare.

—Gracias. Un poco de suerte desde luego ayudaría.

Angela colgó el teléfono. Había notado la desilusión en la voz de Rodger, algo que la halagaba por un lado y la entristecía por el otro, sobre todo al escuchar la descripción que había hecho de sí misma. Por un instante, intentó descubrir cómo se había transformado de la persona que era cuando entró en la facultad de medicina a la que era ahora. En algún momento se había apartado del altruismo para meterse en el mundo empresarial.

El fugaz ensimismamiento de Angela se vio interrumpido por el insistente teléfono. El campanilleo discordante la devolvió sin contemplaciones a las exigencias del problema de su empresa. Con algo más que un leve resentimiento atendió la llamada. Loren le dijo que un tal doctor Chet McGovern quería hablar con ella.

—¿De qué se trata? —preguntó Angela, mientras intentaba ubicar al médico en alguno de los tres hospitales Angels.

—No ha querido decírmelo —respondió Loren.

Por un segundo, Angela coqueteó con la idea de decirle a Loren que le preguntara de nuevo al hombre qué quería y si se negaba, decirle... Angela se contuvo y apartó de su mente ese pensamiento. Las insolencias habían formado parte de su rebeldía en la facultad pero las había descartado, principalmente porque Michael las había utilizado con irritante exceso. Con más de quinientos médicos inversores, no había manera de que pudiese recordar todos los nombres. Esa realidad, y la necesidad de alentar a los médicos a admitir más pacientes, convenció a Angela para tragarse el enfado y aceptar la llamada. Supuso que sería respecto a la muerte del día anterior, y se preparó mentalmente para describir todo lo que se había hecho para evitar nuevas infecciones en el futuro.

—Primero quería asegurarme de que habían llegado las flores —dijo el interlocutor.

La mirada de Angela se posó en las rosas y su misterio. De pronto todo se aclaró. Hablaba con el Chet McGovern con quien había tomado una copa la noche anterior en el club y al que había «utilizado» para despejar su mente y quizá satisfacer su transitoria necesidad de contacto social con alguien del otro sexo.

—Las flores han llegado. Gracias. Ha sido de lo más inesperado. Confío en que signifiquen que me ha perdonado.

—Eso no es necesario ni decirlo —respondió Chet—, pero me lleva al motivo de mi llamada. Lo he pensado, y después de haber encontrado doscientos mil dólares en mi mesita de noche, he decidido invertirlos en Angels Healthcare.

Hubo una breve pausa.

—¿De verdad? —preguntó Angela, con la mente por un momento dudando entre lo que ella sabía que era la realidad y lo que deseaba que fuese la realidad.

Chet se echó a reír.

—Eh, solo era una broma. Qué más querría que tener doscientos mil dólares que me sobraran, pero no es el caso.

—Oh —dijo Angela en tono seco.

—No sé por qué tengo la molesta sensación de que no lo ha encontrado divertido.

—¿Cuál es la verdadera razón de esta llamada? —inquirió Angela en el mismo tono.

—He estado hablando con un par de mis colegas, uno de los cuales es una mujer muy sabia. Les mencioné nuestro encuentro de anoche y su rechazo a mi invitación de cenar hoy. Ella me dijo que se lo pidiese de nuevo y que fuese directo, aun a riesgo de herir mi frágil ego.

Angela sonrió a su pesar.

—¿Así que admite que tiene un ego frágil?

—Por supuesto. Algunas veces me lleva días recuperarme. Dicho esto, le pido de nuevo si quiere cenar esta noche para poner freno a la depresión.

Angela no pudo evitar reírse.

—Es usted persistente…

—No estoy seguro de que eso sea acertado. Llamar de esta manera y arriesgarme a otro rechazo no es mi estilo.

—Su sinceridad y humor me han intrigado, aunque no me

gustó el chiste de los doscientos mil dólares. Fue como si se estuviera burlando de mí.

—¡De ninguna modo! —exclamó Chet.

—No bromeaba cuando hablé de la necesidad de disponer de capital a corto plazo, y es por eso que con toda sinceridad no puedo aceptar su amable invitación. Realmente, estoy muy ocupada. No sería buena compañía incluso aunque tuviese tiempo.

—Estoy desilusionado, pero mi ego todavía está intacto, gracias a su diplomacia. Pero si de pronto se anima porque ha conseguido reunir el capital que necesita, o está deprimida porque no lo ha conseguido, llámeme. Estaré disponible al momento.

Cuando acabó la conversación, Angela giró su silla para mirar hacia la Quinta Avenida y el tráfico atascado. Las inesperadas invitaciones a cenar de dos hombres tan distintos era algo poco habitual, además de inquietante, ya que hacía que se cuestionara sus elecciones y estilo de vida, y se preguntara de nuevo cómo se había desviado en su vida. Una combinación de los procedimientos de reembolso del gobierno, que habían provocado la bancarrota de su consulta de atención primaria, y la desmoralizante experiencia del divorcio de Michael habían conseguido hacer tambalear su sistema de valores. Se había sentido desanimada. El éxito en los negocios, medidos por la riqueza y sus adornos, habían pisoteado los conceptos de altruismo y caridad.

Angela se volvió de nuevo para mirar su mesa y los problemas a los que se enfrentaba Angels Healthcare. Un momento más tarde, Loren le llevó un sándwich y una Coca-Cola. Mientras comía, la mente de Angela volvió a ocuparse del nuevo problema planteado por el paradero de Paul Yang y el ordenador con el ocho-K. Era como perder una granada con el pasador quitado.

Con eso en mente, Angela cogió su BlackBerry para enviar un mensaje a Michael y preguntarle si sabía algo de por qué Paul no se había presentado al trabajo. Mientras sus pulgares se movían velozmente por el diminuto teclado, agradeció la capacidad que le daba ese instrumento para comunicarse sin hablar personalmente con él, lo que significaba que podría conseguir la información que necesitaba sin tener que soportar el agravio del contacto personal.

Una vez escrito el mensaje, estaba a punto de enviarlo cuando se le ocurrió un segundo pensamiento. Era muy consciente de los antecedentes y la infancia de Michael, y en ocasiones se había hecho inquietantes preguntas respecto a algunos de sus amigos y de su estilo de vida, incluidos sus supuestos clientes, pero nunca había hecho ninguna pregunta porque entonces no quería saberlo. En aquel momento, mientras se disponía a enviar el mensaje a Michael, tuvo una sensación similar y se preguntó si quería saber la respuesta a su pregunta. Con la vaga sensación de que en realidad no lo quería, guardó el mensaje en espera y dejó el Black-Berry a un lado. Ya se ocuparía de ello más tarde.

# 6

Michael Calabrese estaba de mal humor debido a una mezcla de miedo y ansiedad mientras detenía su todoterreno Mercedes negro junto a una fila de coches aparcados y luego daba marcha atrás para ponerse en un espacio vacío. Desde donde estaba aparcado, veía la entrada del restaurante Neapolitan en Corona Avenue en Corona, Queens. Corona era la ciudad más cercana a Rego Park, donde él había crecido en un barrio de mayoría italiana. Mucha gente creía que todos los italianos de Nueva York vivían en Little Italy en Manhattan, pero no era verdad. La mayoría se había trasladado; muchos a Long Island, entre ellos el abuelo de Michael, Ziggy, que había fundado una empresa de materiales para la construcción en Rego Park.

Michael miró la entrada del restaurante e intentó pensar en una estrategia. La fama del restaurante se remontaba a los años treinta, cuando era el lugar preferido de la familia Lucia. Había continuado con esa dudosa asociación durante años, aunque siempre en paulatino declive, hasta que el alcalde Rudolph Giuliani consiguió desalentar a muchos jefes mafiosos intermedios de pasar la noche en Manhattan, y a partir de aquel momento había disfrutado de un notable resurgimiento. Este había continuado cuando Vinnie Dominick montó en ese lugar su despacho, tras haber sido elegido el capo local de la familia Lucia.

Como una señal de los nuevos tiempos, la competidora familia Vaccarro había escogido como sede un establecimiento mucho más nuevo dos manzanas más allá, el Vesubio. Ambas organizaciones habían considerado sensato tener abierta una vía de comunicación a la vista de que los asiáticos, los rusos y los hispanos estaban intentando invadir parte de su terreno. El único problema, por supuesto, era que Paulie Cerino, el jefe de la familia Vaccarro, todavía estaba en la cárcel, así que la comunicación no era tan fluida como se esperaba.

En un ataque de furia incontrolada, Michael golpeó repetidamente el volante al tiempo que gritaba «Mierda» una y otra vez. Tenía esas rabietas desde que era un crío; ya entonces lo habían metido en más de una pelea y había sido motivo para que su padre le diese alguna que otra paliza. Sin embargo, había un lado positivo: una vez gastada la energía, se calmaba, y podía enfrentarse al problema del momento. A medida que había ido madurando, había aprendido a controlar sus estallidos hasta que estaba solo, excepto cuando había estado casado con Angela.

Con la misma brusquedad con que había comenzado a golpear el volante, dejó de hacerlo. «Jodida hija de puta», maldijo pensando en Angela. Había sido su cruz desde el momento en que se habían casado. Hasta entonces había sido un encanto, pero a las pocas semanas de la gran ceremonia en la iglesia de Santa María, él ya no era lo bastante bueno tal como era. Ella quería que hiciese esto, y le exigía que hiciera aquello, y se enfadaba si salía, incluso para una cena de negocios. En resumen, quería que cambiara, y él no tenía intención de cambiar por una chica malcriada de clase media alta de Jersey que había tenido todo lo que quería con solo chasquear los dedos. En cuanto al arreglo del divorcio, no quería pensar en ello en su actual estado anímico. Cada vez que lo recordaba se ponía furioso. Solo para causarle daño, se había quedado con el apartamento tríplex en el West Side y una cantidad ridícula como pensión para la niña.

Ahora, como en una última vuelta de tuerca, lo había engañado para meterlo en ese asunto de Angels Healthcare que podía poner en riesgo su vida. Por supuesto, no podía culparse a sí mismo.

Como plan de negocios, era fantástico. Tal como ella se lo había explicado, el gobierno, en su infinita sabiduría, había creado un sistema vía Medicare, adoptado por todas las empresas de asistencia sanitaria, que pagaba a los médicos mucho más dinero por hacer operaciones de lo que pagaban por otros cuidados. El truco consistía en reunir a un grupo de médicos inversores para financiar la construcción de hospitales privados, que solo hacían intervenciones y evitaban todas las demás actividades que no daban beneficios, como tener salas de urgencias y curar a personas sin seguro o tratar a enfermos crónicos. Esa actividad se aprovechaba de una laguna en la ley que, en términos generales, impedía a los doctores enviar a sus pacientes a las instalaciones de su propiedad, como eran los laboratorios y los centros de resonancia magnética, porque se creía que cuando los médicos tenían una participación en el hospital, solo eran pequeños engranajes en una rueda mucho mayor. Todo esto alentaba a los médicos a admitir a pacientes de pago, pues les pagaban por la intervención y luego volvían a cobrar del hospital según el pequeño porcentaje que les correspondía por ser propietarios. Para los verdaderos dueños, que tenían la mayoría de las acciones, aquella era una increíble máquina de hacer dinero. Por eso, Michael había invertido tanto de su propio dinero y tanto del capital de su cliente, y por eso había convencido a Morgan Stanley para que suscribiera la OPA.

Todo había ido de acuerdo con el plan hasta el punto de que Michael había reunido la mayor parte de su capital personal solo seis meses atrás y lo había invertido en Angels Healthcare para fortaleter su posición antes del comienzo de la OPA. Como todo analista financiero sabe, la diversificación es la clave en cualquier estrategia inversora; sin embargo, Michael estaba tan seguro de Angels Healthcare que se permitió violar esta regla fundamental, y lo estaba pagando con ansiedad. Su problema era que nunca había comprendido los detalles científicos o las posibles consecuencias económicas del problema infeccioso que se había iniciado tres meses y medio atrás en los hospitales Angels. Ahora lo sabía. También sabía muy bien lo mucho que Vinnie Dominick detestaba perder dinero.

Michael miró de nuevo la entrada del Neapolitan. Mostraba una serenidad engañosa, con flores de plástico en los tiestos de las ventanas. Incluso la fachada de ladrillos era falsa. Eran planchas de fibra de vidrio. No se veía que entrasen o saliesen clientes, porque el restaurante no abría a mediodía excepto para Vinnie y sus allegados. Para el propietario era un coste pequeño por el derecho a hacer negocios, y por la noche tenía el local lleno, excepto los domingos, cuando estaba cerrado y todos los maleantes pasaban el día con sus esposas y familias.

Michael se miró en el espejo retrovisor y se arregló el pelo, que llevaba peinado del mismo modo que Vinnie Dominick. Se conocían desde la escuela primaria; Vinnie iba un curso por delante de Michael. Desde cuarto grado, Vinnie había dominado el patio de juegos de la escuela pública 157 gracias a la posición de su padre en la organización Lucia. Incluso los chicos de sexto grado le obedecían. A partir de entonces, Michael había intentado imitar a Vinnie, también durante los años en el instituto de Santa María.

Sin ninguna estrategia especial para llevar la conversación con Vinnie, Michael decidió a su pesar que tendría que improvisar, porque, en última instancia, todo dependía del humor de Vinnie. Si estaba de buen humor, todo iría sobre ruedas. Si no lo estaba, podía suceder cualquier cosa.

Michael se apeó del coche, pero tuvo que esperar antes de cruzar la calle. Cuando Angela había dejado su despacho hacía ya más de una hora, después de comunicarle sus deprimentes noticias sobre la liquidez de Angels Healthcare, Michael había decidido muy a su pesar que debía hablar con Vinnie. Si ocurría lo peor —Vinnie solo pensaba en una posible pérdida del dinero—, Michael tendría que desaparecer, y sin dinero no iba a ser fácil. Aunque sabía que no le iba a gustar lo que escucharía de su boca, esperaba que en el peor de los casos solo tendría que aguantar una filípica y algún tipo de amenaza. Con ese pensamiento tranquilizador, Michael lo había llamado para pedirle una entrevista, y este lo había invitado a ir al restaurante.

Al entrar en el local, Michael apartó la pesada cortina que resguardaba las mesas cercanas de la corriente de aire cuando se abría la puerta, y esperó a que sus ojos se acostumbrasen a la penumbra. A la izquierda había una larga barra de bar y una zona con una falsa chimenea. En el centro había mesas de diversos tamaños. Todas las sillas estaban colocadas del revés sobre las mesas para facilitar la tarea de los encargados de la limpieza. A la derecha había seis reservados tapizados con terciopelo rojo, considerados como las mejores mesas. Dos de ellos estaban ocupados. En el primero se encontraban Franco Ponti, Angelo Facciolo, Freddie Capuso y Richie Herns. Michael los conocía a todos del instituto. De todos ellos, Franco Ponti era el que más asustaba a Michael. Era del dominio público que se trataba del ejecutor de Vinnie. A Angelo no lo conocía muy bien, porque había pertenecido a otro grupo en el instituto, pero su aspecto bastaba para hacerle temblar. Freddie era el más conocido y Richie el que menos, porque ambos eran más lacayos que verdaderos allegados.

Vinnie, en el reservado siguiente, llamó a Michael con un gesto. Sentada con él estaba Carol Cirone, su amante desde hacía años. Con el pelo teñido de rubio ceniza, un suéter blanco muy ajustado y un collar de perlas, parecía una caricatura de un personaje de *West Side Story*, pero nadie se burlaba de ella, al menos delante de Vinnie.

—Mickey —llamó Vinnie—. ¡Ven aquí! ¿Has comido?

Michael pasó junto al reservado en el que estaban sus hombres.

—Hola, tíos —dijo para ser respetuoso. Todos asintieron pero no contestaron.

Vinnie se quitó la servilleta del cuello y se levantó para abrazar a Michael. Michael le devolvió el abrazo pero se sintió inquieto, consciente de que las noticias que traía no iban a hacerle feliz.

Con una mano apoyada en el hombro de Michael, Vinnie hizo un gesto a su compañera de mesa.

—Conoces a Carol, por supuesto.

—Por supuesto —dijo Michael, y tomó la mano que se le ofrecía sin mucho entusiasmo y la estrechó con igual falta de entusiasmo.

—Siéntate, siéntate —repitió Vinnie mientras se sentaba. Su voz era más educada de lo que se podía esperar dado su trabajo, aunque cuando se enfadaba, algo que solía ocurrir con cierta frecuencia, no cambiaba, una característica que a Michael le resultaba inquietante.

Michael se sentó apretando a Carol entre él mismo y Vinnie.

—¿Qué tal un plato de espaguetis a la boloñesa? —ofreció Vinnie—. ¿Una copa de Barolo? Es de la cosecha del 97 y es extraordinario.

Michael dijo que sí a todo para no empezar con mal pie. Vinnie no había cambiado mucho desde el instituto, donde siempre había enamorado a las chicas. Su apodo era «el Príncipe». Sus facciones estaban bien esculpidas. Como a Michael, le gustaba vestir bien y llevaba traje y corbata todos los días. También como Michael, se enorgullecía de pesar lo mismo que pesaba en el instituto y hacía gimnasia a diario para mantener la forma física.

—¿Qué tal van nuestras inversiones? —preguntó Vinnie. Cuando se trataba de negocios, no perdía el tiempo. Michael llevaba trabajando con Vinnie desde hacía más de una década. Había comenzado poco a poco cuando Michael entró en Morgan Stanley y se presentó a Vinnie con la idea de blanquear el dinero que ganaba la organización Lucia con las drogas, la usura, los garitos, las extorsiones, la venta de coches robados y los atracos en el aeropuerto Kennedy. Michael le había propuesto utilizar el dinero como capital de riesgo para las OPA a través de varias empresas fantasma, y la relación había resultado de un gran provecho para ambas partes. Michael no solo había blanqueado el dinero, sino que lo había duplicado, cuando antes Vinnie solía pagar por ese servicio. Al contar con un capital que crecía a medida que Vinnie se sentía más a gusto, Michael había podido dejar Morgan Stanley, en términos amistosos, y establecer su propia agencia de inversiones.

—En honor a la verdad —dijo Michael en respuesta a la pregunta directa de Vinnie—, hay un problema que necesito tratar contigo.

—¿De verdad? —preguntó Vinnie con una voz calmada y suave que hizo que a Michael se le erizara el pelo.

—Eso me temo —confirmó Michael. Su voz tenía un temblor que deseó que solo él pudiese oír.

—Carol, cariño —dijo Vinnie—. ¿Podrías disculparnos un momento? Mickey y yo tenemos que hablar.

—No he acabado los espaguetis —se quejó la mujer.

—¡Carol! —repitió Vinnie en un tono un poco más bajo y mirándola.

—De acuerdo —respondió Carol, y arrojó su servilleta sobre el plato—. ¿Adónde se supone que debo ir?

—A donde tú quieras, encanto. Freddie o Richie pueden llevarte.

Michael miró de nuevo a Vinnie, que le respondió con otra mirada que le hizo encogerse por dentro.

—Espero que este problema no tenga que ver con Angels Healthcare, porque si es así, tengo un mal presentimiento —manifestó Vinnie.

Michael se aclaró la garganta; estaba a punto de hablar cuando apareció el camarero con un humeante plato de espaguetis y una copa.

Al notar la tensión, se apresuró a dejar el plato, sirvió el vino en la copa y desapareció.

—Es sobre Angels Healthcare —admitió Michael—. Necesitan más dinero para mantener las puertas abiertas. Han tenido problemas para librarse de la bacteria. Ha sido necesario cerrar los quirófanos, y eso, a su vez, cerró el grifo de los ingresos.

—Es la misma historia que escuché hace un mes —señaló Vinnie. Si bien su voz mantenía la calma, sus ojos reflejaban una creciente ira—. Se suponía que mi préstamo iba a cubrir los gastos hasta la OPA.

—También lo creía yo, hasta que mi ex me ha contado otra cosa hace una hora —dijo Michael con la intención de cargarle la culpa a Angela.

—¿Y por qué no los ha cubierto?

—Los quirófanos permanecieron cerrados más tiempo de lo esperado, con lo cual siguieron sin generar ingresos, y el proceso de desinfección costó más de lo que creían.

—¿Los quirófanos están abiertos ahora?

—Sí, pero pasarán unas semanas antes de que los médicos estén seguros de que el problema se ha superado.

—¿Se ha superado?

—Sí, eso es lo que creo.

—Lo que tú creías sobre la cantidad de dinero que hacía falta ha sido un error. ¿Por qué crees que lo que dices del problema de la infección es más acertado?

—No lo sé. —Michael se encogió de hombros—. Solo puedo repetir lo que me dijeron.

—¿Cuánto dinero hace falta para llegar a la OPA?

—Me han dicho que doscientos mil dólares.

Vinnie volvió a traspasar a Michael con la mirada. Michael primero se encogió y luego miró su plato. Dadas las circunstancias, no sabía qué era más irrespetuoso: comer o no comer. La última cosa que quería era que sus modales irritaran a Vinnie. Era muy quisquilloso en esas cuestiones. Vinnie lo sacó de la duda cuando le ordenó:

—¡Come!

Michael no tenía hambre, pero cogió el tenedor y se las apañó para comer un bocado de espaguetis.

—No estoy nada contento con todo esto —afirmó Vinnie. Se inclinó hacia delante con aire amenazador—. Comienzo a sentirme como si fuera tu sirviente. Primero vienes a mí a buscar dinero, luego hay un contable que quiere chivarse a los federales de la falta de liquidez, y ahora otra vez quieres más dinero. ¿Cuándo acabará esta historia?

—Nunca esperé que ocurriera nada de esto —declaró Michael en su defensa—. Pero es una buena inversión. No habría comprometido tu dinero si no lo fuese. He hipotecado casi todo lo que tengo para mejorar mi propia posición.

—No me importa tu dinero —replicó Vinnie con toda sinceridad—. Me importa el dinero del que soy responsable. No quiero que se pierda. Tendría que dar muchísimas explicaciones.

—El dinero no se perderá —afirmó Michael con una seguridad que no tenía—. En el peor de los casos se pospondría la OPA.

—No quiero que eso ocurra, y estoy cumpliendo mi parte. Ya he desembolsado otro cuarto de millón. También estoy resolviendo el problema del contable.

—¿Todavía no has hablado con él? —preguntó Michael alarmado.

—Oh, sí que he hablado con él. Incluso Franco y Angelo han hablado con él.

—¿No se ha mostrado dispuesto a colaborar?

—Yo no diría eso. Estoy totalmente seguro de que no presentará el ocho-K. El factor desconocido es su secretaria, que, por desgracia, tiene una copia del informe. Por lo que parece, también tendremos que hablar con ella.

—No se me había ocurrido —admitió Michael—. ¡Buena idea!

Se sintió más tranquilo. Lo último que quería era que reapareciera un problema que él creía resuelto. Aunque Michael deseaba hacer negocios con Vinnie, no le interesaba saber de dónde procedía el dinero ni conocer los detalles de sus actividades. Ya tenía bastante con su imaginación, por eso se sentía tan nervioso en el actual embrollo.

—El caso es, Mickey, que estoy cumpliendo mi parte —continuó Vinnie—, y me gustaría que tú cumplieras la tuya. Si hace falta más dinero para que Angels Healthcare llegue a la OPA tendrás que ponerlo tú.

—Pero… —comenzó Michael.

—Nada de peros, Mickey —lo interrumpió Vinnie con voz tranquila—. Nos conocemos desde hace mucho tiempo, pero esto es un negocio. Quiero que se haga la OPA. Has sido un buen vendedor y has aumentado mis expectativas. Si la OPA no sale como tú dices, te culparé a ti y ya no seremos amigos. A partir de entonces, tendrás que tratar exclusivamente con Franco.

Michael intentó tragar pero no pudo. Se le había secado la boca. En cambio, cogió la copa de vino, que todavía no había probado, y bebió un buen trago.

El teniente detective Lou Soldano consultó su reloj. Faltaba poco para la una y media de la tarde, lo que explicaba los gruñidos de su estómago. Después de dejar la oficina del forense aquella mañana alrededor de las ocho, se había ido a su apartamento en Prince Street en el SoHo y se había quedado dormido en el sofá. Era tal su agotamiento que no consiguió llegar al dormitorio. Cuando se despertó al mediodía, solo tomó un café mientras se afeitaba y se duchaba. A esa hora llamó a la OCME. Sentía curiosidad por saber qué había encontrado Jack en las dos autopsias que no había presenciado, las de los supuestos homicidios. Jack todavía estaba en la sala de autopsias, por lo que Lou pidió que le pasaran con el enlace del Departamento de Policía de Nueva York, el sargento Murphy. La mayor preocupación de Lou era el cadáver no identificado de una persona al parecer ejecutada por la mafia. Lo que quería saber era si Murphy había conseguido alguna pista de la identidad a través de personas desaparecidas. No se había recibido ninguna llamada denunciando la desaparición de un varón asiático norteamericano, algo que intrigaba todavía más a Lou. De una manera u otra, estaba cada vez más interesado en el caso, ya que quería impedir que apareciesen más cadáveres. Además, la manera en que habían disparado al individuo y el hecho de que lo hubiesen arrojado bahía adentro fortalecían su convicción de que el homicidio tenía relación con las bandas organizadas. En primavera, verano y otoño, siempre enterraban los cadáveres en los bosques del norte del estado. En invierno, cuando la tierra estaba helada, los arrojaban al río o, si los autores tenían más medios, a la bahía, e incluso más allá del puente Verrazano.

Hambriento, Lou comenzó a buscar un restaurante de comida rápida. Iba en su viejo Chevy Caprice de la policía. Tenía un vínculo sentimental con ese coche; era el único eslabón con el pasado, puesto que estaba divorciado y sus dos hijos iban a la facultad.

—¡Caray! ¡Johnny's Sub todavía está aquí! —exclamó el teniente al ver el restaurante a su izquierda.

Puso el intermitente y redujo la velocidad, pero al instante oyó un violento bocinazo a doce centímetros del maletero del coche.

Lou bajó la ventanilla y le hizo una señal al airado conductor para que pasara, al tiempo que intentaba mantener la calma. Por fin, el tipo entendió la insinuación y, sin dejar de hacer sonar la bocina, lo adelantó. Mientras lo hacía, le dedicó un gesto obsceno.

—Algunas cosas nunca cambian —murmuró Lou filosóficamente.

Estaba en el conocido barrio de Corona en el municipio de Queens. No solo había crecido en el vecino Rego Park, sino que cuando lo destinaron a la División contra el Crimen Organizado en la policía de Nueva York, después de ser agente durante tres años, pasó mucho tiempo en Queens, tanto porque conocía la zona como porque era un lugar donde las bandas se mostraban muy activas. Durante los seis años que pasó en la división, ascendió primero a sargento, y después a teniente, momento en el que pidió el traslado a Homicidios.

Entró en el aparcamiento del restaurante. En realidad el establecimiento no era más que un quiosco en medio de una explanada de asfalto. El cliente tenía que aparcar, ir hasta el mostrador y pedir. Cuando aparecía el número, volvía al mostrador, y luego comía el enorme sándwich en el coche. Lou era cliente habitual cuando estaba en el instituto y tuvo su primer coche.

Quince minutos más tarde, Lou no podía sentirse más feliz mientras saciaba su apetito con su sándwich favorito, un Johnny's Meatball Extravaganza, y su nostalgia. Se le animó el corazón al recordar los tiempos en los que iba a Johnny's a última hora de la noche con Gina Pantanella durante su último año de instituto. Aparcaba muy al fondo, pedían el mismo bocadillo y después echaban un polvo.

La otra razón para que se sintiera satisfecho era que Johnny's estaba al otro lado de la calle del Neapolitan. De sus años pasados en la División contra el Crimen Organizado sabía que el restaurante era el despacho de Vinnie Dominick, que dirigía la sección de Queens para la familia Lucia. Lou estaba al tanto del frágil equilibrio entre los poderes criminales que competían en la zona; a los Lucia y a los Vaccarro los estaban desafiando las nuevas bandas de asiáticos en Flushing y Woodside. Lou quería averiguar si aquella situación tenía algo que ver con el muerto flotante, y se centraba en Vinnie Dominick porque el homólogo de Vinnie en la organización Vaccarro, Paulie Cerino, estaba en la cárcel. Pero no era a Vinnie a quien iba a abordar, sino a uno de sus secuaces, Freddie Capuso. En sus tiempos de la vieja división, Lou había reclutado a Freddie como soplón, y todavía tenía algo para presionar al muchacho. Por casualidad, Lou había descubierto que Capuso estaba llevando una peligrosa vida de agente doble. Trabajaba para Vinnie pero pasaba información a Paulie, a veces verdadera, y en ocasiones falsa. En su momento, Lou se preguntó cómo el muchacho podía dormir por las noches, porque si cualquiera de los dos bandos se hubiese enterado de su juego, habría desaparecido sin más para convertirse en alimento de los peces más allá del puente de Verrazano.

Lou no estaba seguro de si Freddie aún trabajaba para Vinnie o incluso de si estaba vivo, pero tenía la intención de averiguarlo. Dedujo que Vinnie estaba allí, porque había un Cadillac negro aparcado en doble fila delante del restaurante. El único problema era que se trataba de un modelo antiguo, y Lou dudaba que fuese el estilo de Vinnie.

De pronto, Lou dejó de masticar. Alguien había salido solo del restaurante. Durante un segundo, por el peinado y las prendas, creyó que era Vinnie. El policía se sintió confuso, porque Vinnie nunca habría salido sin compañía. Pero entonces, cuando el hombre cruzó corriendo la calle, directamente hacia él, vio que no era Vinnie. Era alguien a quien Lou no reconoció pero que se comportaba de forma sospechosa. Estaba nervioso o tenía miedo mientras manipulaba el control remoto al mismo tiempo que miraba a un lado y a otro de la calle y hacia el restaurante. Un segundo más tarde, había subido al coche y salía disparado con un chirrido de ruedas en dirección a Manhattan. Lou intentó apuntar el número de la matrícula, pero no fue lo bastante rápido. Solo alcanzó a ver un 5 y una V, y que se trataba de una matrícula de Nueva York.

Miró de nuevo hacia el restaurante, casi esperando ver que saliera uno de los hombres de Vinnie para lanzarse a perseguir al otro, pero no ocurrió. Reinaba la calma. Lou se relajó en el asiento y continuó comiendo su sándwich. Mientras masticaba, pensó cuál podría haber sido el motivo de ese encuentro con Vinnie que había hecho que el desconocido mostrase tanto nerviosismo. Se dijo que debía de tratarse de una cuestión de dinero, y a la vista de la ropa del tipo y de que conducía un todoterreno, sospechó que tenía algo que ver con el juego. Si era así, y el tipo le debía una considerable cantidad, estaba metido en un buen lío. Vinnie y los suyos no toleraban que la gente les debiese dinero durante mucho tiempo. Si lo hicieran, todo el castillo de naipes se iría abajo.

Mientras pensaba en ello se preguntó si esa también sería la historia del cadáver que había aparecido flotando. Quizá no era una indicación de una incipiente guerra entre bandas sino la simple eliminación de un deudor.

De pronto, Lou dejó de nuevo de masticar. Otro Cadillac negro con las ventanillas tintadas apareció por la derecha y aparcó detrás del modelo antiguo. Al instante siguiente, el teniente arrojó el sándwich a un lado, desparramando albóndigas en el asiento del pasajero. Salió del coche en el acto y cruzó la calle mientras el conductor del Cadillac pasaba por detrás del coche. Por una vez, la fortuna estaba de parte de Lou, puesto que el conductor era Freddie Capuso, y estaba solo.

—Freddie, amigo mío.

Freddie se detuvo y se volvió mientras Lou se acercaba. En cuanto lo reconoció, el color desapareció de su rostro. Nervioso, miró en derredor, y en particular hacia la cercana puerta del restaurante.

—¡Caray! Cuánto tiempo ha pasado, Freddie, muchacho. —La última vez que Lou lo había visto, era un chico delgaducho que siempre mantenía los brazos apartados del cuerpo como si fuese un tío musculoso.

Ahora era un hombre; bueno, más o menos.

—¡Diablos, teniente! ¿Qué demonios está haciendo aquí?

—Vine a comer un sándwich a Johnny's para recordar viejos tiempos. Solía venir aquí cuando iba al instituto, y entonces te he visto llegar. Qué coincidencia.

—Me alegro de verlo —se apresuró a decir Freddie—. Pero tengo que irme.

—No tan rápido. —Lou apoyó una mano en el brazo de Freddie mientras acercaba la otra mano a su arma. Sabía que aquellos tipos eran peligrosos e impredecibles.

—Hará que me maten si me ven con usted —le espetó Freddie.

—Podría hacer que te matasen con una simple llamada telefónica, amigo mío. Solo quiero hablar contigo durante un par de minutos. Mi coche está al otro lado de la calle, en el aparcamiento de Johnny's. Vayamos hasta allí, y hablaremos sin que nos vean.

Freddie miró hacia Johnny's, como si no creyera al policía, y luego otra vez hacia la puerta del Neapolitan.

—Cuanto más tardes, mayor riesgo corres —añadió Lou. Tiró del brazo de Freddie para llevarlo hacia el coche.

Freddie no tardó mucho en comprender que no tenía alternativa. Asintió con un gesto y se apresuró a cruzar la calle. Lou lo siguió hasta la puerta del pasajero. El soplón la abrió, pero al ver las albóndigas, las rodajas de tomate y los anillos de cebolla desparramados en el asiento dijo:

—No me sentaré sobre toda esa basura.

Lou miró para saber a qué se refería Freddie.

—Comprendo tu renuencia —dijo Lou. Cerró la puerta y abrió la de atrás. Hizo un gesto a Freddie para que entrase, y luego subió él también.

—Hable deprisa —le ordenó Freddie, como si tuviese algo que decir en aquel asunto.

—Lo intentaré —respondió Lou, sin hacer caso de la bravata de Freddie—. A ver, ¿quién es el capo local de los Vaccarro? Llevo mucho tiempo fuera de circulación.

—Se llama Louie Barbera, pero solo es temporal, porque se supone que Paulie Cerino saldrá en libertad condicional.

—¿De verdad? —se sorprendió Lou. No había oído ningún rumor al respecto.

—¿Por qué demonios me incordia para preguntarme esto?

—protestó Freddie—. Hay un centenar de personas que se lo habrían podido decir.

—¿Qué tal se llevan Vinnie y Louie?

Freddie se echó a reír.

—¿Tan mal?

—Vinnie se aprovechó cuanto pudo después de que encerrasen a Paulie, sobre todo con las drogas. Los Vaccarro quieren recuperar su viejo territorio.

—¿Qué hay de los asiáticos, los hispanos y los rusos?

—Son un incordio para todos.

—¿Los tres grupos?

—Sobre todo los asiáticos, que traen las drogas de Oriente y no de Sudamérica.

—Dicen por ahí que anoche se cargaron a alguien —dijo Lou, que finalmente iba al grano—. ¿Sabes algo al respecto? —Con toda intención no dio ningún detalle.

La mirada de Freddie se volvió hacia la puerta del restaurante en una actitud nerviosa que para Lou fue una clara señal. Gracias a sus años de experiencia comprendió que el delgaducho Freddie sabía algo.

—No sé nada de que se cargasen a nadie —respondió Freddie de una manera muy poco convincente.

—¡Venga ya! No me obligues a amenazarte y a llamar a Vinnie para recordar viejos tiempos.

—Vale, sé que anoche se cargaron a alguien, pero eso es todo.

—¡Por favor! No alargues esto.

—No sé quién era, lo juro. Solo sé que era un tipo que iba a chivarse.

—¿De qué iba a chivarse y a quién?

—¿Quién lo sabe?

—¿Te estás quedando conmigo o qué?

—De verdad, le estoy diciendo todo lo que sé, que es casi nada. Vinnie está intranquilo por algo, pero no tengo ni idea de por qué. No habla de esas cosas, excepto con Franco Ponti.

Lou miró al muchacho convertido en hombre. En cierto modo, sentía pena por él, porque Lou estaba seguro de que cualquier noche acabaría en un contenedor. Estaba jugando a dos bandas pero no era lo bastante listo como para seguir haciéndolo durante mucho tiempo. Por otra parte, Lou estaba furioso con él porque, como todos los demás delincuentes, aquel imbécil estaba apoyando a un pequeño grupo de personas que hacían que todos los italoamericanos tuviesen mala reputación.

—De acuerdo —dijo Lou después de una pausa—. Quiero que descubras quién era el tipo al que se cargaron. No quiero que estalle una guerra entre los Lucia y los Vaccarro; eso es lo que me preocupa.

—No hay manera de que pueda averiguar algo así. Vinnie no suelta prenda. Si le pregunto algo sabrá que algo no va bien.

—No se lo preguntes a él, pregúntaselo a Franco.

—Eso sería peor que preguntárselo a Vinnie. Ya sabe que ese tipo está loco.

—Pues busca el modo —dijo Lou. Pasó una mano por delante de Freddie y abrió la puerta.

# 7

*3 de abril de 2007, 14.20 horas*

Los ojos de Laurie estaban vidriosos mientras miraba sin ver a través de la ventanilla lateral del taxi que circulaba a toda velocidad en dirección norte por la Segunda Avenida. Estaba muy preocupada con su serie de EARM, que había comenzado como una posible manera de convencer a Jack para que pospusiera la operación de rodilla pero que se había transformado en algo totalmente distinto. Aún tenía la intención de utilizar el EARM con su marido, pero en aquel momento intuía que había algo mucho más importante, y esa posibilidad la entusiasmaba. Su concepción del trabajo de un médico forense era hablar en nombre de los muertos para ayudar a los vivos. De pronto, vio la serie como un medio para hacer eso. Si podía descubrir por qué aquellas muertes estaban ocurriendo en determinado lugar, quizá podría salvar a muchas posibles víctimas.

Pensar de ese modo también tenía un lado desalentador. ¿Por qué el OCME no había visto el problema antes? Laurie analizó la pregunta durante unos momentos antes de adivinar la razón: pocos motivos para la sospecha. Laurie supuso que ella tampoco se habría fijado en el caso de David Jeffries de no haber intervenido su motivación personal. Laurie sabía que un 10 por ciento de todos los pacientes que entraban en un hospital salían con una infección de ese tipo, y eso representaba unos dos millones de pacientes, de los cuales casi noventa mil morían al año solo en Estados Unidos. De todas esas infecciones, alrededor de un 35 por ciento correspondían a estafilococos, muchos de los cuales eran EARM. En resumen, el problema era demasiado común para causar excesivo revuelo, máxime con las bacterias en ascenso. Un súbito golpe sacó a Laurie de sus meditaciones. De no haber llevado puesto el cinturón de seguridad, su cabeza habría golpeado contra el techo.

—¡Lo siento! —se disculpó el taxista, que miró a Laurie por el espejo retrovisor para ver si estaba bien—. Los baches del invierno.

Laurie asintió. Agradecía la disculpa, por lo inesperada que era, aunque no el estilo de conducción.

—Tal vez tendría usted que aminorar la velocidad —propuso.

—El tiempo es dinero —respondió el conductor con turbante.

Consciente de la inutilidad de pretender cambiar la disposición mental del taxista, Laurie volvió a sus reflexiones. Iba camino del Angels Orthopedic Hospital, que estaba en la Quinta Avenida, en el Upper East Side, y casi al otro lado del Central Park, donde Jack y ella vivían. Durante las dos horas anteriores había estado muy ocupada y, a pesar de un leve temor por su vida en el taxi, agradeció la forzada pausa y el tiempo para organizar sus pensamientos que le ofrecía el trayecto. Por fin había podido encontrarse con Arnold Besserman y Kevin Southgate, y había obtenido los nombres de los seis casos, cuatro de las historias clínicas y los expedientes de los seis. Arnold incluso le había dado la monografía que había escrito sobre el EARM, que Laurie se había apresurado a leer.

Laurie sabía ahora más de la bacteria de lo que había sabido nunca, incluso antes de presentarse a los exámenes de patología forense, para los que estudió como solía hacer: aprendiendo todo tipo de detalles esotéricos, algunos sobre los organismos EARM y otros estafilococos. Como Agnes había dicho, el estafilococo áureo era un patógeno extraordinariamente versátil.

Había pasado a Agnes Finn los números de los casos de Arnold y Kevin junto con los de George Fontworth. Quería que

Agnes recuperase las muestras congeladas para cultivos e hiciera el subtipo de la misma manera que estaba haciendo con el caso de Laurie de la mañana y los casos de Riva. Consideraba que era importante ver hasta dónde eran parecidos.

Después, Laurie había hecho varias llamadas a los números que Cheryl le había conseguido. Primero, a Loraine Newman en el hospital ortopédico. La mujer se había mostrado muy bien dispuesta, como le habían comentado Arnold y Cheryl. Había aceptado tener una cita aquella misma tarde a las dos y media.

A continuación, Laurie había llamado a la doctora Silvia Salerno del CDC que estaba en contacto con la biblioteca nacional de cepas del EARM que había creado el CDC para identificar los patrones genéticos en el subtipo para ayudar en la prevención y estrategias de control. Además, formaba parte del equipo de la web del National Healthcare Safety Network del CDC y había sido la persona con quien había tratado Riva. Era ella quien había buscado los subtipos de las muestras de la doctora Mehta.

—Si no estoy equivocada, eran un EARM contraído comunitariamente, lo que nosotros llamamos CC-EARM —le había dicho Silvia cuando Laurie le preguntó si recordaba los casos—. Déjeme que lo busque. Vale, aquí está. CA-EARM, USA400, MWdos, SCCmccIV, PVL. Lo recuerdo con toda claridad. Es un organismo de una virulencia espectacular, quizá uno de los más virulentos que hemos visto, sobre todo con la toxina PVL.

—¿Recuerda si la doctora Mehta mencionó si sus dos casos procedían de hospitales distintos?

—No. Supuse que eran de la misma institución.

—Eran de dos hospitales. ¿Eso le sorprende?

—Señalaría a dos individuos que se conocían el uno al otro o que conocían a una tercera persona.

—Entonces ¿cree que no eran infecciones hospitalarias?

—Técnicamente, para que una infección sea considerada hospitalaria, el paciente debe estar en el hospital durante más de cuarenta y ocho horas.

—Pero esa solo es una definición técnica. Los pacientes podrían haberla contraído en el hospital.

—Por supuesto. La definición es más por razones estadísticas que científicas, pero que aparezca tal infección en un plazo de veinticuatro horas, para mí indica que eran parte de la flora del propio paciente.

Laurie le describió sus series, en las que todas las víctimas habían muerto de septicemia en un plazo de veinticuatro horas, y aquellas cuyos subtipos estaban disponibles y habían muerto de EARM adquirido comunitariamente. Silvia dijo que respaldaba su opinión de que con toda probabilidad los pacientes llevaban consigo las bacterias. Silvia manifestó interés por los casos y le sorprendió no haberse enterado del posible brote. Ofreció ayudarla en todo lo posible, tomó nota del teléfono directo de Laurie y prometió llamarla después de preguntar si alguien en el CDC tenía noticias del brote. También le ofreció echar una segunda ojeada a las muestras de Riva para determinar si eran el mismo tipo de cepa exacta o parecida.

Por último, Laurie había llamado a la Joint Commission on Accreditation of Healthcare Organizations. Cheryl no había podido conseguirle el nombre de una persona específica a la cual llamar; después de que la pasaran varias veces de un despacho a otro, Laurie consiguió el nombre de alguien que supuestamente podía ayudarla, pero finalmente renunció, agotada por tantas trabas burocráticas.

Al llegar a su destino, el taxi se acercó a la acera y se detuvo. Laurie dio al taxista el importe del viaje y la propina. Mientras se apeaba, contempló el impresionante y moderno edificio de cristales verdes y columnas de granito verde. El nombre, Angels Orthopedic Hospital, aparecía en el dintel de mármol con forma de frontón sobre la puerta principal. Un portero de uniforme estaba de pie en la acera. Una rampa llevaba al acceso para las ambulancias, a una entrada de servicio y a un garaje de varios pisos en la parte de atrás.

El interior era todavía más impresionante. Era más parecido a un Ritz-Carlton que a un hospital, tal como se lo había descrito Jack aquella mañana. El suelo era de maderas nobles y mármol, y el puesto de información parecía una conserjería, con dos hombres sentados vestidos con traje y corbata. Pero lo que más llamó la atención de Laurie fue la ausencia de gente. No se veía el bullicio de un hospital normal. Aparte de los dos hombres de la cabina, solo había dos personas en el gran vestíbulo sentadas en lados opuestos en elegantes sofás.

Laurie se acercó y recibió toda la atención de los dos caballeros. Preguntó por Loraine Newman, dijo su nombre y que tenía una cita.

—Por supuesto, señora —dijo uno de los hombres. Cogió un teléfono, y después de una breve conversación indicó a Laurie unas puertas a la izquierda de los ascensores—. La señorita Newman la espera en administración.

Laurie siguió las indicaciones y abrió las puertas. La zona de administración era más utilitaria que el vestíbulo pero también suntuosa comparada con cualquier hospital que Laurie conocía. Era un amplio y largo salón con oficinas acristaladas a cada lado, cada una con mesas individuales. La mayoría de las mesas estaban ocupadas, pero no parecía que reinase mucha actividad. Solo unas pocas secretarias escribían en sus ordenadores, mientras que la mayoría charlaba en voz baja.

Una de las secretarias vio a Laurie y le preguntó si podía ayudarla, pero antes de que esta respondiera, se abrió la puerta de cristal de una de las oficinas y una mujer vestida con una chaquetilla blanca encima de un suéter de color marrón y una falda se asomó y la llamó. Se presentó como Loraine Newman antes de hacerla pasar.

—¡Permítame su abrigo! —dijo Loraine. Tenía más o menos la misma altura y peso de Laurie y quizá la misma edad, pero su pelo no era rubio como el de Laurie—. Por favor, siéntese —añadió, al tiempo que colgaba el abrigo de Laurie en una percha y luego en un pequeño armario.

Laurie se sentó. Loraine fue al otro lado de la mesa e hizo lo mismo.

—Nunca he conocido a un médico forense —comentó Loraine con una sonrisa—. Me impresiona el trabajo que hacen.

—No salimos mucho —señaló Laurie—. La mayor parte de

nuestro trabajo en las escenas lo realizan nuestros investigadores forenses. —Se encogió al pensar que Bingham sin duda no aprobaría lo que estaba haciendo.

—¿En qué puedo ayudarla? Supongo que su visita se debe a la infortunada muerte por EARM ocurrida ayer.

—Se debe a eso y a algo más —respondió Laurie—. Esta mañana hice la autopsia del señor Jeffries. La extensión de la infección era impresionante, por no hablar de lo rápido que lo consumió.

—No tiene usted idea de lo inquietos que estamos, y no solo por la trágica pérdida de la vida de un hombre sano, sino también porque ha ocurrido a pesar de todos nuestros esfuerzos para evitarlo.

—He sabido por uno de mis colegas los esfuerzos que han estado haciendo. Imagino que debe de ser desalentador, sobre todo a la vista de que al parecer han tenido once casos.

—Desalentador no es la palabra más adecuada. ¿Ha encontrado algo en la autopsia que pueda ayudarnos? Cuando llamó, esperaba que fuera así.

—Me temo que no —admitió Laurie.

—Entonces ¿por qué ha venido?

Laurie se removió en la silla. Aunque el tono de la pregunta distaba mucho de ser hostil, se sorprendió preguntándose qué la había impulsado a realizar la visita, y por un momento se sintió como una tonta.

—No pretendía molestarla —añadió Loraine al percibir la incomodidad de Laurie.

—No pasa nada. Después de realizar la autopsia esta mañana, descubrí casi por accidente que todos los demás casos ocurrieron durante los últimos tres meses y medio. Sentí que necesitaba hacer algo. Me temo que el OCME los ha dejado a ustedes y al resto de la ciudad abandonados, al no advertir la aparición del brote. Es parte de nuestro trabajo evitar que algo como esto se cuele.

—Aprecio su sentido de la responsabilidad, pero en este caso no creo que importe. Desde luego estamos al corriente, y créame, hemos hecho todo lo posible. Cuando digo todo me refiero a todo, incluido contratar a tiempo completo a una profesional de control de infecciones. Como presidenta del comité interdepartamental de control de infecciones, yo personalmente he seguido el problema desde el primer día. Hemos controlado a todo el personal, incluidos los médicos, enfermeras, personal de los laboratorios y de mantenimiento, todo. Nuestro comité se ha estado reuniendo cada semana desde el primer caso de EARM. Incluso cerramos durante un tiempo los quirófanos y aplazamos todas las intervenciones.

—Eso tengo entendido —dijo Laurie—. No tengo mucha formación en epidemiología, pero hay varias cosas en este brote que me preocupan.

—¿Cuáles son?

Laurie se tomó un momento para poner en orden sus pensamientos. Temía parecer ingenua, dado que en realidad solo tenía unos conocimientos básicos de epidemiología.

—Para empezar, ha continuado a pesar de todos sus esfuerzos para controlarlo; en segundo lugar, en muchos casos, como el de Jeffries, se trata de neumonías primarias, algo que creo que es único para los estafilococos; tercero, al parecer solo están ocurriendo en los hospitales de Angels Healthcare. ¿Sabe usted si en el resto de los hospitales se están registrando también casos?

—Por supuesto. He mantenido diversas reuniones y frecuentes contactos con mis colegas en el hospital cardiológico y en el oftalmológico y de cirugía estética. También recomendé a la presidenta ejecutiva de Angels Healthcare, la doctora Angela Dawson, que contratara a un profesional en control de infecciones para coordinar nuestros esfuerzos, a la vista de que el problema estaba ocurriendo en nuestros tres hospitales.

—¿Se refiere usted a la doctora Cynthia Sarpoulus?

—Así es. ¿Por qué lo pregunta?

—Recuerdo que uno de mis colegas forenses mencionó el nombre. Habló con ella hará cosa de un mes.

—Es una de las mayores expertas en ese campo, y es coautora de un texto sobre programas de control de infecciones en los hospitales. Cuando me enteré de que la habían contratado tuve la absoluta certeza de que acabaría con el problema.

—Pero no ha sido así.

—No ha sido así —asintió Loraine.

—Bueno, volvamos a mis preocupaciones de aficionada —dijo Laurie.

—Yo no me atrevería a decir que es usted una aficionada, doctora —manifestó Loraine con una sonrisa—. Por favor, continúe.

—Hará más o menos una hora hablé con una doctora del CDC. Ella había tenido la oportunidad de hacer el subtipo del estafilococo de dos de los casos que ocurrieron hace más de un mes en distintos hospitales. Usando una tipificación genética bastante compleja, encontró que era el mismo. Prometió confirmarlo con nuevas pruebas más específicas y llamarme. Para mi cerebro poco ducho en epidemiología, y al contrario de lo que ella cree, me parece que hablamos de un portador que visita ambos hospitales. ¿Hay alguien del personal de Angels Healthcare que visite con regularidad todos sus hospitales?

—¡Caray! —exclamó Loraine. Su forma de reír indicaba que estaba impresionada—. ¿Se está burlando de mí al decir que no tiene formación epidemiológica?

—Solo aquello que aprendí durante mi residencia de patología —señaló Laurie.

—Desde luego hemos considerado la posibilidad de un portador como fuente del problema. Es más, hemos llegado al extremo de analizar repetidamente a todo el personal: al médico, al de servicio, y en particular a aquellos que suelen visitar los tres hospitales. Uno de los sistemas que nuestra presidenta y fundadora concibió para reducir gastos fue tener centralizados los servicios como son la lavandería, el mantenimiento, los laboratorios, la enfermería y las cocinas. Cada servicio tiene un jefe de departamento cuyo despacho está en las oficinas centrales de Angels Healthcare pero que visita regularmente los tres hospitales. Estas personas han sido sometidas a análisis precisamente por la razón que usted ha indicado.

—¿Alguien ha dado positivo?

—Por supuesto. Alrededor de un veinte por ciento, que es lo que se espera en cualquier muestra de población. Un poco más en el personal médico. Todos aquellos que dieron positivo han sido tratados con mupirocina hasta que dieron negativo.

—¿Alguno de ellos dio positivo para el EARM adquirido comunitariamente?

—Oh, sí. Unos cuantos.

—¿Sabe si el subtipo era el mismo que mató a los pacientes?

—Nuestro subtipo fue realizado por un sistema Vitek y solo para la resistencia a los antibióticos, y sí, algunos eran el mismo.

—La resistencia a los antibióticos no es particularmente sensible a la hora de diferenciar subcepas.

—Soy consciente de ello, pero dado que tratamos a cualquiera que dio positivo para el estafilococo, creímos que no tenía importancia.

—Quizá sea así —admitió Laurie—. ¿Mandaron que algunos de los aislados fueran clasificados por el CDC?

—No, no lo hicimos.

—¿Por qué?

—Fue una decisión tomada por la oficina central. Supongo que debido a que estábamos tratando a todos los que daban positivo, como he dicho, la clasificación no tenía ninguna relevancia. Además, ya estábamos poniendo en marcha todos los procedimientos conocidos de control de infecciones.

—¿Informaron al CDC de que se enfrentaban a un brote de EARM?

—No, lo hicimos.

—¿Qué me dice de la Joint Commission on Accreditation of Healthcare Organizations? ¿Se lo notificaron?

—No, no lo hicimos. Solo es necesario notificarlo a la JCAHO si nuestro índice de infección general supera el cuatro por ciento por encima de nuestro período de vigilancia designado.

—¿Y cuál es?

Laurie vio que Loraine titubeaba, como si le hubiera pedido que revelase un secreto de estado.

—No tiene que decírmelo si eso la incomoda —añadió Laurie—. Ni siquiera sé por qué lo pregunto.

—Pues yo no sé por qué titubeo. En cualquier caso, es en el intervalo de un año.

—Pero el promedio podría estar por encima del cuatro por ciento si considera los últimos tres meses.

—Es posible —asintió Loraine—. Pero no me he detenido a calcularlo.

—¿Qué me dice del New York City Board of Health? Supongo que a ellos sí los informaron.

—Por supuesto —dijo Loraine—. El epidemiólogo de la ciudad, el doctor Clint Abelard, nos visitó en varias ocasiones. Le impresionó todo lo que estábamos haciendo y no nos dio ninguna sugerencia, algo muy lógico, dado que lo habíamos intentado todo.

—Muy interesante —comentó Laurie. En aquel momento se sentía más tranquila, porque Loraine no se había burlado de ninguno de sus pensamientos. Al mismo tiempo, sentía cierto reparo a mencionar algunas de sus ideas más estrambóticas—. ¿Qué tal una visita? Su hospital es realmente muy elegante; no se parece a ningún otro que haya visto.

—Faltaría más —dijo Loraine sin vacilar—. Todos estamos muy orgullosos, máxime cuando todos somos propietarios.

—¿De verdad? ¿Cómo es eso?

—Nuestra presidenta, la doctora Dawson, entregó a todos los empleados una pequeña cantidad de acciones cuando firmamos. No es mucho, pero tiene cierto valor simbólico. En realidad, podría cambiar para mejor en un futuro cercano. La empresa hará una oferta pública de acciones dentro de unas semanas. Si todo va bien, nuestros pequeños paquetes de acciones podrían tener algún valor.

—En ese caso, rezaré para que la OPA sea un éxito.

—Gracias. El rumor es que funcionará muy bien.

—¿Podemos hacer la visita ahora?

—Desde luego. —Loraine se levantó y abrió la puerta que daba al sector ocupado por las secretarias. Laurie la siguió—. ¿Qué le gustaría ver? —preguntó cuando salieron de administración para ir al vestíbulo principal—. Es más elegante que otros hospitales, pero por lo demás es bastante parecido.

—Pero no tienen sala de urgencias.

—Así es, no hay sala de urgencias. Somos un hospital quirúrgico. No queremos que las camas las ocupen pacientes médicos.

—¿Qué hay de una unidad de cuidados intensivos?

—No tenemos una unidad de cuidados intensivos propiamente. Si es necesario ese tipo de atención, podemos aislar una parte de la PACU, o unidad postanestesia. Si la PACU está llena, enviamos a los pacientes al University Hospital. Con eso ahorramos muchísimo dinero.

—No me cabe duda —asintió Laurie, pero la idea de un hospital quirúrgico que careciese de una UCI en toda regla la preocupaba.

Hicieron una pausa en el vestíbulo principal, delante de los ascensores.

—Es curioso lo tranquilo que está todo esto —comentó Laurie—. Hay muy pocas personas.

—Eso es porque nuestro número de ingresos es muy bajo; ha ido bajando progresivamente desde que se inició el problema del EARM. Por supuesto, lo peor fue cuando estaban cerrados todos los quirófanos. Durante dicho período, todo el personal del hospital, incluida la presidenta, se dedicó a desinfectarlo.

—¿Pero ahora los quirófanos están abiertos?

—Sí, están abiertos, excepto el quirófano donde el señor Jeffries fue intervenido ayer.

—¿La suya fue la única intervención que se hizo ayer en el quirófano?

—No, no fue la única. Hubo otras dos después del señor Jeffries.

—Y están bien.

—Perfectamente —afirmó Loraine—. Sé lo que está pensando. A nosotros también nos tiene desconcertados.

—Dado que los ingresos son bajos, parte de los cirujanos deben de haber decidido hacer sus intervenciones en alguna otra parte, ¿no?

—Eso me temo.

—¿Qué me dice del doctor Wendell Anderson?

—Él es uno de los más valientes, o debería decir leal. Continúa operando aquí con toda normalidad.

Laurie asintió mientras fantaseaba con la idea de atar a Jack a la cama mientras dormía el miércoles por la noche. Más que nunca, no quería que él se operara.

—¿Qué es lo que le gustaría ver? —repitió Loraine.

—¿Qué le parece si empezamos por el sistema de calefacción, ventilación y aire acondicionado?

Loraine abrió unos ojos como platos.

—¿Bromea?

—En absoluto —dijo Laurie—. ¿El sistema de los quirófanos y la PACU está separado de la parte principal del hospital?

—Por supuesto —afirmó Loraine—. Esta es una instalación ultra moderna. El sistema de ventilación de los quirófanos está diseñado para cambiar el aire cada seis minutos. No hay ninguna necesidad de hacer lo mismo con todo el hospital. Incluso la zona de laboratorios tiene su propio sistema, aunque no con esa frecuencia de cambio.

—Me gustaría verlo —insistió Laurie—. En particular el sistema de los quirófanos.

—Bueno, no veo por qué no. —Loraine pulsó el botón del cuarto piso.

Le explicó que la segunda planta era para los servicios de los pacientes externos. En la tercera se hallaban los quirófanos y la PACU además del aprovisionamiento central, y la cuarta era para los laboratorios y el servicio de mantenimiento. Mantenimiento incluía el sistema de ventilación y el suministro de los diversos gases a los quirófanos y a las camillas. Todas las plantas por encima de la cuarta estaban ocupadas por las habitaciones de los pacientes. El último piso estaba destinado a una zona especial VIP, con unas habitaciones un poco más grandes y una decoración más lujosa. El servicio, insistió, era el mismo.

—¿Todos los hospitales de Angels Healthcare son similares? —preguntó Laurie.

—Son idénticos en lo esencial, como lo serán los seis hospitales que comenzarán a construirse dentro de poco: tres en Miami y otros tres en Los Ángeles.

—Increíble —manifestó Laurie. Estaba impresionada con el edifico pero lamentaba que aquel lujo apartara una enorme cantidad de dinero de los hospitales de servicios generales como el University o incluso el General, que tenían problemas para cuadrar los números. En Angels Healthcare, como en otros hospitales especializados, solo estaban interesados en los pacientes de pago con problemas agudos, y no en los no asegurados o los enfermos crónicos. No solo eso, las fortunas que ganaban los empresarios también las estaban arrebatando del sistema de salud pública y del cuidado de los pacientes.

—Aquí estamos —dijo Loraine cuando se abrió la puerta del ascensor—. Mantenimiento está a la izquierda.

En contraste con la elegancia de un hotel de cinco estrellas del vestíbulo, la cuarta planta era el epítome del diseño minimalista de alta tecnología. Todo era de un blanco resplandeciente, y el pasillo se veía impecable. Los tacones de las mujeres resonaban en el suelo, y el sonido hacía eco en las paredes desnudas. No había cuadros, ni tableros de anuncios, solo puertas blancas cerradas. El único color lo ponían los reglamentarios carteles de salida de emergencia con letras rojas a cada extremo del largo pasillo.

—Creo saber por qué le interesa ver nuestro sistema de ventilación —dijo Loraine mientras caminaban.

—¿De verdad? —preguntó Laurie. Ella misma no estaba del todo segura. Lo único que sabía de los sistemas de ventilación era lo que había aprendido cuando habían hecho reformas en el edificio donde vivía.

—Usted piensa en un recorrido aéreo de la infección, que es otra muestra, hasta donde puedo suponer, de que no es una epidemióloga aficionada como dice ser. Pero permítame asegurarle que también lo hemos considerado, y hemos hecho análisis del agua de las bandejas de condensación en busca de estafilococos áureos en múltiples ocasiones, y, después de la tragedia de ayer, incluso esta misma mañana.

—¿Alguna de las pruebas dio positivo?

—No, ninguna —afirmó Loraine—. El estafilococo no está considerado un patógeno aéreo, pero eso no nos impidió asegurarnos. Incluso aunque las pruebas dieron negativo, vaciamos todas las bandejas y las desinfectamos.

—Yo tampoco creo que el estafilococo se propagara por el aire —admitió Laurie—. Pero el hecho de que varios de los casos fueran neumonías primarias parece indicar que la transmisión de la infección tuvo que ser aérea.

—Eso no puedo discutirlo —reconoció Loraine—, al menos desde una perspectiva académica, pero sí desde el lado práctico. Soy la presidenta de un comité de control de infecciones interdepartamental, que, tal como el nombre indica, es interdepartamental. Tenemos personas de todos los departamentos, como son la enfermería, la cocina, el mantenimiento. Ahora nuestro representante del equipo médico es un cirujano, y cuando discutíamos la posibilidad de que el estafilococo se propagara por vía aérea y creíamos que el sistema de ventilación podía tener algo que ver, nos dejó claro un hecho importante: los pacientes que reciben anestesia endotraqueal o con una máscara laríngea, que es lo que hacen en todos nuestros hospitales en caso de anestesia general, nunca respiran el aire del quirófano. El aire que respiran siempre proviene de una fuente embotellada.

—¿Nunca respiran el aire ambiental? —preguntó Laurie. Era la única teoría que tenía sobre cómo las víctimas del EARM se infectaban.

—¡Nunca! —confirmó Loraine.

Se detuvo delante de una de las puertas cerradas. A la altura de los ojos había una placa blanca con letras negras en la que se leía: MANTENIMIENTO.

—Aquí hay un poco de ruido —advirtió Loraine.

Laurie asintió mientras Loraine abría la pesada puerta aislada. Una vez en el interior, Laurie observó el gran recinto de techos altos. Las paredes y el techo eran de cemento. Una red de tuberías, algunas aisladas y otras no, serpenteaban desde los tanques multicolores y colgaban del techo. Otros conductos mucho mayores hacían lo mismo después de entrar o salir de las bombas de aire que tenían el tamaño de coches pequeños; cada una estaba montada sobre amortiguadores de goma.

—¿Alguna cosa en particular que desee ver? —gritó Loraine.

—¿Cuáles son las bombas que suministran aire a los quirófanos? —gritó a su vez Laurie.

Loraine llevó a Laurie por un pasillo un tanto angosto entre los equipos inmaculados. A medio camino de la pared opuesta, Loraine se detuvo y dio una palmada en el lado de una de las bombas.

—Es esta. El refrigerante viene de los condensadores del techo, y el agua caliente la suministran las calderas del sótano.

—¿Cómo se accede a la bandeja de condensación?

—Esta es la puerta de acceso —gritó Loraine. Sujetó la manija y tiró fuerte para vencer la resistencia. Cuando se abrió la puerta, oyeron un silbido.

Laurie metió la cabeza en la abertura y una corriente de aire le agitó el pelo en todas direcciones. Tuvo que sujetarlo para que no le cayera sobre la cara.

—Allá abajo tiene la bandeja de condensación —le explicó Loraine, mientras señalaba por encima del hombro de Laurie la base de la máquina.

Laurie asintió. Le interesaba porque sabía que las bandejas de condensación del aire acondicionado eran una fuente bastante habitual de infecciones transmitidas por el aire, como la enfermedad del legionario. Volvió la cabeza hacia la boca del conducto de salida, donde vio un filtro de malla.

—¿Eso es un filtro? —preguntó Laurie.

—Hay dos —respondió Loraine. Dio un empujón a la puerta, que se cerró automáticamente. Avanzó unos pasos. Había dos ranuras verticales. Las señaló con los índices—. El primero es un filtro normal para partículas relativamente grandes. El segundo es un filtro HEPA para partículas del tamaño de un virus. Antes de que lo pregunte, le diré que hemos revisado los filtros en múltiples ocasiones en busca de estafilococos. Solo en dos de ellas obtuvimos un resultado positivo.

—¿Era el CC-EARM?

—Lo era, pero no tenía importancia.

—¿Por qué?

—Porque el filtro HEPA lo había detenido.

—¿Qué es esa puerta de acceso más allá del filtro HEPA?

—Es el acceso para limpiar el conducto de salida. Limpiamos todos los conductos una vez al año.

Al cabo de poco más de un metro ochenta, el conducto de salida se dividía como un calamar en múltiples conductos más pequeños; cada uno iba a un quirófano separado, a la PACU y a la sala de cirugía. Laurie lo supo porque cada uno estaba marcado con una placa de formica. Lo mismo que en el conducto principal, cada uno tenía una abertura para la limpieza.

—¿Cuándo se limpiaron los conductos por última vez?

—Cuando se cerraron los quirófanos.

Laurie asintió. Al mirar hacia el final del pasillo entre los equipos, vio otra puerta.

—¿Adónde lleva aquella puerta?

—A otra habitación, muy parecida a esta, pero donde están también los generadores eléctricos. Más allá hay otra puerta que da a un par de ascensores de servicio y a una escalera.

Laurie asintió de nuevo y volvió al otro lado de la bomba que abastecía a los quirófanos.

Al igual que en el lado de salida, había una puerta de limpieza para limpiar el conducto de retorno. Luego miró a Loraine y se encogió de hombros.

—No se me ocurren más preguntas. Es un sistema impresionante. Muchas gracias por las explicaciones sobre las bombas. Parece conocer muy bien todo el sistema.

—Parte de nuestra preparación en el control de infecciones hospitalarias incluyó aprender más cosas de las que deseábamos sobre la ventilación y la calefacción —gritó Loraine. Luego señaló en la dirección por donde habían venido.

En cuanto la pesada puerta aislada se cerró detrás de las mujeres, el silencio del hospital en apariencia vacío las envolvió como una manta invisible. Laurie intentó arreglarse el pelo, que en aquel momento le daba el aspecto de haber ido en un coche descapotable.

—Me gustaría ver alguna habitación de los pacientes —dijo Laurie—. Siempre que tenga usted tiempo. No quiero monopolizar su tarde.

—Con tan pocos pacientes como tenemos ahora mismo, desde luego dispongo de tiempo.

—¿Qué le parece si me muestra la habitación de David Jeffries?

—Creo que la están desinfectando a fondo. Podemos ir a verla, pero estoy segura de que encontraremos al personal de limpieza.

—Entonces me vale cualquier otra habitación.

Cinco minutos más tarde, Laurie estaba en una de las habitaciones normales. En línea con la decoración de hotel de cinco estrellas del vestíbulo, la habitación estaba decorada y amueblada en el mismo estilo. La cama y el resto del mobiliario no correspondían a lo habitual en los hospitales. El televisor era un modelo de pantalla plana que estaba conectado sin ningún coste adicional a un servicio de televisión por cable y con acceso a internet. Había incluso un sofá que podía transformarse en cama si algún miembro de la familia quería quedarse a pasar la noche. Pero lo que más impresionó a Laurie fue el baño.

—¡Oh! —exclamó mientras echaba una ojeada. Era de mármol, y había otro televisor de pantalla plana—. ¿Tienen problemas para hacer que los pacientes se marchen?

—Es mucho mejor que mi baño. Se lo aseguro.

Sin ninguna razón específica para visitar la habitación, Laurie fingió que inspeccionaba la posición de las bocas de ventilación. Había varias muy cerca del techo y otras más abajo, cerca del rodapié. La misma distribución se repetía en el baño.

—Supongo que esto es todo —dijo Laurie.

—¿Hay alguna otra parte del hospital que quiera ver?

—Bueno… —respondió Laurie con un titubeo.

Después de ver cómo su vaga pero única teoría de que las víctimas de EARM se infectaban en los quirófanos había sido desmontada por la presencia de filtros HEPA y porque los pacientes a quienes se les administraba anestesia general nunca respiraban el aire ambiental, estaba convencida de que su visita era un fracaso absoluto, si lo que pretendía era encontrar la solución al misterio del brote. Desde luego detestaba hacer perder más tiempo a Loraine, a pesar de que la mujer había sido muy amable, hasta el punto de que parecía haber disfrutado acompañándola en la visita. Laurie comprendía que se sintiera orgullosa de la institución.

—No me está impidiendo hacer mi trabajo —manifestó Loraine al adivinar el motivo del titubeo de Laurie.

—No me importaría ver los quirófanos, si es posible.

—Tendremos que cambiarnos de prendas.

—Es algo que hago cada día.

Mientras volvían hacia los ascensores, Laurie advirtió que las pinturas de las paredes eran oleos originales y no láminas. Mientras esperaban que llegara el ascensor, Laurie miró hacia el puesto de enfermeras. Detrás del mostrador había una hilera de monitores de pantalla plana último modelo, correspondientes a cada una de las habitaciones. Todosestaban apagados. Cuatro enfermeras y un ordenanza holgazaneaban en el puesto: tres estaban sentados en sillas, los otros dos sobre la mesa. De vez en cuando se escuchaba alguna carcajada.

—Se comportan como si no hubiera pacientes en esta planta —comentó Laurie.

—No los hay —respondió Loraine—. Por eso la he traído aquí.

—A la vista de lo caro que es mantener un hospital, me atrevería a decir que el director financiero debe de estar sudando tinta.

—Eso no lo sé. Por fortuna, no es mi responsabilidad, y no hablo a menudo con los jefazos.

—¿Alguien ha perdido su trabajo?

—No lo creo. Hay quienes han pedido un permiso de baja voluntaria, pero la administración cuenta con que los ingresos aumenten de inmediato. Todos nuestros quirófanos están en funcionamiento.

—Excepto el quirófano donde fue operado David Jeffries.

—No está abierto hoy porque lo están desinfectando, pero lo abrirán mañana.

Laurie se sintió tentada de preguntar si los pacientes del día siguiente que serían atendidos en aquel quirófano conocerían la fatal experiencia de David Jeffries, pero no lo hizo. Habría sido una pregunta provocativa, de la que Laurie ya conocía la respuesta. Con demasiada frecuencia, a los pacientes se les negaba información que tenían todo el derecho a saber si el concepto de consentimiento informado era de verdad sincero.

La decoración de la planta de quirófanos y los quirófanos en sí, salvo la sala de los médicos, tenían el aspecto que habría esperado encontrar en una instalación de la NASA: aséptico y funcional. También era como la planta superior: toda blanca, con el mismo suelo de composite de madera. Las paredes, sin embargo, eran de azulejos. En cambio, la sala de los médicos estaba pintada de un verde relajante, y también a diferencia del resto del hospital había mucha más actividad, porque se marchaba el turno de día y llegaba el de la noche.

El vestuario de mujeres estaba muy concurrido. Loraine dio a Laurie las prendas quirúrgicas y le señaló una de las taquillas. Mientras ambas mujeres se cambiaban, Laurie escuchó la breve conversación que Loraine mantuvo con una empleada que acababa el turno. Loraine le preguntó si habían tenido muchos casos aquella mañana.

—Muy pocos —respondió la mujer—. Me temo que todos estén un tanto aburridos de pasar tantas horas sin hacer nada. Solo tenemos en funcionamiento dos de los cinco quirófanos.

Cinco minutos más tarde, Laurie y Loraine entraron en las salas de operaciones; las puertas dobles se cerraron tras ellas y las aislaron de las conversaciones procedentes de la sala de espera de cirugía.

A la izquierda de Laurie había un tablero correspondiente a la programación de intervenciones que estaba en blanco, lo que indicaba que no había ninguna operación prevista. A la derecha estaba la mesa de la sala de quirófanos, con un mostrador a la altura del pecho, detrás del cual Laurie solo alcanzaba a ver la parte superior de dos cabezas cubiertas. Más allá de la mesa había una puerta que comunicaba con la PACU. El pasillo central se prolongaba alrededor de dos metros y medio hasta una pared lejana.

Loraine se acercó a la mesa, y las dos mujeres sentadas detrás la miraron.

—¡Doctora Sarpoulus! —dijo Loraine. Se sorprendió al ver a su superior de control de infecciones—. No sabía que estaba usted aquí.

—¿Hay alguna razón para que deba saberlo? —replicó Cynthia en tono cortante.

—No, supongo que no —respondió Loraine. Dirigió su atención a la otra mujer, en cuya placa de identificación ponía: SRA. FRAN GONZÁLEZ, SUPERVISORA DE QUIRÓFANOS—. Fran, tengo aquí a una visitante que quiere echar una mirada a nuestros quirófanos. —Loraine hizo un gesto a Laurie para que se acercara al mostrador, y la presentó como médico forense de la ciudad de Nueva York.

Antes de que Fran pudiese responder, Cynthia levantó de nuevo la cabeza. Había vuelto a la lectura del registro de los quirófanos, del cual se habían estado ocupando antes de que apareciesen Laurie y Loraine.

—¿Es usted médico forense? —le espetó en un tono aún más hostil que cuando había hablado con Loraine.

—Así es —confirmó Laurie.

—¿Qué demonios está haciendo aquí?

—Yo… —comenzó Laurie, pero titubeó.

Estaba sorprendida por el tono y la mirada desafiante de Cynthia. Laurie no pudo menos que recordar la descripción que había hecho Arnold de la mujer, al decir que no solo se había mostrado muy poco dispuesta a colaborar, además de estar a la defensiva, sino que en esencia le había dicho que se largara. Lo último que quería Laurie era tener un enfrentamiento, porque sabía que, hasta cierto punto, estaba sobrepasando sus límites al hacer aquella visita. Steve Mariott, el investigador forense del turno de noche, había visitado el hospital después de que se comunicara la muerte de Jeffries al OCME.

—¿Bien? —preguntó Cynthia impaciente.

—Esta mañana he hecho la autopsia de un paciente que fue intervenido ayer aquí en el Angels Orthopedic Hospital, y que murió a consecuencia de una infección de EARM excepcionalmente agresiva.

—Somos muy conscientes de ello, muchas gracias —replicó Cynthia tajante.

Laurie miró por un momento a Loraine, que parecía tan sorprendida como ella.

—Cuando pregunté a mis colegas, descubrí que habían tenido ustedes varios casos similares. Me pareció apropiado venir para saber si podía ayudar.

Cynthia se rió con una carcajada cínica.

—¿Cómo cree que podrá ayudar? ¿Tiene usted alguna formación en epidemiología, control de infecciones, o incluso de enfermedades infecciosas?

—Mi formación es en patología forense —respondió Laurie a la defensiva—. No he tenido un extenso contacto con la epidemiología, pero creo que, cuando se produce un brote de este tipo, una de las primeras cosas que hay que hacer es identificar con toda claridad el subtipo de los organismos.

—Soy especialista en medicina interna con una subespecialidad en enfermedades infecciosas y tengo también una licenciatura en epidemiología. En cuanto a su comentario respecto al subtipo, tiene usted razón, pero solo si dicha información es necesaria para decidir determinado método de control. En nuestra situación no fue necesario, dado que nuestra presidenta ejecutiva insistió en que utilizásemos una estrategia de control global. Nuestro interés no era ahorrar dinero al ceñirnos a un enfoque limitado. Hablé con uno de sus colegas hace unas semanas después de que hiciese la autopsia de uno de nuestros casos de EARM. Le aseguré que éramos muy conscientes del problema y que empleábamos todos nuestros medios para resolverlo; también les di las gracias por la llamada.

—Todo eso está muy bien —manifestó Laurie, cada vez más enfadada—. Después de tener el dudoso honor de hacer la autopsia del desafortunado individuo esta mañana, puedo decir con cierta convicción que no ha tenido demasiado éxito en sus esfuerzos de control.

—Puede ser, pero desde luego no necesitamos ninguna interferencia. Su trabajo es decirnos la causa de la muerte y cualquier otra incidencia patológica que no sepamos. El hecho es que conocemos muy bien la causa y el mecanismo de la muerte, y que estamos haciendo todo lo humanamente posible para controlar este desafortunado brote. ¿Qué es lo que pretende conseguir con una visita a los quirófanos? ¿Qué es lo que quiere ver?

—Para serle sincera, no lo sé —admitió Laurie—. Pero le aseguro que en miles de ocasiones una visita al lugar ha ayudado o ha sido crucial en una investigación forense. El fallecimiento del señor Jeffries es ahora oficialmente un caso forense, y estoy obligada a investigarlo a fondo. Eso significa ver el escenario de la intervención. Existe la posibilidad de que estuviera expuesto a la bacteria que le ocasionó la muerte en el quirófano donde fue intervenido.

—Ya lo veremos —dijo Cynthia, y se levantó—. Necesitaré que hable usted con alguien con mucha más autoridad que yo. Insisto en que aguarde fuera de la sala de espera de cirugía. Volveré en un instante.

Sin decir palabra y sin siquiera mirar por encima del hombro, Cynthia caminó a paso rápido hasta la puerta y salió.

Laurie y Loraine intercambiaron otra mirada de sorpresa y desconcierto.

—Lo siento —dijo Loraine—. No sé qué le ha dado.

—Desde luego, no es culpa suya.

—Está sometida a mucha presión —intervino Fran, la supervisora de quirófanos—. Se ha ocupado a fondo del problema desde el primer momento, pero solo ha ido a peor. Se lo está tomando como algo personal, así que no haga usted lo mismo, doctora Montgomery. En más de una ocasión incluso me ha echado a mí la caballería encima.

—¿A quién ha ido a buscar? —preguntó Loraine—. ¿Al señor Straus, el director del hospital?

—No tengo ni idea —respondió Fran.

—Volvamos al vestíbulo —propuso Loraine a Laurie.

—Creo que sería una buena idea —asintió Laurie. Se notaba nerviosa debido a la descarga de adrenalina provocada por la inesperada confrontación y sus posibles consecuencias.

Mientras caminaban, Loraine añadió:

—La doctora Sarpoulus siempre ha tenido muy mal genio, como ha dicho Fran. ¿Está segura de querer quedarse? Se ha mostrado muy descortés.

—Me quedaré —respondió Laurie con ciertas dudas.

Lo que la motivaba era la esperanza de ser capaz de solucionar las cosas con alguien más racional que Cynthia Sarpoulus. Marcharse con mal pie desde luego no sería una gran ayuda si tenía que formular más preguntas, e incluso cabía la posibilidad de que presentasen una queja por su visita. Laurie quería por todos los medios evitar semejante posibilidad.

De nuevo en el vestíbulo, Laurie aceptó un café y unas galletas que le ofreció Loraine. Con tanta actividad, se había saltado la comida y estaba hambrienta.

—¿Así que fue decisión de la presidenta ejecutiva no identificar más a fondo las cepas de estafilococo presentes en el brote?

—Eso parece. Creía que había sido una decisión de Cynthia, pero ahora veo que no fue así.

Laurie tenía más preguntas, pero la reaparición de Cynthia interrumpió sus pensamientos. Por su expresión, su humor no había mejorado. Apretaba sus labios bien definidos, y caminaba con obvia decisión. La seguían una pareja. La mujer era de mediana estatura, con una tez pálida y sin ninguna marca, facciones aristocráticas, y el pelo abundante y corto. Vestía un elegante traje chaqueta y caminaba con gran autoridad al tiempo que conseguía transmitir una imagen de feminidad clásica. El hombre era su antítesis, no solo por el género sino por su aspecto general y por cómo se movía. Vestía una arrugada americana con coderas, del tipo que Laurie siempre había relacionado con los académicos.

En lugar de decisión proyectaba una imagen de cansancio, con los ojos claros que se movían inquietos como si se encontrara en un entorno potencialmente hostil.

—Doctora Montgomery —dijo Cynthia en tono triunfal—. Permítame que le presente a la doctora Angela Dawson, presidenta ejecutiva de Angels Healthcare, y al doctor Walter Osgood, director del departamento de patología clínica. Creo que debería dirigir sus comentarios a ellos.

—¿Cuál es el problema? —preguntó Angela. Por su tono, era obvio que la presencia de Laurie no era de su agrado.

—Me temo que no tengo ni idea —contestó Laurie mientras se levantaba. Dado que eran casi de la misma estatura, Angela y ella se miraban a los ojos.

Loraine se apresuró a levantarse.

—Si hay algún problema con la presencia de la doctora Montgomery, sin duda es culpa mía. La doctora Montgomery me llamó después de haber hecho la autopsia del señor David Jeffries. Me preguntó si podía realizar una visita al hospital como parte de su investigación. Respondí que sí. Solo pidió ver el sistema de aire acondicionado correspondiente a los quirófanos en los espacios de mantenimiento, una de las habitaciones de los pacientes y los quirófanos. No vi ningún problema en acceder. Supongo que debería haber consultado antes con el señor Straus.

—Dado que es el director del hospital, eso habría sido lo más prudente —señaló Angela—. Nos habría evitado a todos esta desagradable situación. —Luego se volvió hacia Laurie, y añadió—: Usted comprenderá que esto es una propiedad privada.

—Lo comprendo —admitió Laurie—. David Jeffries es un caso del jefe médico forense, y por ley tengo suficiente poder para incautarme de documentos y de todo lo necesario, y a visitar la escena con el fin de investigar a fondo la causa y las circunstancias.

—Sin duda hay alguna disposición legal para que usted realice su tarea, pero entrar aquí no es una de ellas. Alguien de su oficina ya nos visitó anoche y fue tratado con la debida hospitalidad. Estaré más que dispuesta a discutir esta cuestión con el jefe de la OCME, el doctor Harold Bingham, con quien he tenido el placer de hablar en varias ocasiones.

Laurie sintió que un escalofrío le recorría la espalda. Pese a saber que en última instancia tenía el derecho legal de hacer la visita, lo que menos quería era que Bingham se viese arrastrado a aquella ridícula situación sin ningún motivo, sobre todo porque sabía por anteriores experiencias que probablemente se pondría de parte del hospital.

—Gracias por su interés —continuó Angela—. Estoy segura de que su motivación es la de ayudarnos, pero como puede imaginar, este problema ha tenido un terrible coste no solo en algunos de nuestros pacientes sino también para nuestra institución y, con toda franqueza, estamos muy sensibilizados con esta crisis. Cuando llame al doctor Bingham, le mencionaré que no nos oponemos a que usted o cualquier otra persona de la oficina forense visite nuestros quirófanos, pero que requeriremos una orden y que la persona designada sea sometida a las pruebas necesarias como posible portador del patógeno. Como parte de nuestro intento para solucionar este horrible problema, insistimos en que todos los que entren en los quirófanos estén desinfectados.

—No se me había ocurrido —dijo Laurie en tono de culpa. No se le había pasado por la cabeza que ella podía ser una portadora, sobre todo porque aquella misma mañana había hecho la autopsia de un individuo que estaba completamente infectado por la bacteria.

—Nosotros, por otro lado, somos muy conscientes del riesgo. Pero la cuestión es que no estamos intentando limitar su investigación. Al mismo tiempo, estamos seguros de que su visita a nuestros quirófanos no le aclarará nada. El epidemiólogo del New York City Board of Health, el doctor Clint Abelard, que es un funcionario público como usted, ha inspeccionado nuestros quirófanos en dos ocasiones y no ha encontrado nada. Por supuesto, no se le permitió entrar hasta habernos asegurado de que no era portador de EARM.

—Hasta hoy no sabía que habían llamado a un epidemiólogo —reconoció Laurie—. Es obvio que está mucho más cualificado que yo. Lamento haber causado cualquier malentendido. Espero no haberlos molestado demasiado.

—En absoluto. La doctora Sarpoulus, el doctor Osgood y yo nos encontrábamos en el hospital ortopédico participando en la reunión mensual del personal médico. No es como si hubiésemos tenido que venir desde la oficina central.

—Me alegra saberlo.

—Hay otro punto que quiero dejar claro. Ha puesto en duda nuestra decisión de no identificar el subtipo exacto de la cepa particular del problema con el EARM que nos ha dado tantos quebraderos de cabeza. Para poder darle una explicación, le he pedido al doctor Osgood que me acompañase. Sé que la doctora Sarpoulus ha aludido a esas razones, pero el doctor Osgood podrá explicárselo mejor, dado que es especialista en patología clínica y microbiología. Es importante que comprenda que hemos hecho todo lo que estaba a nuestro alcance para eliminar el problema. Cualquier otra cosa sería una irresponsabilidad.


Quince minutos más tarde, Angela y Cynthia iban en un taxi en dirección sur por la Quinta Avenida. Walter se había quedado para reunirse con el supervisor del laboratorio del hospital ortopédico. Las dos mujeres permanecían en silencio; Angela miraba por la ventanilla lateral del taxi cómo los árboles de Central Park comenzaban a anunciar que la primavera estaba a la vuelta de la esquina.

Pero Angela pensaba menos en la naturaleza y más en sus problemas con Angels Healthcare, que parecían aumentar cada día que pasaba. La última cosa que esperaba a esas alturas era un problema con la oficina del forense. Le inquietaba la posible publicad, que había sido la gran preocupación desde el principio. Cuando se produjeron los primeros casos de EARM, se puso en contacto con Bingham para asegurarle que estaban atentos al problema hasta el punto de haber informado al Departamento de Salud Pública de la ciudad y contratado a un epidemiólogo para que fuera al hospital. Angela se volvió hacia Cynthia.

—¿Qué te ha parecido la forense? ¿Te dio la impresión de ser una persona independiente?

—Desde luego. ¿Por qué si no iba a querer a visitar nuestro hospital cuando no había ningún misterio respecto a la causa de la muerte? No me ha gustado verla allí mientras estamos intentando mantener tapado todo este asunto. Por eso fui a buscarte. Me pareció que era algo de lo que debías ocuparte.

—Me alegra que lo hicieras. La consideré una amenaza en cuanto la vi. No sé exactamente por qué, pero me pareció una persona muy empecinada, y, para complicarlo más, muy inteligente. ¿Viste cómo establecía contacto visual? La mayoría de las personas pilladas en las mismas circunstancias se habrían acobardado.

—Hizo lo mismo conmigo —señaló Cynthia—. La desafié desde el momento en que supe que se trataba de un médico forense.

—Me preocupa —admitió Angela—. Si consigue que este problema con el EARM se filtre a la prensa, desde luego llegará a los inversores institucionales. Si eso ocurre, lo más probable es que la OPA deba ser pospuesta; de lo contrario desde luego será un fracaso.

—Creo que ha estado magnífica tu respuesta.

—¿Eso crees? ¿De verdad?

—Claro que sí. En primer lugar has hecho una combinación exacta de condena y felicitación, amenaza y alabanza, para desequilibrarla. En segundo lugar, tu advertencia de llamar a su jefe claramente la afectó; no creo que vuelva a hacer más visitas, ya sean anunciadas o no. Por último le hiciste comprender que hay muchas personas trabajando para resolver el problema que tienen una formación epidemiológica mucho mejor que la suya. Estoy segura de que ahora mismo siente que ya ha cumplido con su responsabilidad.

—Espero que tengas razón —manifestó Angela, no del todo convencida.

—Por supuesto que sí. Estoy impresionada. Fuiste brillante. La manejaste como si fuese un títere.

Angela se encogió de hombros. No tenía la misma seguridad. Su intuición le decía lo contrario, y que la doctora Laurie Montgomery iba a ser un problema. Se preguntó si debía hablar con Michael de ello. Pero al cabo de unos minutos mirando al exterior, Angela sacó el móvil de su bolso Louis Vuitton y pulsó el botón de llamada rápida de su secretaria.

—¿Loren? Dame el número de teléfono del doctor Harold Bingham. —A Cynthia, le dijo—: Quiero tener la seguridad absoluta de que la doctora Laurie Montgomery no volverá a molestar.


El doctor Walter Osgood estaba nervioso. Durante todo el tiempo que estuvo hablando con su supervisor del laboratorio clínico del Angels Orthopedic Hospital, Simon Friedlander, no dejó de pensar en la visita por sorpresa de la forense. Le había explicado por qué había dispuesto no hacer las pruebas de EARM para determinar el subtipo específico. La mujer había asentido repetidamente como si lo comprendiese, aunque él había tenido la sensación de que no estaba de acuerdo. Era algo sutil pero claro, y le preocupaba.

Cuando acabó la reunión con Simon, que fue tensa debido a la preocupación por la inesperada visita de la doctora Laurie Montgomery, Walter le preguntó si podía utilizar su despacho para hacer una llamada particular. Sentado a la mesa de su colega, vio una foto de familia. Uno de los hijos de Simon tenía la misma edad que el hijo único de Walter. Antes de hacer la llamada, Walter cogió la foto enmarcada para ver mejor la imagen del muchacho. Era un joven sano, con una mata de pelo rubio y una expresión ridícula pero feliz. Walter controló un súbito ataque de tristeza, ira y envidia. Dejó la foto, cerró los ojos, y respiró profundamente para controlar sus emociones respecto a las injusticias de la vida. En aquel momento su hijo distaba mucho de estar sano, porque le habían diagnosticado una rara y muy grave manifestación de la enfermedad de Hodgkin que requería lo que su seguro médico consideraba un tratamiento «experimental». En ese momento el hijo de Walter ya no tenía pelo y había perdido la cuarta parte de su peso habitual.

Walter abrió los ojos, sacó la cartera y buscó un pequeño trozo de papel con un único número de teléfono con el código de Washington. Se suponía que era un número solo para emergencias, por lo que debatió consigo mismo si aquello merecía tal calificación. En realidad no tenía modo de saberlo. Adoptó una rápida decisión, cogió el teléfono y marcó.

Al otro lado, el teléfono sonó varias veces; Walter se preguntó qué diría si saltaba el contestador automático. Cuando ya creía que no responderían a la llamada, respondieron. Una voz profunda preguntó en tono suspicaz:

—¿Qué pasa? —No hubo ningún saludo.

—Soy Walter Osgood —comenzó Walter, pero de inmediato fue interrumpido.

—¿Utiliza usted una línea terrestre?

—Sí.

—Cuelgue y llame a este número —dijo la voz.

Le dictó un número y colgó.

Walter se apresuró a escribir el número en una esquina de una carta dirigida a Simon. Luego marcó el número. La misma voz respondió de inmediato.

—Se supone que no debe llamarme a menos que haya una emergencia. ¿Es ese el caso?

—¿Cómo puedo saber si es una emergencia? —replicó Walter—. Hasta donde sé, si no lo es ahora, lo será.

—¿De qué se trata?

—Una forense llamada Laurie Montgomery se presentó en el Angels Orthopedic Hospital haciendo preguntas.

—¿Por qué es eso una emergencia?

—Ella hizo la autopsia de un paciente que ayer murió a causa del EARM. Quería ir a los quirófanos, y estuvo incluso en las salas de mantenimiento.

—¿Y qué?

—Es muy fácil para usted. Pero no me agrada. En cualquier momento podría salir en los periódicos.

—¿Cómo ha dicho que se llamaba?

—Doctora Laurie Montgomery, de la OCME. ¿Qué piensa hacer?

—No lo sé. Pero le mantendré informado, y usted haga lo mismo.

Se cortó la comunicación. Walter observó el auricular como si pudiese responder a su pregunta. Luego colgó. Lo más extraño era que ni siquiera sabía cómo se llamaba el hombre.

Walter borró con mucho cuidado el número de teléfono que había escrito en el sobre, encima de la mesa de Simon, antes de salir del laboratorio.


El taxi de Laurie circulaba en dirección sur por la Segunda Avenida hacia su trabajo. Pero en lugar de preocuparse por su propia seguridad, más allá de haber comprobado que llevaba puesto el cinturón de seguridad, Laurie estaba obsesionada con la sorprendente visita al Angels Hospital. Nada había sido como esperaba.

El edificio era mucho más lujoso de lo que había imaginado. Los personajes que actuaban en la función iban desde encantadores hasta groseros, y la presidenta de Angels Healthcare, a la que nunca había esperado conocer, pertenecía con toda claridad a esa última categoría. Se preguntó si la mujer seguiría adelante con su apenas velada amenaza de llamar a Bingham. De acuerdo con la ley de la ciudad de Nueva York, un médico forense tenía todo el derecho, mientras investigaba un caso, de hacer lo que fuese menester para proteger al público, y visitar un quirófano donde se habían producido once muertes por infección en los últimos tres meses, desde luego entraba en dicha categoría.

La visita solo había aumentado su deseo de convencer a Jack para que desistiera de la intervención, al menos hasta haber resuelto el misterio del EARM. Si bien Angela Dawson había expresado ciertos remordimientos por el coste que el brote había supuesto para sus pacientes, también parecía muy preocupada por la institución en sí misma. Era como si ambas fuesen equivalentes, algo que sorprendía a Laurie. No podía creer que en aquellas circunstancias el hospital mantuviera los quirófanos abiertos, que la reducción de los beneficios fuera a la par con la pérdida de vidas. Le habían presentado a la presidenta ejecutiva como doctora, y Laurie había interpretado que era doctora en medicina, pero ahora creía que debía de estar doctorada en alguna otra carrera. Sencillamente, no le parecía posible que fuese otra cosa.

Intentó concentrarse en el brote, pero las contradicciones la confundían. Si bien sabía que era posible la propagación aérea del estafilococo, no era demasiado común, sobre todo porque el estafilococo no podía ser dispersado como el ántrax u otras infecciones bacterianas. El estafilococo permanecía viable durante un período muy corto fuera de un entorno cálido, húmedo y rico en nutrientes, y cuando unas pocas moléculas extraviadas caían en la nariz o en la boca de alguien, se comportaban de forma admirable y casi nunca causaban problemas. Sin embargo, en sus series de neumonías primarias, tenía que haber sido propagado por el aire, y eso significaba una gran dosis. Pero también significaba que los pacientes debían de haber estado expuestos en el quirófano a una cantidad relativamente grande del patógeno. El problema era que el sistema de ventilación estaba equipado con filtros HEPA, que atrapaban a los virus aunque fueran un centenar de veces más pequeños que las bacterias, e incluso si unos pocos conseguían pasar, el aire en los quirófanos se cambiaba cada seis minutos. Además, los pacientes que recibían anestesia general nunca respiraban el aire ambiental. En resumen, se dijo Laurie, era imposible. Sus series no podían haber ocurrido, ya fuese de manera natural o intencionadamente.

—Hemos llegado a su destino, señora —dijo el taxista a través del tabique de plexiglás.

Laurie pagó el trayecto y, todavía abstraída por el problema del estafilococo, bajó del taxi y subió la escalinata de la OCME. Una vez dentro, se sorprendió al ver que Marlene aún estaba en su puesto.

—¿No se supone que acabas de trabajar a las tres? —preguntó Laurie.

—Mi relevo llamó para decir que llegaría unos minutos tarde —respondió Marlene con su suave acento sureño.

Laurie asintió y fue hacia la puerta de la sala de identificación.

—Perdón, doctora Montgomery. Se supone que debo avisarla de que el doctor Bingham quiere verla en su despacho cuanto antes.

Laurie notó que se ruborizaba. Dedujo que Angela Dawson ya había llamado para quejarse de su visita. Dada la aversión de Laurie a tener confrontaciones con sus superiores, no le hizo ninguna gracia que la llamasen para hacerle reproches, si es que eso era lo que iba a suceder. No es que se sintiera culpable, pero temía perder el control de sus emociones. Esa respuesta automática apareció cuando era una preadolescente, y nunca había desaparecido del todo. En aquel entonces tuvo un terrible enfrentamiento con su autocrático padre, quien la había acusado injustamente de la muerte de su hermano mayor por sobredosis. Desde aquel espantoso episodio, era como si su respuesta a cualquier enfrentamiento estuviese incorporada a su cerebro y fuera de su control. Mientras se acercaba a la secretaria de Bingham, la señora Sanford, sintió que se ponían en marcha ciertas conexiones neuronales que la preparaban para la caída.

—Puede pasar —le dijo la señora Sanford.

Laurie escrutó el rostro de la secretaria al pasar por delante de su mesa con la ilusión de tener una pista de lo que le esperaba, pero la señora Sanford pareció evitar el contacto visual.

—¡Cierre la puerta, doctora Montgomery! —gritó Bingham desde detrás de su enorme y abarrotada mesa. Laurie lo hizo. Que el jefe fuera tan formal le hacía esperar lo peor—. ¡Siéntese! —añadió en el mismo tono de mando.

Laurie se sentó. Sabía que tenía arrebolado el rostro, pero no tenía idea de si era muy obvio. Esperaba que no. Lo que le preocupaba más de sus emociones reflejas era que las personas pudiesen interpretarlo como una señal de debilidad. Laurie sabía que no era una persona débil. Le había llevado un tiempo estar segura de ello, pero ahora que lo estaba, le molestaba no poder controlar un comportamiento que indicaba lo contrario.

—Estoy decepcionado con usted, Laurie —manifestó Bingham en tono un poco más amable.

—Lamento oír eso —dijo Laurie. Aunque había un leve temblor en su voz, se sintió animada. Había conseguido contener las lágrimas.

—Ha sido usted una persona tan fiable siempre... ¿Qué ha sucedido?

—No estoy segura de entender muy bien su pregunta.

—Acabo de hablar por teléfono con una tal doctora Angela Dawson. Estaba furiosa porque usted se había presentado sin anunciar en uno de sus hospitales privados, y había exigido entrar en zonas no autorizadas. Incluso amenazó con llamar al despacho del alcalde.

Después de haber superado momentáneamente sus emociones, Laurie se permitió mostrar una irritación más controlada. Según ella, Bingham tendría que estar felicitándola por su decisión y dándole apoyo en lugar de tomar partido por una empresaria que desde luego estaba más preocupada por su negocio que por sus pacientes.

—¿Y bien? —preguntó Bingham impaciente.

Con la idea de que era tan importante controlar el enfado como había controlado las lágrimas, Laurie explicó en tono pausado por qué había ido al hospital y que se había enterado de que las muertes de EARM estaban ocurriendo únicamente en los hospitales Angels Healthcare pese a sus esfuerzos por controlar la infección. Explicó que no se había presentado sin anunciar sino que había sido invitada por la presidenta del comité de control de infecciones, que se había mostrado amable y muy dispuesta a acompañar a Laurie en su visita.

Bingham tosió contra el puño. Observó a Laurie con sus ojos legañosos. Laurie se dijo que parecía un tanto más tranquilo tras escuchar la otra parte de la historia.

—¿Cuántas veces le hemos dicho el doctor Washington y yo que la política de la OCME es que los investigadores forenses hagan el trabajo sobre el terreno y usted, como médico forense, se quede aquí y se encargue de las autopsias.

—Varias veces —admitió Laurie.

—¡Vaya! —exclamó Bingham—. Sin exagerar, han sido por lo menos media docena. Tenemos investigadores forenses perfectamente preparados. ¡Usted debe utilizarlos! Que ellos recorran los hospitales de la ciudad y las escenas del crimen. La necesitamos aquí. Si no tiene bastante trabajo, ya me encargaré de solucionarlo.

—Ya tengo más que suficiente —replicó Laurie, mientras pensaba en todos los casos que tenía pendientes a la espera de alguna información adicional.

—Entonces vuelva a su trabajo y ocúpese de cerrar los casos —dijo Bingham en un tono que no admitía discusión—. Manténgase alejada de los hospitales de Angels Healthcare. —Zanjado el asunto, metió la mano en bandeja y cogió un puñado de cartas que esperaban su firma.

Laurie se quedó en su silla. Bingham ya no le prestaba atención mientras comenzaba a leer la primera carta.

—Señor, ¿puedo hacerle unas preguntas?

Bingham la miró. Su rostro reflejó sorpresa al ver que Laurie seguía sentada frente a él.

—¡Hable rápido!

—No puedo evitar sorprenderme al ver que no parece interesado por el número de casos de EARM que le mencioné y el hecho de que no se ha determinado el cómo ni el porqué. Con toda sinceridad, estoy desconcertada e inquieta.

—Es obvio que se trató de complicaciones terapéuticas —manifestó Bingham—. No tengo ni idea del cómo, pero sé que hay varios epidemiólogos que están trabajando en el caso. En cuanto al número... bueno, sabía que eran algunos, pero no sabía que habían llegado a la veintena.

—¿Cómo se enteró de ellos?

—De dos fuentes; la primera, la doctora Dawson, hace varios meses atrás. Quería comunicarme que había llamado al Departamento de Salud Pública y al epidemiólogo de la ciudad para informarles de la situación. Luego por un cirujano amigo mío. Es uno de los inversores en la empresa, además de trabajar en el

Angels Ortophedic. Realizó allí la mayoría de las operaciones de sus pacientes ricos antes de que comenzara el problema del EARM. Me ha estado manteniendo al corriente de la situación porque hará cosa de un año nos convenció para que Calvin y yo comprásemos acciones de la empresa.

—¿Qué? —exclamó Laurie—. ¿Es usted un inversor de Angels Healthcare?

—Desde luego no soy un gran inversor —señaló Bingham—. Cuando mi amigo Jason me lo recomendó porque se había enterado de que saldría a bolsa, le dije a mi agente que lo averiguara. Consideró que parecía una buena inversión. Es más, él compró un paquete mayor que el mío.

Laurie se quedó boquiabierta. Miró a Bingham atónita.

—¿Qué le ha dado? —preguntó Bingham—. ¿Por qué está tan sorprendida? Los hospitales especializados están atendiendo una necesidad.

—Estoy sorprendida —admitió Laurie—. ¿Conoce a la doctora Angela Dawson?

—No se puede decir que la conozca. He hablado con ella, como le he dicho, e incluso me la presentaron en una reunión en el ayuntamiento. Es muy impresionante. ¿Por qué lo pregunta?

—¿Es doctora en medicina o en filosofía?

—Es doctora. Está especializada en medicina interna.

Laurie estaba todavía más sorprendida.

—Tiene usted una expresión extraña, Laurie. ¿En qué está pensando?

—Estoy pensando que es un poco extraño que usted me ordene que me mantenga apartada de los hospitales de Angels Healthcare cuando es un inversor y hay un problema en ellos.

La red de capilares de la nariz de Bingham se dilató.

—Me molesta esa insinuación —gritó.

—No pretendo parecer insubordinada —se apresuró a añadir Laurie—. En realidad estoy pensando en su interés. Quizá lo mejor sería que se recuse.

—Más le vale tener cuidado, jovencita —replicó Bingham en tono paternalista, mientras apuntaba a Laurie con uno de sus gruesos dedos—. Vamos a dejar las cosas claras. De ningún modo estoy impidiendo sus investigaciones en este caso, y menos para defender mis inversiones. Solo le estoy diciendo que no vaya usted misma a los hospitales, porque puede irritar a personas con contactos políticos y ponerme en una situación difícil. Le pido que utilice a los investigadores forenses para hacer el trabajo de campo, como le he repetido desde hace años. ¿Ha quedado claro?

—Muy claro —dijo Laurie—. Pero quiero hacerle saber que mi intuición me dice que está ocurriendo algo muy extraño.

—Quizá —admitió Bingham a regañadientes. Era obvio que ahora estaba más enfadado que cuando había llegado Laurie—. Ahora salga de aquí y vuelva a su trabajo para que yo pueda seguir con el mío.

Laurie hizo lo que le ordenaba, pero antes de que pudiera abrir la puerta, Bingham añadió:

—Si no recuerdo mal, sus intuiciones siempre han resultado ser acertadas, así que manténgame informado, y, por amor de Dios, manténgase alejada de la prensa.

—Lo haré —prometió Laurie. Algunas veces en el pasado, había filtrado sin darse cuenta información confidencial a los medios.

Mientras subía en el ascensor al quinto piso, Laurie no podía decidir si estaba complacida consigo misma por haber controlado las lágrimas, o enfadada por provocar a Bingham. Se inclinaba por esto último. No habría servido de nada acusarlo de conducta impropia; ni siquiera ella misma lo creía. Su respuesta había surgido de la sorpresa al ver que su propio jefe daba apoyo a una organización cuya ética era cuando menos cuestionable. Con las partes emocional y racional de su cerebro hechas un torbellino, Laurie pasó por delante de su despacho para ir al de Jack. Necesitaba consuelo después de haber sido maltratada por Bingham y por la poderosa y políticamente bien relacionada Angela Dawson. Pero la silla de Jack estaba vacía.

—¿Dónde está Jack? —preguntó Laurie a Chet, que tenía los ojos pegados al ocular de su microscopio.

No la había oído entrar.

—Ha salido a una de sus visitas de campo —respondió Chet, que apartó la mirada de su trabajo.

—¿Eso qué significa?

—Ya conoces a Jack. ¡Cuanto más controversia, mejor! Se ha encargado de una autopsia en la que tres personas que están involucradas se están peleando entre sí por las circunstancias de la muerte. Se trata del caso de un obrero de la construcción que cayó desde el décimo piso de una obra.

—Conozco el caso —dijo Laurie—. ¿Qué es lo que pretende? —Teniendo en cuenta lo irritado que Bingham estaba con Laurie, esperaba que Jack fuese discreto, una virtud que a menudo se saltaba.

—¿Cómo puedo saberlo? Dijo algo de reproducir la escena, pero como no pretenda saltar él mismo desde el edificio, no tengo ni idea de qué quiso decir.

—Cuando vuelva, dile que lo estaba buscando.

—Lo haré —prometió Chet.

Laurie ya estaba a punto de marcharse cuando recordó que quería preguntarle a Chet por su caso de EARM.

—Correcto. Jack mencionó que estabas interesada, así que lo busqué. —Se apartó de la mesa; las ruedas de la silla chirriaron de tal manera que a Laurie le dieron dentera. Cogió un expediente de lo alto del archivador y se lo entregó—. Su nombre era Julia Francova.

—Fantástico —exclamó Laurie—. Me alegra que lo tuvieras. —Sacó el contenido para asegurarse de que se trataba de otro caso de Angels Healthcare.

—¿Por qué tanto interés?

—Tuve un caso similar esta mañana —explicó Laurie—. Se han producido varios a lo largo de los últimos tres meses: veinticuatro para ser exactos. No han aparecido en la pantalla de radar de nadie, porque los casos estaban muy distribuidos entre el personal, incluidos los casos en Queens y en Brooklyn.

—No sabía nada de los otros —admitió Chet.

—Ni nadie más. Estoy investigando, y estoy desconcertada.

Hay algo extraño en estos casos, y voy a descubrirlo aunque me vaya la vida en ello. Ya he conseguido provocar a nuestro temerario jefe.

—Avísame si puedo ayudar. La razón de que aún tenga este caso es porque he estado esperando una información del CDC antes de darlo por cerrado.

—No me digas que enviaste una muestra para que determinaran el subtipo —dijo Laurie mientras intentaba mantener controlado su entusiasmo.

—Lo hice. Envié una muestra al doctor Ralph Percy. Conseguí hablar con él a través de la centralita del CDC.

—Eso es realmente extraordinario. Llamaré al doctor Percy por ti, y apuntaré los resultados en el expediente. Te ahorrará un paso.

Ansiosa por añadir un nombre más a su matriz, Laurie intentó de nuevo marcharse. Esta vez, fue Chet quien la detuvo.

—Seguí el consejo que me diste esta mañana y he llamado a mi nueva amiga esta tarde.

—¿Qué ha pasado?

—Me descartó a la primera, y eso que fui directo, tal como tú me aconsejaste. Puse mi ego sobre la mesa, pero ella me rechazó. Incluso le había enviado unas flores para ablandarla, pero no hubo suerte.

—¿Fue descortés?

—No. En realidad estoy exagerando. Se mostró muy amable, aunque metí la pata con mi primera frase. Me había dicho la noche anterior que estaba intentando reunir doscientos mil dólares para la empresa en la que trabaja. Comencé la conversación diciéndole que había encontrado ese dinero en mi mesita de noche y que quería invertir.

—Una mala estrategia.

—Desde luego. Dijo que había tenido la sensación de que me burlaba de ella.

—Creo que yo me habría sentido igual —admitió Laurie—. ¿Cómo dejaste las cosas?

—Abiertas. Le di el número de mi móvil.

—No te llamará —afirmó Laurie con una risa irónica—. Es pedir demasiado. Harías que ella se sintiera como la agresora. Tienes que llamarla y pedirle disculpas por tu ridícula broma.

—¿Quieres decir que debo llamarla después de que me haya rechazado dos veces?

—Si quieres salir con ella, tendrás que llamarla. De haber querido que no la llamaras te lo habría dicho.

—¿Cuándo crees que debo hacerlo?

—Cuando quieras verla. Eso tendrás que decidirlo tú.

—¿Crees que debería llamarla hoy de nuevo? No quiero parecer pesado.

—No conozco exactamente cuál fue vuestra conversación —manifestó Laurie—. Pero has dicho que has dejado las cosas abiertas. Corres un leve riesgo de que se sienta molesta, pero yo creo que todo indica que se sentirá halagada. Llámala. Arriésgate —añadió Laurie mientras salía al pasillo—. Es obvio que tú quieres verla. ¿Qué puedes perder?

—El resto de mi autoestima.

—¡Vaya tontería! —dijo Laurie, y se fue a su despacho.

Chet entrelazó las manos detrás de la nuca y se echó hacia atrás para mirar al techo. Estaba indeciso, aunque confiaba en los consejos de Laurie. Era inteligente, intuitiva, y, por encima de todo, mujer. Con súbita decisión, se echó hacia delante, cogió el papel donde había apuntado el número de Angels Healthcare y efectuó la llamada. Quería hacerlo pronto, antes de perder el valor.

Como en la anterior ocasión, tuvo que pasar por la operadora para llegar a la secretaria de Angela. Luego, después de identificarse, lo dejaron en espera. Mientras esperaba, discutió consigo mismo si debía mostrarse divertido o serio, y decidió ser sencillamente directo. Cuando finalmente Angela se puso al teléfono, le dijo que había estado pensando en ella y que acababa de tener otra conversación con su colega, que de nuevo le había aconsejado llamarla.

En vista de que Angela no contestaba, Chet añadió:

—Espero no molestarla —añadió Chet—. Me han asegurado que no lo haría. Me comentó que existía un pequeño riesgo pero que lo más probable era que se sintiera halagada. Cuando le dije que le había dado mi número de móvil se rió y me dijo que usted no llamaría.

—Me parece que su colega es muy astuta.

—Cuento con ello —manifestó Chet—. En cualquier caso, llamo por dos razones: la primera es para disculparme por mi ridículo intento de parecer divertido.

—Gracias, pero no es necesario disculparse. En realidad, reaccioné de ese modo porque estoy un tanto desesperada. Acepto la disculpa. ¿Cuál es la segunda razón de la llamada?

—Deseo invitarla a cenar. Le prometo que será la última vez, pero tiene usted que comer, y quizá una interrupción en su rutina le dará una nueva perspectiva sobre dónde encontrar el capital que necesita.

—Desde luego, su insistencia es halagadora —dijo Angela con una risita—. Pero de verdad que estoy muy ocupada. Le agradezco la llamada, máxime cuando supongo que como médico debe de tener una sala de espera a rebosar.

—Podría ser —respondió Chet, que se refugió de nuevo en el humor defensivo—, pero están todos muertos.

—¿De verdad? —Angela supuso que se trataba de una respuesta humorística, pero no la captaba—. No lo entiendo.

—Soy médico forense —respondió Chet—. Se supone que es divertido. Estoy libre esta noche, a partir de ahora. Lo que quede por hacer, siempre podré acabarlo más tarde.

—¿Trabaja aquí en Manhattan?

—Sí. Llevo trabajando aquí doce años. Sé que no es tan atractivo como ser neurocirujano, pero para mí, intelectualmente, es un desafío mayor. Todos los días aprendemos algo y vemos cosas que nunca hemos visto antes. Los neurocirujanos hacen lo mismo cada día. La verdad es que hacer craneotomías un día sí y otro también me volvería loco. Supongo que la empresa para la que usted trabaja emplea a patólogos clínicos. —Chet calló, sin saber muy bien cómo respondería Angela a su trabajo. Por su experiencia, las mujeres se sentían o fascinadas o desinteresadas totalmente. No había término medio.

Por desgracia, Angela no respondió a su última frase, que era con toda intención una media pregunta. Por un momento hubo una pausa, que hacía que Chet se sintiera cada vez más incómodo. Le preocupaba haber cometido un error al mencionar su especialidad.

—¿Sigue ahí, Angela?

—Sí, aquí estoy. ¿Así que trabaja con el doctor Harold Bingham?

—Así es. ¿Lo conoce?

—De pasada. ¿También trabaja con la doctora Laurie Montgomery?

—Sí. Es más, acaba de salir de mi despacho. Es curioso que lo pregunte. También es mi consejera sentimental.

—Acabo de recordar una cosa —dijo Angela para cambiar de tema—. Unos minutos antes de que usted llamase, he recibido una llamada de mi hija. Llamaba desde la casa de su mejor amiga para decirme que la habían invitado a cenar y me pedía si podía quedarse. Le he contestado que sí.

—¿Eso significa que podría replantearse los planes de esta noche? —Chet intentó controlar sus ilusiones.

—Así es. Quizá tenga usted razón respecto a un cambio en mi rutina, y desde luego es cierto que necesito comer. Hoy solo he conseguido comer un sándwich a toda prisa.

—Entonces ¿cenará conmigo?

—¿Por qué no? —dijo Angela de modo que parecía más una afirmación que una pregunta.

Durante unos minutos, discutieron sobre la hora y el lugar. A propuesta de Angela, se decidieron por el San Pietro en la calle Cincuenta y cuatro entre Madison y la Quinta. Chet nunca lo había oído mencionar, pero Angela le dijo que era uno de los secretos mejor guardados de Nueva York. Ella se encargaría de reservar una mesa para las siete y cuarto. Chet aceptó de inmediato.

# 8

*3 de abril de 2007, 16.05 horas*

No había sido un buen día para Ramona Torres, de treinta y siete años y madre de tres hijos que iban desde los cinco hasta los once años. Su marido la había despertado con las primeras luces del alba para llevarla al Angels Cosmetic Surgery and Eye Hospital para una intervención. Era tan temprano que había tenido que despertar a sus hijos para despedirse. Una vez en el hospital, la había dejado en la elegante puerta de entrada, donde el conserje se había encargado de su maleta. Ramona le había hecho un gesto de despedida mientras él emprendía el regreso a su casa, en el Bronx, para ocuparse del desayuno de los hijos antes de ir a la escuela. Ella habría preferido que se hubiese quedado para darle apoyo moral.

Ramona siempre había tenido cierto miedo a los hospitales, pero sus temores habían aumentado notablemente tras su última hospitalización, debida al difícil parto de su hijo menor. Una complicación en el posparto durante el cual casi perdió la vida requirió una intervención de urgencia. Si bien le explicaron con todo cuidado que la embolia venosa que había sufrido no había sido culpa de nadie y que se había hecho todo lo posible para evitarle esa complicación, Ramona aún culpaba al hospital. Incluso el marido de Ramona, que era abogado, había sido incapaz de hacerla cambiar de opinión, de forma que cuando Ramona entró en el hospital aquella mañana, su corazón latía más deprisa de lo habitual y el sudor que perlaba su frente no se debía al exceso de calor.

Mientras Ramona se quitaba las prendas y se ponía la bata de hospital en la zona quirúrgica de día, se notó tensa e intentó ocultar sus temblores a las enfermeras y a sus ayudantes. Si alguien le hubiese preguntado de qué tenía miedo, habría sido incapaz de responder, aunque sufrir otra embolia venosa ocuparía el primer lugar de la lista. También aparecería en ella la anestesia. La idea de que otra persona, no importaba lo bien preparada que estuviera, tuviese el control de su vida era inquietante. Ocurrían errores, y Ramona no quería ser otro error. Como secretaria de un médico, tenía un conocimiento más que suficiente de todo lo que podía salir mal.

Con esa disposición mental, Ramona casi descartó operarse mientras esperaba en la camilla en la zona de admisión. Pero entonces intervino la vanidad. Tras el nacimiento de su último hijo aumentó considerablemente de peso, pero no lo perdió de nuevo, como era lo normal; es más, empeoró hasta el punto de que la propia Ramona tuvo que admitir que era obesa. Si bien Ricardo, su marido, nunca había dicho nada al respecto, ella sabía que no le gustaba. Tampoco le gustaba a ella, sobre todo cuando su hijo mayor, Javier, le dijo que se avergonzaba de su madre. Dado que Ramona había sido totalmente incapaz de reducir la ingesta de calorías, contra su voluntad se decidió por una liposucción, a la que una amiga suya se había sometido con gran éxito. Con la ilusión de conseguir el mismo resultado, Ramona fue a la consulta del cirujano plástico de su amiga y fijó una fecha.

Después de tres horas y media de operación, Ramona se despertó vomitando, pero por muy desagradable que eso fuese, las cosas fueran a peor. Lo único bueno fue la rápida visita de Ricardo, que se tomó unos momentos para salir de su oficina y visitar a Ramona cuando la trasladaron de la unidad de postanestesia a su lujosa habitación. No pudo quedarse mucho tiempo, algo que Ramona no lamentó porque se había sentido muy incómoda. No fue capaz de encontrar una posición que no aumentara el dolor, y los calmantes, que podía administrarse ella misma, no parecían hacer ningún efecto.

Luego, media hora más tarde, sintió un terrible escalofrío, algo que nunca había experimentado antes. Comenzó en lo más profundo de su cuerpo y se extendió hasta la punta de los dedos. Alarmada ante este acontecimiento, llamó de inmediato a la enfermera, que se apresuró a taparla con una manta. También le tomó la temperatura y anotó una fiebre de treinta y nueve grados; una fiebre considerable.

—No es algo fuera de lo habitual —le dijo la enfermera—. Con una liposucción tan importante como la suya, es como si tuviese una gran herida, pese a que usted solo puede ver unas pequeñas incisiones en la piel.

Ramona se dio por satisfecha con aquella explicación, hasta el momento en que aparecieron síntomas más inquietantes. De pronto notó una vaga opresión en el pecho, la necesidad de toser y la sensación de que no podía respirar hondo. Si Ramona no hubiese sufrido una embolia venosa después de su último parto, quizá no se habría asustado tanto. Buscó el botón de llamada y lo pulsó varias veces.

—Señora Torres, solo tiene que llamar una vez —le reprochó la enfermera cuando entró en la habitación y se acercó al lecho.

Ramona le explicó los síntomas y su miedo de tener una embolia pulmonar. La enfermera le tomó de nuevo la temperatura, que solo había subido una décima, y también la presión, que era un poco más baja.

—¿Estoy teniendo una embolia? —quiso saber Ramona, inquieta.

—No lo creo —respondió la enfermera—. Pero voy a llamar al médico interno y también a su cirujano.

En aquel momento Ramona tosió, algo que había estado intentando evitar, porque cualquier movimiento aumentaba el dolor postoperatorio. Cuando tosió y expectoró en un pañuelo de papel, vio algo que la asustó todavía más. También alarmó a la enfermera. El moco no tenía solo rastros de sangre, sino que era una masa sanguinolenta.

# 9

*3 de abril de 2007, 16.15 horas*

Había sido uno de aquellos días frustrantes para el teniente detective Lou Soldano. Lo único positivo había sido cuando Jack le dijo que, al parecer, la hija de su amigo sargento detective era inocente de la acusación de asesinato, y lo mismo había ocurrido con el novio en el otro caso. Pero en el caso que más le interesaba a Lou, no había conseguido avanzar. Seguía sin saber quién era el desconocido asiático, pese a las muchas averiguaciones. Ni siquiera tenía la seguridad de que aquel tipo fuese norteamericano.

Después de su reunión con Freddie Capuso, en la que había averiguado que la víctima había sido asesinada porque iba a delatar algo, Lou había vuelto a la jefatura, donde había buscado al sargento detective Ronnie Madden en la División contra el Crimen Organizado. Ronnie no se había enterado de la muerte, así que no pudo añadir nada. En cambio, le dio ciertas informaciones referentes a Louie Barbera, incluida la de que utilizaba como tapadera un restaurante en Elmhurst llamado The Venetian. Ronnie confirmó la opinión de Freddie de que las relaciones entre las familias Lucia y Vaccarro no eran muy buenas, pero que no se presagiaba una guerra de bandas.

Lou fue después a la División de Personas Desaparecidas para saber si habían hecho algún progreso en la identificación de la víctima. No era así, y Lou tuvo la impresión de que estaban esperando una denuncia que les resolviese el trabajo. Lou insinuó que podía ser útil mostrar algo de interés, pero no sirvió de nada.

El teniente incluso se obligó a ir al FBI. Detestaba la altanería con la que se comportaban, como si ellos fuesen unos aristócratas y los polis una pandilla de plebeyos ignorantes. A diferencia de Personas Desaparecidas, aún no habían recibido ninguna información del caso. Lou intentó subsanar esa situación, pero le respondieron que preferían enterarse a través de los canales oficiales, lo que venía a decir: «Déjenos en paz porque estamos demasiado ocupados para atender sus tonterías».

Fue en ese momento cuando a Lou se le ocurrió la idea de volver a Queens para visitar a Louie Barbera. Mientras cruzaba el puente de Queensboro, reconoció que se había obsesionado con un único caso en detrimento de todos los demás que tenía pendientes, pero así era él. Cuando salió del puente y entró en Queens, estaba absolutamente dispuesto a encontrar el quién, el porqué y el dónde del asiático asesinado.

Lou no tuvo problemas para encontrar The Venetian. Formaba parte de una relativamente nueva zona comercial, y estaba metido entre una licorería y una tienda de DVD. Lou aparcó en el pequeño aparcamiento delante del centro comercial. Dos de los coches eran tradicionales Cadillac negros, algo que hizo sonreír al teniente. Los listillos de nivel medio hacían lo posible por pasar desapercibidos, y después todos conducían el mismo tipo de coche. No tenía sentido, aunque en ese momento le permitía a Lou saber que Louie Barbera estaba en el local.

Lo primero que vio al entrar fueron las pinturas enmarcadas en terciopelo negro de Venecia. Recordaba esas pinturas de los restaurantes italianos que frecuentaba en la juventud, pero hacía tiempo que no las veía. También advirtió que todas las mesas tenían manteles a cuadros rojos y blancos, algo que era toda una antigüedad. La única cosa que le faltaba al restaurante eran las viejas botellas de Chianti con velas con varios años de churretes de cera.

—Está cerrado —dijo una voz en la penumbra.

La iluminación era muy escasa, provenía del sol que entraba

por las ventanas. Lou tuvo que esperar a que se le acostumbrasen los ojos. Cuando lo hicieron, vio a cinco hombres que jugaban a las cartas en una mesa redonda. Había múltiples tazas de café y los ceniceros estaban a rebosar.

—Lo suponía —dijo Lou—. Busco a Louie Barbera. Me dijeron que lo encontraría aquí.

Durante unos momentos, los cinco hombres permanecieron inmóviles como estatuas. Por fin, uno de ellos, que estaba sentado de cara a Lou, preguntó:

—¿Quién es usted?

—Soy el teniente detective Lou Soldano de la policía de Nueva York. Soy un viejo amigo de Paulie Cerino. —Lou vio cómo el grupo se tensaba ante esa información, pero bien podría haber sido su imaginación.

—No me suena —dijo el mismo hombre.

—Bueno, no tiene importancia —manifestó Lou—. ¿Usted es Louie Barbera?

—Podría ser.

—Le ruego me conceda un momento de su tiempo.

Tras un gesto de Louie, los cuatro hombres que lo acompañaban se levantaron. Dos se fueron a la barra vacía. Los otros dos se acercaron a la pared opuesta. Todos se llevaron sus cartas. Louie señaló la silla que tenía delante, y Lou se sentó.

—Lamento interrumpir la partida —dijo Lou, que miró las ropas vulgares y el cuerpo obeso del hombre. Era obvio que no estaba al nivel de Vinnie Dominick.

—No importa. ¿Por qué busca a Louie Barbera?

—Quiero hacerle una pregunta.

—¿Cuál?

—Me gustaría saber si hay algo más aparte de la habitual animosidad entre la gente de las familias Lucia y Vaccarro.

—¿Por qué quiere saberlo?

—Corre el rumor en la calle de que anoche se cargaron a un tipo. Cuando algo así ocurre, y resulta que la víctima está relacionada con una de las dos familias, pueden surgir viejos rencores y acabar en una guerra abierta. En la jefatura no nos importa si se matan entre ustedes, pero nos molesta cuando resultan heridas personas inocentes. En ese caso tendríamos que venir aquí y poner las cosas en orden. ¿Me entiende?

—Por supuesto —admitió Louie—. Pero no estaba enterado de que se hubiesen cargado a nadie.

—¿Está seguro? Lo digo porque pienso en interés suyo. Siempre es mejor para su verdadero trabajo y para mí que reine la paz.

—Soy propietario de un restaurante. ¿A qué se refiere con mi verdadero trabajo?

Lou lo pensó un momento. Estuvo tentado de decirle al imbécil que tenía delante que aquel juego era una lamentable pérdida de tiempo, pero se lo pensó mejor. Se cubrió la boca mientras tosía y después dijo:

—Déjeme que se lo diga de este modo: ¿Está usted seguro de que todos los camareros, personal de cocina y ayudantes se van a presentar hoy, en particular aquellos que son asiáticos?

Louie se echó hacia atrás y llamó a uno de los hombres sentados en uno de los taburetes del bar.

—¿Carlo, se ha presentado todo el personal?

—Han venido todos —respondió Carlo.

—Ya lo ve, teniente —dijo Louie.

Lou se levantó, sacó una de sus tarjetas y la dejó sobre la mesa.

—Si por casualidad oye algo referente al muerto, llámeme. —Luego fue hacia la puerta. Antes de salir, se volvió para añadir—: También he oído el rumor de que Paulie Cerino saldrá en libertad condicional. Salúdelo de mi parte; nos conocemos desde hace mucho.

—Lo haré —dijo Louie.

En cuanto se hubo cerrado la puerta, los cuatro delincuentes volvieron a la mesa y ocuparon las mismas sillas de antes. Carlo Paparo estaba sentado a la derecha de Louie. Era un hombre musculoso con grandes orejas y una nariz respingona. Llevaba un polo negro debajo de una chaqueta de seda gris y pantalones negros.

—¿Conoces a ese payaso? —preguntó Carlo.

—Había oído hablar de él por boca de Cerino, pero no lo

conocía. Paulie lo odiaba tanto que acabó por quererlo. Al parecer, se enfrentaron tantas veces que acabaron por respetarse.

—Tiene muchos cojones al presentarse aquí. Ninguno de los polis de Jersey habría hecho algo así sin un compañero y un equipo esperando fuera.

Louie había llegado de New Jersey para ser el jefe de operaciones de la familia Vaccarro en Queens. Allí había dirigido una organización más pequeña. Cuando lo trasladaron, se llevó consigo a sus más leales ayudantes, incluidos a Carlo Paparo, que llevaba con él desde el principio, Brennan Monaghan, Arthur MacEwan y Ted Polowski. Los martes y los jueves jugaban a las cartas, a menos que tuvieran que hacer algo importante.

¿Algunos de vosotros ha oído que Vinnie Dominick y su grupo de gilipollas se hayan cargado a alguien?

Todos negaron con la cabeza.

—Creo que deberíamos averiguarlo —prosiguió Louie—. El detective tiene razón. No queremos tener ningún follón con la poli ahora que estamos a punto de poner en marcha las operaciones, y menos con los polis del centro. Con la mayoría de los tipos locales podemos apañárnoslas, pero incluso eso podría cambiar si aparecen esos pesados buscando guerra.

—¿Cómo vas a averiguarlo?

—Podríamos hablar con Freddie Capuso —propuso Brennan—. Nos costaría unos pavos, pero quizá él sepa a quién se cargaron.

—No sabe una mierda —dijo Carlo—. Casi siempre que le preguntamos algo, no nos cuenta más que trolas. Es un jodido recadero.

—Creo que debemos seguir a Franco Ponti durante unos días —opinó Louie—. Cuando Vinnie necesita que se carguen a alguien utiliza a Franco, y si van a matar a más gente, me gustaría saber antes que después a quién se cargan. Los Lucia están causando bastantes problemas. No quiero que estropeen nuestros planes de expansión.

—Será fácil seguir a Franco con ese viejo trasto que conduce —dijo Arthur, y todos se rieron. El coche de Franco era famoso en el barrio, con unos dados blancos y negros y una foto de él con su antigua novia, Maria Provolone, en el baile de graduación colgada del espejo retrovisor.

—Son las aletas las que me hacen reír —comentó Ted—. ¿De qué año es, de los cincuenta?

—Cada vez me gusta más la idea de seguir a Ponti —afirmó Louie, mientras pensaba en su propia propuesta—. Recordad el año pasado, cuando nos estrujamos los sesos tratando de saber cómo metían la droga en la ciudad; nunca lo descubrimos.

—¡No se nos ocurrió seguir a Ponti! —manifestó Carlo, que se dio una palmada en la frente—. ¿Cómo es posible que fuéramos tan estúpidos? Me refiero a que intentamos todo lo demás.

—Quizá este pequeño episodio nos aporte una recompensa inesperada —opinó Louie, sin saber lo profético que resultaría su comentario.

—¿Cuándo empezamos? —preguntó Carlo.

—Mi madre, descanse en paz, siempre decía: «No dejes para mañana lo que puedas hacer hoy».

—Sí, sí —dijo Carlo—. Porque hoy es el ayer de mañana.

Brennan, Arthur y Ted esbozaron una sonrisa. Como la mayoría de los dichos de Louie, habían oído esos dos hasta la saciedad.

—El tiempo es dinero —añadió Louie, que enarcó las cejas burlonamente. Sabía que a su gente sus dichos le resultaban aburridos.

—¡De acuerdo! —dijo Carlo—. Tendremos que hacer esto por turnos. Empiezo yo. ¿Quién viene conmigo?

—Yo voy contigo —se ofreció Brennan.

—Mantenedme informado —dijo Louie.

# 10

Laurie volvió a su despacho con el otro caso de Chet, todavía asombrada de que se estuviesen produciendo una serie de infecciones pese a ser del todo imposible que sucediesen; en ese momento deseó haber estudiado más epidemiología durante su formación. En silencio, se reiteró a sí misma la principal razón por la que no podía ocurrir. En primer lugar, los pacientes parecían todos sanos, y las personas sanas, por lo general, podían enfrentarse a un pequeño número de estafilococos introducidos en su nariz o en su boca. Por lo tanto, para que se produjese la neumonía primaria tendría que haber una gran cantidad de estafilococos en un plazo relativamente corto de tiempo, para superar las defensas naturales de los pacientes. Pero como Laurie se había enterado aquel mismo día, los sistemas HVAC de los hospitales de Angels Healthcare estaban diseñados para que no se produjesen tales circunstancias. Aparte de que los estafilococos no se podían transmitir por el aire, y por lo tanto era imposible que hubiese una súbita introducción de bacterias transportadas por el aire en una habitación donde este llegaba a través de un filtro HEPA y se cambiaba cada seis minutos, los ocupantes no tenían el EARM y todos llevaban mascarillas quirúrgicas.

Desde la perspectiva epidemiológica y científica, Laurie estaba cada vez más preocupada, porque el problema en los hospitales Angels no podía producirse naturalmente, lo que la llevaba a la inquietante conclusión de que los episodios debían de ser intencionados. De pronto, Laurie tuvo una idea. Había una persona en la sala de operaciones que podía provocar las neumonías, y esa persona era el anestesista. Por el control de la entrada de aire y sin que los demás lo vieran, el anestesista podía de algún modo diabólico introducir en secreto la suficiente cantidad de estafilococos en la profundidad del árbol respiratorio como para provocar la neumonía fatal.

Con una sensación de urgencia, Laurie abrió su matriz y se tranquilizó de inmediato. La matriz estaba en sus primeras etapas, pero incluso con el pequeño número de entradas que tenía, vio que había diferentes anestesias y anestesistas. Pero entonces tuvo otra idea. ¿Qué pasaba si no era una única persona sino todo un grupo de anestesistas los que estaban enzarzados en alguna disputa laboral con Angels Healthcare? Sin embargo, un segundo después de concebir esa teoría de la conspiración, la descartó como una muestra más de lo desesperada que estaba por encontrar una explicación. Incluso se burló de sí misma por habérsele ocurrido una hipótesis tan ridícula y paranoica; de inmediato juró no decirle a nadie, y menos a Jack, que había pensado algo semejante. Después de recuperar la racionalidad, comprendió que los hipotéticos malos no podían ser los anestesistas, porque en algunos casos no se trataba de una neumonía necrotizante primaria sino de una fulminante infección en el quirófano como resultado de un síndrome de choque tóxico.

Cuando se le acabaron las ideas, Laurie volvió a ocuparse de ampliar la matriz y rellenar los espacios en blanco. Cuando entró en su despacho, había visto una nota de Cheryl pegada en la pantalla del ordenador donde decía que la mayoría de las historias clínicas que Laurie había solicitado a los diversos hospitales Angels estaban en su correo electrónico y que el resto las recibiría al día siguiente. Laurie también había encontrado los paquetes enviados desde las oficinas del forense en Brooklyn y Queens que contenían los expedientes de los seis casos; y en otro sobre aparte estaban los dos casos restantes de Besserman y Southgate, que no estaban en su oficina cuando Laurie había recibido los otros cuatro.

Laurie abrió el correo y leyó todas las historias clínicas que Cheryl había reunido para ella. Una a una, las envió a la impresora de la administración. Para leerlas mejor quería tener copias impresas. Luego organizó los casos por hospitales. Con las historias clínicas y los registros hospitalarios tenía una considerable cantidad de información, lo que hizo que se preguntara si debía introducir la matriz en el ordenador. Aunque la idea era interesante, decidió seguir con el papel por el momento.

Cuando consideró que había pasado el tiempo necesario, bajó a la sala de ordenadores y recogió la pila de historias clínicas impresas.

Mientras subía en el ascensor, advirtió que eran casi las cinco; se preguntó si Jack volvería y cuándo. Al salir en el cuarto piso se detuvo un momento, y al ver a Agnes en el laboratorio de microbiología, sacó el móvil del bolsillo para asegurarse de que estuviese encendido por si acaso llamaba Jack. Era posible que estuviera más cerca de casa que del despacho tras su salida al campo, como la había llamado Chet, y que hubiera decidido marcharse a casa en lugar de volver a la OCME.

—Estamos haciendo progresos —la informó Agnes.

Laurie la había sorprendido en el momento en que se ponía el abrigo para marcharse a casa. Había terminado otra de sus jornadas de diez horas. Agnes le comentó todo lo que había hecho, y le confirmó que todos los casos de la serie de Laurie eran de estafilococos áureos resistentes a la meticilina. Luego le explicó dónde había enviado las muestras de David Jeffries para que se determinara un subtipo definitivo: al laboratorio de referencia del estado, al CDC y a Ted Lynch en el laboratorio de ADN de la OCME. Le dijo que el CDC sería más eficiente que el laboratorio de referencia estatal y que podía esperar tener noticias de ellos en dos o tres días; cuatro como máximo.

El comentario de Agnes sobre el CDC recordó a Laurie que había querido llamar al doctor Ralph Percy por el caso de Chet, pero una mirada a su reloj le dijo que quizá era demasiado tarde. Después de dar apresuradamente las gracias a Agnes por todo lo que había hecho, Laurie subió un piso por la escalera para ahorrar tiempo. Dado que Chet no le había dado el número de teléfono, tuvo que llamar a información telefónica para conseguir el número de la centralita del CDC. Cuando el telefonista la comunicó con el teléfono del doctor, Laurie escuchó la voz del contestador automático.

«¡Maldita sea!», murmuró antes de que el mensaje del doctor Percy terminara. Se había marchado para el resto del día. Laurie se enfadó consigo misma por no haber llamado en el momento en el que había vuelto del despacho de Chet. Después de la señal, Laurie dejó su nombre, el número de su teléfono directo, el nombre del paciente, y le dijo que estaba interesada en la clasificación de EARM que había hecho para el doctor Chet McGovern. También mencionó que era médico forense y colega del doctor McGovern.

—¿Qué está pasando? — preguntó Riva.

Había vuelto al despacho mientras Laurie había ido a recoger las páginas impresas, y había oído cómo dejaba el mensaje.

—Ha sido un día muy atareado —se quejó Laurie—. Quería hablar con alguien en el CDC, pero ya se ha marchado.

—Siempre hay un mañana —sentenció Riva.

—Espero que no estés intentando sacarme de quicio —dijo Laurie. Este tipo de comentarios le recordaban a su madre.

—Oh, no, al contrario, intentaba calmarte. Se te ve muy agitada. Sé que has estado muy preocupada la mayor parte del día.

—Eso es quedarse corto —replicó Laurie.

Luego le contó a Riva qué había hecho todo el día y por qué quería hablar con el doctor del CDC.

—¿Qué pasa con la mujer del CDC con la que hablé? —preguntó Riva—. ¿La has llamado?

—Lo hice. Fue muy amable y dijo que me llamaría.

—¿Por qué no lo intentas? Estoy segura de que ella tendrá acceso al caso de Chet.

—Buena idea —asintió Laurie.

Tenía el número de Silvia Salerno en un Post-it pegado en el borde de la pantalla. Mientras sonaba la llamada directa consultó su reloj; ya eran pasadas las cinco. De nuevo saltó un contestador automático. En esta ocasión no dejó un mensaje, porque la mujer ya había dicho que la llamaría. Laurie colgó el teléfono y sacudió la cabeza.

—¡Dos de dos! —dijo Riva divertida—. ¡Debe de haber toque de queda en el CDC!

Laurie se rió. El comentario de Riva sobre el CDC, que gozaba de fama mundial, la divirtió, por muy inverosímil que fuese, pero al reírse por primera vez ese día se dio cuenta de lo tensa que estaba.

Riva se levantó y cogió el abrigo de detrás de la puerta.

—Creo que seguiré el ejemplo de los de CDC y me iré a casa. Trabajar con Bingham esta mañana en el caso de la vigilancia policial me ha dejado agotada.

—Ah, sí —dijo Laurie—. He estado tan ocupada que se me ha olvidado preguntarte cuál fue el resultado.

—Nada bueno para la policía o para la ciudad —contestó Riva—, aunque podría resultar ser bueno para la familia. El hueso hioides tenía varias fracturas, así que es obvio que se usó una fuerza excesiva.

—La única parte buena es que Bingham tendrá que soportar el inevitable chaparrón político y legal.

—Eso es verdad —admitió Riva—. Nosotros los patólogos solo podemos decir que fue un crimen. Si ha sido justificado o no, lo dirá el jurado.

Con el abrigo puesto, Riva se despidió, pero antes de marcharse Laurie le preguntó:

—¿Si hay más casos de EARM durante la semana que viene mientras tu estés asignando las autopsias, me los pasarás?

—Desde luego —contestó Riva, y se marchó.

Laurie volvió a su mesa con las tres pilas de casos de los tres hospitales de Angels Healthcare y la pila de historias clínicas impresas. Durante los tres minutos siguientes clasificó los expedientes con sus registros hospitalarios. Aún faltaban algunos registros, tal como Cheryl le había indicado.

Colocó la matriz delante de ella, y recogió el registro hospitalario de David Jeffries y comenzó a leer. Mientras leía, fue llenando las casillas que no había podido rellenar sin el registro. Dado que aún consideraba que la sala quirúrgica debía de ser donde se había infectado, leyó el informe de la anestesia prestando atención a cualquier detalle. De este modo consiguió otras categorías adicionales en las que no había pensado antes, en particular: el número de quirófano, cuánto había durado la intervención, el tiempo pasado en la PACU y las drogas que se le habían suministrado allí. Mientras leía las notas de las enfermeras, encontró los nombres de la enfermera instrumentista y de la enferma perioperatoria. Provista con una regla, trazó unas rayas verticales para crear las casillas donde incluiría esa información suplementaria.

Cuando acabó con el registro hospitalario de David Jeffries, cogió otro. Resultó ser uno de los pacientes de Paul Plodget: un hombre de cuarenta y ocho años de edad llamado Gordon Stanek. Como Jeffries, había sido paciente del Angels Orthopedic Hospital. Y al igual que había hecho con Jeffries, utilizó el registro hospitalario para rellenar las casillas de su matriz. Como había advertido antes en los dos casos de Riva, los anestesistas eran distintos. Anotó que otras personas que habían tenido relación con el paciente, incluidos el cirujano y las enfermeras, también eran distintos, lo mismo que ocurría con el quirófano. Hasta la anestesia era distinta. Aunque a ambos pacientes se les había administrado anestesia general, los agentes empleados eran otros, y había un cambio en la manera de administrarla. Para Jeffries habían utilizado un tubo endotraqueal, mientras que a Stanek le habían colocado una máscara laríngea.

Laurie se echó hacia atrás en la silla y miró primero la matriz y luego todas la historias clínicas y los registros hospitalarios. Sería un largo proceso. Al final, esperaba encontrar un factor común.

Laurie iba a coger otro de los registros hospitalarios cuando unos golpes rítmicos que llegaban desde el pasillo captaron su atención. Era un sonido bajo y distante, y de no haber estado el edificio en absoluto silencio, porque eran más de las cinco, no lo habría oído. Siguió en la silla, e inclinó la cabeza en un intento por escuchar mejor. Aunque el ritmo seguía siendo el mismo, cada vez sonaba más fuerte. Era como si alguien estuviese golpeando el suelo con un martillo de goma y se acercase cada vez más.

Un terror irracional sacudió a Laurie como una descarga eléctrica. La idea de levantarse de un salto y cerrar la puerta con llave pasó por su mente, aunque estaba paralizada en la silla.

—Hola, encanto —dijo Jack mientras aparecía en el umbral y entraba en el despacho de Laurie ayudándose con las muletas. Se inclinó para darle un beso en la frente—. Nunca adivinarías qué he estado haciendo. —Jack apoyó las muletas contra el archivador de Riva y se sentó en su silla—. Me lo he pasado de miedo. —Comenzó a contárselo, pero entonces se detuvo a media frase, cuando miró de cerca a Laurie. Se inclinó hacia delante y agitó una mano junto al rostro de su esposa—. ¡Eh! ¡Hola! ¿Hay alguien en casa?

Laurie le apartó la mano.

—Con lo silencioso que está todo por aquí, tú y tus muletas me habéis asustado —respondió, sin estar muy segura de si se sentía aliviada o enfadada.

—¿Cómo es eso? —preguntó Jack desconcertado.

—Porque... —comenzó Laurie, pero después se dio cuenta de lo ridículo que era haberse asustado por el sonido que hacían las muletas de Jack sobre el suelo de vinilo del pasillo. También comprendió que era otro síntoma de la gran tensión que soportaba.

—Lo siento —dijo Jack.

Laurie le dio una palmada en la rodilla.

—No tienes que disculparte. Si alguien debe hacerlo soy yo. He tenido un día infernal.

—No importa —manifestó Jack, que recuperó el entusiasmo con el que había llegado—. Quería decirte lo que he estado haciendo durante el último par de horas.

—Me gustaría escucharlo. Pero ¿ves todos estos expedientes y estas hojas impresas de registros de hospital en mi mesa?

—Por supuesto que los veo —interrumpió Jack—. Casi no se

ve la mesa con tanto papel. Pero primero déjame que te hable del caso que rechazaste.

—Creo que deberíamos hablar de los casos que tengo sobre mi mesa —replicó Laurie.

—¡Dame un minuto! —dijo Jack en tono vivaz. Luego, con la voz más normal, añadió—: Dios, tienes una mente de dirección única.

«Mira quién habla de una mente de dirección única», pensó Laurie, pero no lo dijo. Algunas veces Jack era capaz de hacer perder la paciencia a un santo.

—Soy el recién llegado. Yo he venido aquí, así que mi historia va primero. ¿De acuerdo?

—De acuerdo —aceptó Laurie a regañadientes.

—En cualquier caso, gracias por pasarme el caso Rodríguez.

—No se merecen —mintió Laurie.

—La causa de la muerte era clara, como estoy seguro que tú ya sabías. La víctima, un obrero de la construcción, cayó desde el décimo piso de un edificio en construcción.

—¿Podrías ir al grano? —le pidió Laurie.

Jack la miró por un instante.

—Estás de un humor de perros.

—No, solo estoy un tanto impaciente por hablar de algo que, con el debido respeto, creo que es más importante.

—Vale, vale. Por no tener que seguir oyéndote protestar durante una semana, prefiero que cuentes tu historia.

—No, acepté que tú hablaras primero, así que acaba. Solo te pido que seas breve.

Jack sonrió antes de continuar.

—El examen interno mostró toda clase de heridas traumáticas, incluido el corazón, el hígado destrozado y fracturas compuestas bilaterales de los hombros. Pero sabía que eso no iba a ayudar con las circunstancias de la muerte, así que visité la escena.

—Espero que no hayas montado tu propia escena, Jack —señaló Laurie—. Porque yo he visitado una hoy mismo y sin darme cuenta he provocado un revuelo que ha hecho que Bingham escupiese sapos y culebras.

—¡Soy un diplomático! —afirmó Jack—. La verdad es que todos se divirtieron. Lo que hice fue llenar una bolsa para cadáveres con la arena que me ha proporcionado el constructor para que tuviese el mismo peso que la víctima. Luego subí al décimo piso…

—Espero que no hayas subido diez pisos con tu rodilla lesionada —dijo Laurie.

—¡No! —respondió Jack como si ese comentario estuviese totalmente fuera de lugar—. Me llevaron en el montacargas. Allá arriba miré el lugar donde el tipo estaba trabajando cuando cayó. Por una de esas ironías, estaba colocando las redes de protección. Con un tipo abajo con un cronómetro en mano, primero hicimos rodar la bolsa hasta hacerla caer por el borde como le habría sucedido al señor Rodríguez de haber caído accidentalmente. ¿Sabes a qué distancia del edificio acabó la bolsa?

—Ni idea.

—Un metro ochenta, y tardó dos segundos y medio. Cuando arrojamos la bolsa como si lo hubiesen empujado o hubiera saltado por propia voluntad, adivina dónde acabó en dos segundos y seis décimas.

—Por favor, solo cuéntame tu historia.

—A siete metros. No está mal, ¿eh? No fue un accidente.

—¿Qué pasa si se acercó al borde, cerró los ojos y dio un pasito?

—No puede ser. No querría herirse golpeándose contra el edificio en la caída.

—¿Estás seguro de eso?

—Lo estoy. Yo mismo pensé en hacerlo una vez; fue unos meses después del accidente de avión.

—Oh —dijo Laurie. Era un tema que no quería volver a tocar por el momento. Jack aún luchaba contra la depresión.

—Voy a cerrar el caso como un suicidio. ¿Sabes por qué?

—No lo sé. —Pese a su enfado inicial, estaba interesada—. ¿Por qué no un homicidio? Pudieron haberlo empujado o arrojado.

—Porque en el examen externo vi que tenía cicatrices en

ambas muñecas. Ya había intentado suicidarse una vez. En esta ocasión utilizó un método mucho más eficaz y garantizado.

—Muy interesante —manifestó Laurie con dudosa sinceridad—. ¿Ahora podemos hablar?

—Por supuesto —respondió Jack—. Pero creo saber lo que vas a decir.

—¿Lo sabes? —preguntó Laurie con cierta irritación.

—Vas a decirme que, a la vista de todas las historias clínicas que has reunido, sabes que ha habido una epidemia de infecciones posquirúrgicas de EARM en el Angels Orthopedic Hospital y que debo cancelar mi intervención o al menos aplazarla hasta una fecha indeterminada. ¿Caliente, caliente?

—Te estás quemando, pero creo que deberías escuchar los detalles.

—¿No podemos hacerlo mientras comemos algo en Columbus Avenue?

—Quiero decírtelo ahora —confesó Laurie—. Estos casos de EARM son todo un misterio. En mi opinión, lo que está ocurriendo es en realidad imposible, ya sea natural o intencionadamente.

Jack enarcó las cejas cuando Laurie mencionó la idea de que el EARM se estaba propagando de forma intencionada. Le preguntó si de verdad creía que era posible. Cuando ella le dijo que sí, él no descartó la idea sin más. Laurie tenía un extenso historial de encontrar soluciones curiosas que todos los demás habían descartado.

—De acuerdo, vamos a escuchar la versión completa; te prometo no interrumpir.

Primero Laurie le dio su matriz inacabada y luego le contó todo lo que había hecho durante el día, lo que había averiguado y lo que aún estaba pendiente. Acabó diciendo:

—No hay ni siquiera que discutir si debes o no seguir con tu intervención. No debes hacerlo, así de claro y sencillo.

—Lamento que Bingham te hiciera pasar tan mal rato. Creo que tu visita al hospital ortopédico debería ser motivo de una felicitación, y no de una regañina. Yo mismo estoy intrigado por todo lo que me has dicho, excepto la conclusión final. ¡No discutas conmigo!

Laurie había intentado interrumpirlo.

—He dejado que hablaras sin interrupciones, así que concédeme a mí la misma oportunidad. Hoy he estado muy activo anticipándome a tu intento de hacerme cambiar de idea, y me he enterado de algunas cosas. En primer lugar, las infecciones de tus series no son técnicamente hospitalarias, dado que no están dentro del período de cuarenta y ocho horas.

—Es verdad —admitió Laurie—, pero esa definición es más que nada con fines estadísticos.

—El límite de cuarenta y ocho horas es porque las infecciones dentro de ese plazo a menudo se deben a organismos que ya llevaba consigo el paciente. Este sin duda es el caso de tus series, y mi razón para creerlo es doble. Por lo que has averiguado, la contaminación no puede ocurrir ni naturalmente ni intencionadamente, por lo tanto la llevan los pacientes; en segundo lugar, todos los casos parecen ser de EARM contraído comunitariamente, que por definición proviene de la comunidad, en otras palabras, de fuera del hospital.

—¿Puedo decir algo ahora?

—Si crees que debes…

—El CC-EARM, o comunitariamente contraído, ha resultado ser un auténtico problema en los hospitales donde ha ido en continuo aumento desde hace años.

—Quizá sea así, pero creo que el hecho de que el bicho sea solo CC-EARM da más validez a mi teoría. De todos modos, y sea lo que sea, también llamé al despacho del doctor Anderson y hablé con su enfermera. Pensando en ti, le pregunté si era posible posponer la intervención y que me pusieran de nuevo en el horario de las siete y media. Me respondió que eso debía decidirlo el doctor porque él siempre comienza a las ocho y media o nueve y me estaba haciendo un favor al venir tan temprano un jueves.

—En ese caso vamos a retrasarla.

—No quiero retrasarla. Esa es la cuestión. Solo quería preguntar por si cambiaba de parecer, pero no lo he hecho.

—¿Por qué no? —preguntó Laurie con obvia irritación ante la intransigencia de Jack.

—Porque cuanto antes se haga —replicó su marido—, antes estaré montado en mi bicicleta y jugando en la cancha de baloncesto.

—¡Dios! —exclamó Laurie, que levantó las manos en un gesto de frustración.

—¡Escúchame! Luego le pedí a la secretaria si podía decirle al doctor que me llamara, cosa que hizo al cabo de una hora. Le formulé mis preguntas sin rodeos. Primero, si conocía los casos de EARM en los hospitales Angels. Dijo que sí, y admitió que era todo un misterio, porque me explicó todos los mecanismos de control de infecciones que el hospital había instalado con un gran coste. Las infecciones habían disminuido pero aún había algunas, aunque con una frecuencia mucho menor. Añadió que él mismo había introducido algunas medidas de control además de las que aplicaba el hospital.

—¿Cuáles son?

—En sus intervenciones, insiste en que el anestesista suministre más oxígeno, mantenga la temperatura del paciente e incluso controle los niveles de glucosa.

—¿Ha tenido alguna infección posquirúrgica reciente? —preguntó Laurie en tono incisivo.

—Me alegra que me hagas esa pregunta —dijo Jack complacido—. Aunque sé que es una cuestión delicada para los cirujanos, le pregunté si había tenido alguna. Sorprendentemente, me dijo que solo había tenido tres infecciones posquirúrgicas en toda su carrera, y que todas habían sido de fracturas compuestas abiertas, lo que significaba que los casos estaban contaminados desde el principio. Además, los tres habían sido en el University Hospital, no en el Angels Orthopedic.

—Así que no ha tenido ningún caso de EARM.

—No sé cuál era la bacteria en los casos del University, pero el hecho es que no ha tenido ningún problema de infección en el Angels.

Laurie miró a lo lejos. Estaba claro que estaba perdiendo la discusión.

—Incluso fui más lejos —añadió Jack—. Le pregunté de médico a médico si él seguiría adelante y haría la intervención tal como estaba programada dado el poco tiempo transcurrido desde la lesión y puesto que el Angels se enfrenta a un problema de EARM.

Jack hizo una pausa efectista.

—¿Y? —se vio obligada a preguntar Laurie. Quería saberlo.

—Dijo que lo haría sin vacilar. Además, no operaría en el Angels si no tuviese total confianza. Dijo que la única cosa que él haría sería utilizar un jabón antibiótico varios días antes de la intervención. Cuando le señalé que ya lo hacía, afirmó que todo iría bien. También comentó que cuando fuese mañana a hacer las pruebas del preoperatorio, dispondría que me hiciesen un análisis de EARM, y si resultaba ser portador, insistiría en que me trataran y aplazaríamos la operación. Se despidió de mí hasta el jueves a las siete y media de la mañana, y aseguró que estaría de nuevo en mi bici en tres meses y jugando al baloncesto en seis.

Laurie miró la pila de casos y registros de hospital. Sentía una mezcla de frustración, ira y desconsuelo. Jack desde luego había conseguido ganar algunos puntos importantes, sobre todo al hablar con su cirujano, que gozaba de una excelente reputación y era famoso por operar a atletas de alto nivel. Sin embargo, opinaba que era una decisión errónea seguir con la intervención dadas las circunstancias. Estaría bien si se hubiera tratado de una emergencia, pero al ser una intervención voluntaria, le parecía una locura.

—¡Hola! —dijo Jack, que se levantó y le tocó el hombro.

Laurie se levantó como si estuviese metida en un baño de melaza.

Jack le entregó la matriz.

—Todavía creo que debes continuar investigando estas series. Tiene que haber una explicación, y yo desde luego quiero escucharla.

Laurie asintió, cogió la matriz y la arrojó sobre los demás papeles sobre la mesa.

Jack la rodeó con sus brazos y la estrechó contra él.

—Gracias por preocuparte.

Laurie le devolvió el abrazo.

—Te quiero —dijo Jack.

—Yo también te quiero —respondió Laurie.

# 11

*3 de abril de 2007, 17.25 horas*

—¿Cómo vamos a hacer este trabajo? —le preguntó Angelo a Franco.

Estaban en el coche de Franco, después de haber aparcado en el lado izquierdo de la Quinta Avenida entre las calles Cincuenta y seis y Cincuenta y siete. Había una hilera de enormes pilones de cemento en la acera, al parecer para proteger la Trump Tower de los vehículos. La entrada principal del edificio estaba detrás de ellos, y los obligaba a mirar por encima del hombro para mantener vigilada la zona.

—Buena pregunta —respondió Franco—. Esta no es la misión más fácil que me hayan encomendado. ¿Cuál era la descripción?

Angelo le entregó la hoja de papel.

—Te toca a ti vigilar la entrada —añadió Franco. Se volvió para leer deprisa la descripción—. Supongo que dependemos del pelo. Pero soy incapaz de imaginar cuál puede ser el aspecto de una rubia con reflejos verde lima. Casi asusta.

—Creo que la estatura nos dará una pista, al menos al principio —señaló Angelo. Le resultaba más fácil mirar hacia atrás desde el asiento del copiloto—. Es difícil ver el color del pelo con este ángulo del sol, y hay mucha gente que sale. Supongo que es la hora en que cierran las oficinas.

—Si no la vemos pronto, comenzaré a creer que la hemos perdido.

—Eso no me preocupa —dijo Angelo—. Tengo un mal presentimiento respecto a este encargo.

—Oh, vamos, no seas pesimista —le reprochó Franco—. Disfruta del desafío. Por cierto, ¿dónde tienes el Rohypnol y el gas anestésico que te dio el doctor Trevino?

—Las píldoras están en mi bolsillo, y el gas debajo del asiento trasero junto con las bolsas de plástico. Es increíble lo deprisa que hace efecto. Dos segundos, y la persona está dormida.

—Desde luego no podremos utilizar el gas aquí a plena luz del día. Bueno, quizá ya no es tan a pleno día.

—Por supuesto que no, pero puede ser útil si monta un escándalo una vez que la tengamos en el coche. No quiero verme obligado a dispararle aquí dentro.

—Diablos, no —exclamó Franco—. Me estropearía el tapizado. Déjame ver las píldoras.

Angelo metió la mano en el bolsillo de la chaqueta, sacó un sobre tamaño carta y se lo dio a Franco, que apretó los bordes del sobre y miró el contenido. Había diez pequeñas píldoras blancas en el fondo.

—¿Cuántas tienes que usar? —preguntó Franco.

—El doctor dijo que solo una. Todo lo que tienes que hacer es echar una en un cóctel, y veinte minutos después podrás dispararle.

—¿Por qué te ha dado tantas?

—No lo sé. Quizá creyó que podríamos divertirnos con las restantes.

Franco dio la vuelta al sobre y echó la mitad de las pastillas en su mano. Se las guardó en el bolsillo de la chaqueta y devolvió el sobre a Angelo.

—Si usamos una esta noche y funciona, puede que lo intente.

—Promete ser una gran velada —comentó Angelo—. Viagra para ti y Rohypnol para tu querida.

—Creo que uno de nosotros debería ir hasta allí y echar una

ojeada a todos los que salen —dijo Franco sin hacer caso del comentario—. Así será menos probable que la perdamos.

—No es mala idea —opinó Angelo—. ¿Qué vamos a hacer cuando la veamos? No podemos llevárnosla por la fuerza con toda esa gente cerca.

—¿Qué me dices de tu placa de policía de Ozone Park? Siempre has dicho que funcionaba de maravilla.

—Así es, pero no es lo mismo en medio de una multitud. La gente se envalentona cuando hay otros cerca. Podría comenzar a gritar, y hay montones de polis en la zona.

—Lo he visto. Me sorprende que todavía no nos hayan echado.

—Esto pasa por hablar. Ahí viene uno.

Franco miró por encima del hombro. Un policía fornido con una gran barriga iba hacia ellos con el talonario de multas en la mano.

Franco miró a Angelo y de nuevo al policía. En diez segundos estaría junto a la puerta.

—Me bajo. Da una vuelta a la manzana.

—¿Por qué no me bajo yo?

—Porque yo soy quien manda. Asegúrate de tener encendido el móvil, y sobre todo no me estropees el coche.

Franco se bajó del vehículo.

—Buenas noches, agente —saludó. El agente llegó en el momento en que Franco se erguía en toda su estatura.

—Aquí no se puede aparcar ni esperar —le informó el poli mientras miraba a Franco y después se inclinaba para mirar a Angelo.

—Solo me estaba dejando aquí —le explicó Franco mientras se inclinaba a su vez para hacerle un gesto de despedida a Angelo.

Su compañero se movió en el asiento para ponerse al volante. Franco cerró la puerta con cuidado.

—Eh —gritó el poli de pronto cuando Angelo puso el coche en marcha. Angelo se detuvo con el corazón en la boca—. ¡El cinturón de seguridad!

—Gracias, agente —respondió Angelo con voz tensa después de bajar la ventanilla hasta la mitad.

También a Franco se le había acelerado el corazón. Con un claro alivio, sonrió al policía y luego caminó hacia el norte para dirigirse a la entrada principal de la Trump Tower.

Amy Lucas miró el reloj colgado en la pared frente a su mesa. Con gran alivio vio que por fin marcaba las cinco y media, la hora de irse. Había pasado el día con una mezcla de ansiedad y tedio. La ansiedad se la había provocado que la llamaran al despacho de la presidenta ejecutiva y la interrogaran sobre el paradero de Paul. Hasta entonces, nunca había visto a la presidenta ejecutiva, y mucho menos la había llamado a su despacho. Aunque había sospechado que sería por algo relacionado con Paul, no estaba del todo segura. Siempre le preocupaba que la despidieran, no porque hubiese hecho algo para merecerlo, sino porque no podía permitirse que la dejasen sin empleo. La necesidad económica la volvía un poco paranoica, y sus finanzas ya estaban bastante comprometidas debido a las contribuciones para mantener a su madre en una residencia. Luchaba mes tras mes para no estar en números rojos.

La ausencia de Paul también había sido motivo de ansiedad. Llevaba trabajando para él desde hacía unos diez años; incluso lo siguió cuando él renunció a su anterior trabajo para ir a Angels Healthcare, unos cinco años atrás. Cuando no se presentó ese día a las diez de la mañana, Amy pensó que algo no iba bien, porque Paul Yang, como la mayoría de los contables, era muy preciso y metódico, a menos que hubiese estado bebiendo. Esa era la preocupación. A medida que pasaba el día y él no se presentaba ni llamaba, empezó a creer que estaba en una de sus juergas, como solía hacer antes de entrar a trabajar en Angels Healthcare, y eso la entristecía. En el empleo anterior había vivido situaciones difíciles, porque tenía que inventarse excusas con mucha frecuencia para justificar sus ausencias; incluso en una ocasión lo rescató de un motel inmundo.

Después del incidente del motel, él vio la luz, y de la noche a la mañana se sintió motivado para dejar el alcohol. Solo Amy sabía que había asistido a las reuniones de Alcohólicos Anónimos y había permanecido sobrio desde entonces. Había esperado que se mantuviese apartado del alcohol, pero en aquel momento, a las cinco y media de la tarde, estaba segura de que había recaído.

Si, tal como creía, era verdad que él había vuelto a beber, lo atribuía a la tensión a la que había estado sometido debido a aquel estúpido formulario ocho-K y todo ese lío respecto a si lo presentaban o no. Sabía que Paul estaba alterado porque se lo había dicho con toda claridad, pero no le había explicado los motivos. Amy no era contable, ni tampoco había ido a la escuela de secretariado. Había aprendido mucho por su cuenta, aunque había cursado los estudios adecuados en el instituto y era muy buena con el ordenador.

Algún tiempo después, escribió el ocho-K en el portátil de Paul, este la llamó a su despacho y, como si hubiese una gran conspiración en marcha, le dio un lápiz USB donde estaba archivada una copia del ocho-K.

—Quiero que tengas esto —le susurró—. Guárdalo en algún lugar seguro. En un archivo adjunto está la página web de la Securities and Exchange Commission.

—Pero ¿por qué? —le preguntó ella.

—¡No preguntes! Solo guárdalo por si me ocurre algo.

Amy recordaba haberle mirado a los ojos. Su jefe estaba siendo tan melodramático que creyó que bromeaba; siempre había tenido sentido del humor. Pero al parecer no bromeaba, porque ella salió del despacho y nunca más se volvió a mencionar el lápiz USB.

Ahora, mientras se disponía a marcharse a su casa, abrió el bolso, sacó el lápiz USB y lo miró como si esperara que fuese a decirle algo. No pudo menos que preguntarse si la ausencia de Paul era motivo suficiente para presentar el ocho-K. Nunca le explicó qué había querido decir con aquello de «por si me ocurre algo». Desde luego, irse de copas entraba en la categoría de que algo le estaba ocurriendo, pero Amy no lo tenía claro. Guardó el lápiz USB de nuevo en el bolsillo lateral del bolso y lo cerró. Antes de salir se preguntó si debía llamar a casa de Paul. Lo había estado pensando durante todo el día, pero no estaba segura de si debía. Incluso se había planteado llamar a una de sus ex novias cuyo número aún tenía, pero decidió no hacerlo porque, hasta donde sabía, no estaba en contacto con esa mujer desde hacía cinco años. Lanzando un suspiro, se dijo que con tantas dudas lo mejor era no hacer nada en lugar de hacer algo que pudiese empeorar el problema. Con ese pensamiento, apagó la lámpara del escritorio y salió del despacho.


—¿Qué demonios está pasando? —preguntó Carlo sacudiendo la cabeza. Estaba desconcertado.

—No tengo ni la más remota idea —contestó Brennan.

Carlo y Brennan estaban en el todoterreno Denali negro de Carlo, aparcado en el lado derecho de la Quinta Avenida en Grand Army Plaza. A su derecha tenían la fuente Pulitzer con la estatua de la Abundancia en toda su gloriosa desnudez.

Habían empezado a seguir a Franco y a Angelo en el mismo momento en que salieron del restaurante Neapolitan. Desde una distancia prudencial en el aparcamiento de Johnny's, bromearon sobre los dos matones de Lucia, mientras intentaban decidir cuál de los dos tenía el aspecto más raro. Para ellos, Franco parecía un halcón con su rostro afilado y los ojos saltones, mientras Angelo parecía sacado de una película de terror con sus grandes cicatrices faciales.

—Vaya pareja —comentó Carlo mientras dejaba el sándwich en la bandeja del salpicadero y ponía el coche en marcha.

Seguir a la pareja fue sencillo, dado que el coche de Franco destacaba por sus grandes alerones y las ruedas con bandas blancas. El único momento problemático sucedió en el puente de Queensboro, donde se detuvieron en un semáforo y perdieron de vista el coche de Franco. Después de unos instantes de ansiedad, consiguieron encontrar a su presa gracias al semáforo en el lado de Manhattan del puente. Desde allí siguieron hasta la Quinta Avenida sin ningún problema, hasta que Franco aparcó de pronto un poco más allá de la entrada a la Trump Tower.

Franco aparcó tan precipitadamente que Carlo tuvo que continuar y girar a la derecha en la calle Cincuenta y cinco, y dar la vuelta a la manzana. La maniobra también les preocupó un poco ante la posibilidad de perderlo, pero al regresar a la Quinta Avenida vieron que el coche de Franco seguía aparcado en el mismo lugar.

Durante los siguientes treinta y cinco minutos, Carlo y Brennan permanecieron junto a la Abundancia desnuda y vigilaron el coche de Franco con unos prismáticos que Brennan había tenido la precaución de traer. No podían ver gran cosa, solo dos siluetas que conversaban animadamente moviendo las manos. Mientras esperaban, se acabaron los sándwiches que habían comprado en Johnny's. Sin saber adónde irían o cuánto tiempo les llevaría, habían aprovechado la ocasión para comer algo.

La vigilancia se estaba haciendo aburrida, hasta que ambos hombres se irguieron un poco cuando el agente de policía se acercó al coche.

—¿Qué está pasando? —preguntó Carlo. Brennan tenía los prismáticos en ese momento.

—No lo sé. Solo están hablando.

—¡Déjame ver! —dijo Carlo mientras cogía los prismáticos de su colega, que estaba más abajo en la jerarquía de la organización. Carlo y Brennan se conocían desde hacía muchos años porque habían vivido en el mismo barrio y habían ido juntos al instituto.

—Franco viene hacia nosotros —anunció Carlo mientras continuaba mirando a través de los prismáticos.

—¡Eh, atención! —exclamó Brennan—. ¡Angelo se marcha! ¿Qué debemos hacer?

—Vamos a quedarnos con Franco —respondió Carlo—. Se ha detenido en la entrada principal de la Trump Tower. Creo que está esperando a que alguien salga del edificio.

—¿Qué pasa con Angelo? Podría bajar y vigilar a Franco mientras tú sigues a Angelo.

Carlo negó con la cabeza.

—Yo creo que Angelo solo ha ido a dar una vuelta a la manzana. Vamos a quedarnos donde estamos. Empiezo a pensar que están planeando secuestrar a alguien.

—Es una locura con tanta gente por aquí, por no hablar de los polis.

—No te lo discuto —manifestó Carlo, y luego se apresuró a añadir—: Creo que ha visto a la persona que busca. Acaba de arrojar el cigarrillo a la alcantarilla.

—¿Quién es, hombre o mujer? —preguntó Brennan.

Miró los prismáticos y tuvo que contener el impulso de arrebatárselos a Carlo. Después de todo, él había sido quien había tenido la idea de llevarlos.

—Creo que debe de ser aquella muchacha con el abrigo verde. Está tomando un taxi, y él también. Estoy seguro de que está cabreado porque Angelo no está a la vista.

Carlo arrojó los prismáticos al regazo de Brennan y puso el Denali en marcha.

—¿Qué vamos a hacer? —preguntó Brennan mientras buscaba a Franco y a la muchacha—. Dios, esa chica parece tener doce años. ¿Por qué Franco y Angelo van a por ella?

—No tiene mucho sentido.

—¡Vaya! La muchacha ha cogido un taxi y está a punto de dejar colgado a Franco. ¿Debemos seguirla a ella o quedarnos con Franco?

—Nos quedaremos con Franco, idiota.

Brennan apartó los ojos de los prismáticos y miró furioso a Carlo. No le gustaba que lo llamaran idiota.

—Franco es un tipo afortunado. Él también ha conseguido un taxi. Sujétate. Empezamos la carrera.


—Debe de estar bromeando —dijo el taxista, que se volvió para mirar a Franco, sentado en el asiento trasero—. «Siga a ese taxi.» Es la primera vez que lo oigo fuera de las películas. ¿Lo dice de verdad o es una broma?

—No es ninguna broma —respondió Franco—. No pierda de vista aquel taxi y ganará una propina de veinte dólares.

El taxista se encogió de hombros y se dedicó a conducir. Una propina de veinte dólares bien valía un poco de esfuerzo.

Franco, que botaba en el asiento trasero, tenía problemas para manejar el móvil. Renunció por un momento y forcejeó con el cinturón de seguridad. Una vez que lo enganchó, ya no salía arrojado de un lado a otro con violencia, sobre todo porque los saltos habían disminuido un poco después de coger velocidad. Aun así, costaba marcar los números, pues el conductor cambiaba constantemente de carril.

—¿Dónde estás? —preguntó Franco en el momento que Angelo atendió la llamada.

—Estoy atascado en la Sexta Avenida en dirección norte. ¿Dónde estás tú?

—En un taxi que va hacia el sur por la Quinta. El pájaro ha volado.

—De acuerdo. Tan pronto como pueda, iré hacia el sur.

Franco cerró el teléfono. Estaba enfadado consigo mismo por dos razones: tendría que haber tenido un plan cuando la chica o mujer, o lo que fuese, apareció. Más importante aún, tendría que haber insistido en que llevaran el vulgar Lincoln Town Car de Angelo en vez de su querido Cadillac. La idea de que Angelo le estropease el coche o incluso le hiciese una rascada en el tráfico de la hora punta de Nueva York lo angustiaba.

—Lo estamos alcanzando —lo avisó el taxista, orgulloso—. ¿Quiere que me ponga a la par?

—¡No! —se apresuró a decir Franco—. Permanezca detrás.

Los dos taxis avanzaron deprisa por la Quinta Avenida, gracias a que pillaban todos los semáforos en verde. Franco comenzó a preguntarse si Paul Yang le había dicho la verdad sobre que ella vivía en New Jersey, y si era cierto, si tenía la intención de salir por la noche, cosa que complicaría la situación.

Los temores de Franco se disiparon cerca de la Biblioteca Pública de Nueva York, cuando el taxi de Amy redujo la marcha para girar a la derecha. Franco se relajó un poco al intuir que se dirigían hacia la terminal de autobuses de la autoridad portuaria.

Abrió de nuevo el teléfono y llamó a Angelo.

—¿Dónde estás? —preguntó, como había hecho antes.

—Acabo de doblar hacia el sur por la Séptima Avenida —respondió Angelo—. ¿Dónde estás tú?

—Ahora vamos hacia el oeste. Estoy casi seguro de que vamos hacia la terminal de autobuses, pero lo sabré mejor cuando lleguemos a la Octava Avenida.

—¿Qué vas a hacer?

—No lo sé, dado que no estoy seguro de si tú estarás en la zona. Supongo que tendré que seguirla hasta la terminal y tomar el autobús con ella.

—Sí, bueno, eres afortunado.

—Que te follen —dijo Franco. Lamentaba no haber pensado más deprisa cuando el poli se acercó al coche. Tendría que haber hecho que Angelo se bajase—. Si no tengo noticias tuyas antes, te llamaré cuando esté en la terminal de autobuses.

—De acuerdo. Espero que esto valga la pena.

—Lo vale —afirmó Franco—. Hay millones en juego.

Franco cerró el teléfono cuando llegaban al semáforo de la Octava Avenida. Tal como esperaba, doblaron a la derecha. Tras apenas un minuto, arrojó el importe del viaje sin preocuparse del cambio y los veinte dólares prometidos por la abertura del tabique de plexiglás, y salió del coche antes de que frenase del todo. Amy ya entraba en la terminal.

Tal como era de esperar dado que era hora punta, la terminal estaba abarrotada. Seguir a Amy era fácil en un aspecto y difícil en otro. La parte fácil era el extraño color del pelo, que era como una luz de neón. La difícil era su estatura. Si Franco no lograba permanecer detrás de ella, desaparecería de su vista en cuestión de segundos.

De pronto apareció otro problema, uno que Franco no había previsto. Amy se puso en una cola para comprar el billete, pero Franco no tenía ni idea de adónde iba. A medida que la cola avanzaba, a Franco le iba entrando el pánico. Pensó en abrirse paso y colocarse a un lado cuando ella comprase el billete, para así oír cuál era el destino. Pero lo descartó de inmediato. No quería llamar la atención, para evitar que alguien lo reconociese más tarde. Un rostro más entre la multitud no era ningún problema, pero hacer algo fuera de lo común junto a la muchacha era otra historia.

Franco era la cuarta persona detrás de Amy, y cuando le llegó su turno en la ventanilla, se inclinó hacia delante en un intento por oírla, pero fue inútil. En el momento en que se apartó de la ventanilla, tenía el billete en la mano; pasó a un par de metros de distancia.

Fue entonces cuando Franco se dio cuenta de que aún había otro problema. Amy se alejaba, y él tenía otras tres personas delante. Otra vez inquieto, intentó no perder de vista a Amy al tiempo que avanzaba diciendo:

—Perdón, voy a perder el autobús, ¿no le importa?

Dos de las personas aceptaron dejarlo pasar. La tercera, sin embargo, se negó a moverse.

—Yo tampoco quiero perder el autobús, compañero —dijo el hombre. Tenía el rostro sucio con un fino polvo blanco, lo que parecía indicar que era yesero o pintor.

Poco acostumbrado a que no hicieran su voluntad y preocupado por perder a Amy, sintió que la furia crecía en su pecho. Consiguió controlarse con cierta dificultad y dijo:

—No puedo perder el autobús. Mi esposa está dando a luz.

Sin decir palabra y con obvia irritación, el pintor se apartó e hizo un gesto a Franco para que pasara.

—¿Adónde va, papá? —preguntó el taquillero, que había oído las palabras de Franco.

Por un segundo, Franco se quedó de piedra. Con todo lo que estaba pasando, no había pensado en que necesitaba un destino. Su mente intentó a toda prisa recordar algún lugar en New Jersey, cualquiera; por suerte, Hackensack apareció en su mente. No sabía por qué Hackensack, pero dio las gracias interiormente. Le dijo al taquillero el nombre de la ciudad, y mientras sacaba un billete de veinte dólares, miró por encima del hombro. Amy estaba lejos, entre una multitud al pie de la escalera mecánica. Desapareció en el acto.

Franco pagó y corrió inmediatamente hacia la escalera. Cuando llegó allí, se abrió paso con la misma excusa que tan bien le había funcionado en la ventanilla. Al llegar arriba, miró a un lado y al otro, y se tranquilizó de inmediato al ver a Amy esperando en la cola del autobús 166 con su bonito rostro oculto detrás del *New York Daily News*. Con una sensación de alivio por un lado y una nueva preocupación por el otro, Franco se puso al final de la cola. El nuevo problema era que su billete no era para el autobús 166.

Pese a estar sin aliento, Franco llamó a Angelo y se enteró de que estaba en la puerta de la terminal.

—Iré en el autobús 166 —dijo Franco, que intentaba tapar el teléfono con la mano—. Averigua cuál es la ruta del autobús cuando sale del túnel de Lincoln, porque yo no tengo ni idea. Luego ve hasta Jersey. Te mantendré informado de dónde estamos Amy y yo, y desde luego te diré cuándo nos bajamos. Intenta mantenerte lo más cerca posible de la parada, a ver si acabamos de una vez con este circo.

—Haré todo lo que pueda. Mientras tanto, ¿tienes más fotos de Maria Provolone en este coche para que me haga compañía?

—Que te den por el culo —dijo Franco, y cerró el teléfono. No le gustaba que Angelo le tomase el pelo con Maria, su único y verdadero amor, que había sido asesinada durante su último año en el instituto por una banda rival.

Por fin, la cola comenzó a moverse. A Franco no le preocupaba la discrepancia en el billete; peor habría sido no tener ninguno, y no se equivocó. El aburrido conductor que hacía su enésima carrera aceptó el billete sin mirarlo, como había hecho con todos los demás pasajeros. Franco caminó por el pasillo central, y vio a Amy casi de inmediato. Se había sentado junto a la ventanilla en la parte central del autobús y de nuevo leía el periódico. Por coincidencia, el asiento a su lado estaba vacío. Por un segundo, pensó en sentarse junto a ella y entablar conversación, pero descartó la idea en el acto. En ese tipo de trabajo, el factor sorpresa era fundamental. Por ello, se sentó en un asiento de pasillo varias hileras más atrás.

El autobús esperó a salir otros quince minutos. Franco deseó haber tenido la oportunidad de comprar un periódico o lo que fuese. Sin embargo, no podía hacer otra cosa que permanecer sentado allí. Al menos tenía la oportunidad para planear el resto de la noche. No era fácil, porque lo que ocurriría dependía de lo que Amy Lucas hiciese al final del trayecto. Sabía que lo peor sería si alguna persona la recogía. En ese caso, Angelo y él tendrían que matar a dos personas, cosa que duplicaría el riesgo de encontrarse con algún problema.

Cuando el autobús finalmente cerró la puerta y salió del andén, tuvo que buscar el camino por la terminal hasta salir por la rampa de múltiples pisos que daba al túnel Lincoln. Lo bueno de la rampa era que evitaba el atasco de las calles; lo malo era que estaría muy por delante de Angelo.

Gracias al suave balanceo, el monótono ruido del motor y la calefacción del vehículo, Franco estaba casi dormido cuando el autobús salió al espectacular crepúsculo de New Jersey. Se despertó y preguntó a su compañero de asiento adónde iba el autobús. El hombre lo miró sorprendido antes de preguntar:

—¿Se refiere al final del recorrido?

—Sí —respondió Franco.

—Sé que va hasta Tenafly porque mi hermana vive allí. Adónde va luego no lo sé.

—¿Cuánto se tarda en llegar a Tenafly?

—Calculo que poco menos de una hora.

Franco le dio las gracias. Rogó que Amy no fuese a Tenafly o más allá. La idea de pasar tanto tiempo en aquel autobús con cincuenta o más personas con aspecto deprimido y que olían a prendas mojadas era espantosa. Para mantenerse ocupado, volvió a pensar en qué pasaría cuando Amy bajara del autobús. De alguna manera, tendría que abordarla y entablar conversación, por ejemplo con la excusa de que se trataba de algo referente a su jefe. Dado que no se había publicado nada en los periódicos, era lógico suponer que nadie se había preocupado en denunciar su ausencia y que la desaparición había pasado inadvertida para todos, excepto, por supuesto, para los peces. Aunque no tenía la placa de policía de Angelo, podía hacerse pasar por una autoridad, quizá incluso alguien de la SEC. No sabía si la comisión tenía investigadores como la policía, pero supuso que debían de tenerlos. Al menos era un plan. Ayudaba que Angelo y él iban vestidos de veintiún botones. Ambos apreciaban las prendas elegantes hasta casi convertirlo en una competición. Ambos preferían a Brioni, y aquella noche, como siempre, vestían con todo el esplendor del modisto; Franco creía que tanta atención a su apariencia les daba un aval de credibilidad.

Mientras reflexionaba sobre cómo abordaría a Amy, pensó en llamar a Angelo, pero decidió esperar. No tenía nada de qué informar, y Angelo sin duda estaba a punto de entrar o ya estaba en el interior del túnel.

De nuevo pensó en Amy, y se dijo que lo mejor que podía hacer era convencerla para que entrase en un lugar público donde podrían hablar con más tranquilidad y, una vez allí, esperar a Angelo. Un bar sería lo más indicado, con el beneficio añadido de que él podría tomar una copa. Franco deslizó la mano en el bolsillo para asegurarse de que las píldoras estaban donde las había puesto. Entonces surgió la pregunta de si debía echar una en la copa de Amy antes o después de que llegase su compañero. No había ninguna duda de que acertar con el momento preciso era fundamental.

Al mirar a través de la ventanilla, vio que habían dejado la autopista principal que salía del túnel Lincoln e iban hacia el norte por las calles de la ciudad. Franco sacó el móvil.

—¿Dónde estás?

—En el Club Veintiuno, disfrutando de una magnífica cena —respondió Angelo en tono sarcástico—. Estoy en medio de un atasco. Ni siquiera he llegado al túnel.

—¡Buen trabajo! —dijo Franco con el mismo sarcasmo—. ¿Has averiguado adónde va el autobús 166?

—No con precisión. A algún lugar en Bergen County. Eso cae más o menos pasado el puente George Washington.

—¡Llámame cuando salgas del túnel!

Franco guardó el teléfono en el bolsillo interior de la chaqueta y luego intentó ponerse cómodo. Apenas había acabado de hacerlo cuando el autobús efectuó su primera parada. Varias personas bajaron, pero no Amy.

Franco se sentó más erguido, preocupado porque si se dormía, podría perderse el momento en que Amy bajase del autobús, y todos sus esfuerzos habrían sido en balde. Si eso ocurría, Franco podía imaginar la reacción de Vinnie.

Veinte minutos más tarde, el zumbido del móvil contra su pecho lo despertó del todo. Era Angelo, que por fin había conseguido atravesar el túnel.

—¿Debo tomar la primera salida? —preguntó Angelo frenético, lo que indicaba que estaba muy cerca de ella.

—¿Has mirado el maldito mapa?

—Por supuesto.

—Entonces toma la primera salida y ve hacia el norte. ¡Espera! —Franco se inclinó de nuevo hacia su compañero de asiento y le preguntó si sabía en qué ciudad estaban—. El caballero que está sentado a mi lado cree que acabamos de entrar en Cliffside Park, así que mueve el culo y ven a este lugar dejado de la mano de Dios.

El pasajero le sonrió cordialmente cuando Franco lo miró de reojo, y eso lo puso nervioso. Siempre intentaba que su interacción con las personas fuera mínima cuando estaba metido en un trabajo. Cuando el hombre intentó iniciar una charla amistosa, se mostró vago y la acabó con la mayor gracia posible en cuanto pudo.

Diez minutos más tarde, el hombre lo sobresaltó al tocarlo en el hombro.

—La siguiente parada es la mía —dijo, y se levantó.

Franco también se levantó para dejarlo pasar. El hombre llegó al pasillo, y Franco le preguntó dónde estaban.

—Ridgefield —respondió el otro, indiferente.

Franco se sentó de nuevo y llamó a Angelo para darle una rápida actualización de su marcha.

—Eso significa que estoy entre quince y veinte minutos atrás.

Transcurridos otros diez minutos, Amy se levantó y el autobús comenzó a aminorar la marcha. Franco sacó de inmediato el móvil y se inclinó a través del pasillo para preguntarle a la mujer del otro lado si sabía cuál era aquella parada. No lo sabía, pero el hombre sentado a su lado dijo que era Palisades Park.

Franco se apresuró a llamar a Angelo.

—Palisades Park. —Se inclinó cuando el autobús llegaba a la parada, y vio el cartel con el nombre de la calle—. Broad Avenue, Palisades Park.

—Lo tengo —dijo Angelo.

Franco fue hacia la parte delantera del autobús. Los otros pasajeros que iban a descender le cerraron el paso. Cuando logró bajar, se llevó un susto porque no vio a Amy. Desconcertado, corrió hasta el final del autobús. Por fortuna, la vio en la otra acera, caminando hacia el sur. Era una zona comercial con numerosos escaparates iluminados y personas que iban y venían. Franco cruzó la calle y se dirigió rápidamente hacia Amy. Después del húmedo calor del autobús, le pareció que hacía mucho frío, por lo que se levantó las solapas de la chaqueta.

—Señorita Amy Lucas —llamó Franco cuando estaba unos pasos detrás de la mujer. Según el cálculo de Franco había el número suficiente de transeúntes para que la muchacha no se asustara.

Amy se detuvo y miró a Franco a la cara. Dio un paso atrás en un gesto de desconfianza cuando Franco se detuvo a menos de un metro.

—Siento mucho molestarla, señorita —dijo Franco, imitando una vieja serie de televisión que le gustaba—. Pero necesito hacerle unas preguntas.

—¿Sobre qué? —preguntó Amy, que miró a un lado y a otro nerviosa.

—Su jefe, Paul Yang.

La actitud de Amy pasó de desconfiada a atenta en un santiamén.

—¿Está bien? ¿Dónde está?

—Está bajo custodia federal, señorita. Nos pidió que nos pusiéramos en contacto con usted.

La expresión de Amy cambió entonces de atenta a preocupada.

—¿Por qué está bajo custodia, y por qué le pidió que se pusiera en contacto conmigo? No sé nada.

—Perdón, señorita —manifestó Franco con voz baja y autoritaria—. La creo. Pero tenemos un problema muy grave con el ocho-K y me han dicho que tiene una copia en su poder, ya sea en su casa, en su mesa en el trabajo o sobre usted.

El rostro de Amy mostró una expresión parecida a la de un concjo asustado, pero cometió el fallo de no escapar.

—Soy un investigador de la SEC, y por tanto creo que comprende por qué debemos hablar.

—Supongo —admitió ella sin mucho entusiasmo.

—Hace un poco de fresco. Quizá haya algún lugar público donde podamos conversar, y donde usted se sienta más cómoda hablando con un extraño.

Amy miró a su alrededor.

—¿Qué tal un bar? —añadió Franco—. Es un lugar donde las personas pueden hablar con más intimidad que en la mayoría de los locales. Le recuerdo que es nuestro deseo no comprometerla en un desgraciado y grave problema legal.

—Está Pete's al otro lado de la calle —dijo Amy señalándolo.

—¿Va usted allí a menudo? —preguntó Franco. Desde donde estaban, parecía un bar cualquiera, lo que necesitaba, pero no si era ella una clienta habitual.

—Nunca he entrado allí. Se considera un bar de mala reputación.

—Creo que nos valdrá. Permítame que llame a mi compañero, el investigador Facciolo. —Franco sacó el móvil y llamó a Angelo—. Agente Facciolo —dijo, mientras intentaba contener una sonrisa—. Tengo a la testigo conmigo. Está dispuesta a cooperar. Vamos a ir a un bar para conversar tranquilamente. El nombre del bar es Pete's, en Broad Avenue, Palisades Park. La calle transversal más cercana es… —Franco apartó el teléfono del oído y le preguntó cuál era la siguiente transversal.

Amy señaló una manzana más allá.

—¿Ve aquellas balaustradas de cemento a los lados de la calle? Aquello es la carretera Cuarenta y seis.

Franco le dio la información a Angelo y después cortó. Señaló el bar y cruzaron la calle.

Desde el punto de vista de Franco el bar era perfecto, a pesar del hedor a cerveza rancia. La luz era escasa y la música rap sonaba bastante fuerte. El local no estaba lleno, solo había cinco personas sentadas en los taburetes de la barra y una docena más o menos en las mesas de billar en la parte de atrás. A la derecha había unos reservados vacíos. Franco guió a Amy hacia uno de los reservados con mucho cuidado de no tocarla. Estaba complacido y asombrado de que ella se mostrara tan dispuesta. Se dijo que había sido un golpe de genio valerse de la excusa de la desaparición del jefe para abordar a la joven.

Una vez sentados frente a frente, Franco se acomodó las solapas. Luego se frotó las manos con energía.

—Parece que hace mucho frío para esta época del año.

Amy se limitó a asentir. Le aterrorizaba pensar que estaba a punto de ser detenida, y estaba furiosa con Paul por haberla puesto en semejante situación.

—Estoy seguro de que no nos dejarán sentarnos aquí sin tomar algo. ¿Qué le apetece? No se lo diré a nadie si usted no quiere. Se supone que no puedo beber mientras estoy de servicio, pero me encantaría tomar un cóctel.

Amy no era una gran bebedora, pero de vez en cuando se tomaba un vodka. La tranquilizaba, y si había alguna ocasión en la que necesitara calmarse, esa era una de ellas.

—Creo que tomaré un vodka con martini —respondió con timidez.

—Me parece estupendo —afirmó Franco, que aún seguía frotándose las manos para entrar en calor—. Creo que debemos pedirlos en la barra. No parece que haya una camarera, así que ahora mismo vuelvo.

En la barra, Franco pidió el martini, y un bourbon para él. El fornido camarero con bigotes y tatuajes miró a Franco con atención.

—Bonito traje —comentó, antes de preparar la copa de Amy y después coger la botella de bourbon para servir a Franco.

Mientras el barman estaba ocupado, Franco aprovechó para echar una de las píldoras en la bebida de la muchacha. Lo hizo escondiendo la pequeña píldora blanca en la palma de la mano y después soltándola cuando cogió la copa por el borde. Después de que el camarero le llenara el vaso, le preguntó si quería la cuenta. Franco le respondió dejando encima de la barra un billete de veinte dólares.

—Quédese con el cambio.

De nuevo en la mesa, deslizó la copa hasta Amy y consultó su reloj. Quería ver cuánto tiempo tardaría la píldora en hacer efecto. A pesar de la música, pudieron hablar sin alzar mucho la voz, porque los costados del reservado les llegaban a la altura de los hombros y los protegían en parte del ruido. La dificultad a la que se enfrentaba Franco en ese momento era pensar qué decir para mantener la charla, y al mismo tiempo reafirmar su historia acerca del arresto de Paul Yang y de que estaba incomunicado.

Al cabo de unos diez minutos, Franco se estaba quedando sin preguntas inocentes. En el lado positivo, comenzaba a notar que a Amy le costaba cada vez más articular las palabras y que sus movimientos cuando cogía la copa eran vacilantes. Luego vio que a la muchacha parecían pesarle los párpados, y que se obligaba a hacer un esfuerzo para mantenerlos abiertos.

—¿Qué pasa con el ocho-K? —preguntó Franco. En realidad él no tenía ni la más remota idea de qué era un ocho-K, a pesar de haber escuchado la charla de Vinnie con Paul la noche anterior.

—Sí. ¿Qué fafa con é? —farfulló Amy, antes de beber otro sorbo del cóctel, del que estaba dando buena cuenta.

Después de dejar la copa, Franco advirtió que su torso comenzaba a bambolearse un tanto, incluso cuando no movía las piernas. A todos los efectos comenzaba a actuar como si ya se hubiese tomado dos o tres copas.

—¿Dónde está? —insistió Franco.

—Lo tengo aquí mismo, en mi viejo y fiel bolso —respondió Amy, y palmeó varias veces el bolso.

—¿Por qué no me lo da?

—Claro, por qué no. —La mano de Amy se movió en el aire antes de poder sujetar el bolso. Con alguna dificultad, abrió la cremallera del bolsillo interior y le dio el USB.

Franco le dio un par de vueltas y después lo destapó. Nunca había visto uno.

Con el rabillo del ojo vio que Angelo entraba en el local. Algunos de los parroquianos se volvieron y lo miraron boquiabiertos. Su compañero les devolvió la mirada con lo que Franco adivinó era una creciente ira. Angelo había aprendido a tratar con su deformidad facial y con la reacción que provocaba, pero no a personas a las que consideraba la escoria de la sociedad, como un puñado de borrachos en una sucia taberna.

Franco se levantó al tiempo que se guardaba el lápiz USB en el bolsillo.

—Agente Facciolo, estamos aquí. —Por un segundo, temió tener que acercarse y arrastrarlo hasta la mesa, pero Angelo finalmente cedió y se acercó al reservado.

—Cretinos borrachos —dijo Angelo, que miró hacia la barra por encima del hombro.

—Sí, bueno, tienen celos de tu chaqueta Brioni.

—¡Sí, claro! —gruñó Angelo.

—Esta es Amy Lucas —dijo Franco señalando a Amy. Luego apoyó el brazo en los hombros de Angelo—. Él es el agente Facciolo, del que le hablaba.

—Oh —dijo Amy haciendo una mueca cuando miró a Angelo—. Siento mucho que se haya quemado la cara.

—¿Le has dado una de las especiales del doctor Trevino?

—Solo una, y hace poco más de diez minutos.

—Fantástico —dijo Angelo—. Vamos a darle otra. Al parecer se ha acabado la copa.

—Si le damos otra es capaz de perder el conocimiento.

—Eh. ¿No recuerdas que esa era la idea? ¿Qué toma? Iré a buscarle otra y podremos marcharnos de este antro. Quiero acabar este trabajo. Me está cabreando.

—¡Espera! —le pidió Franco, y contuvo a Angelo—. Deja que vaya yo. No quiero que empieces a disparar porque haya unos borrachos en la barra.

—Me parece justo —aceptó Angelo—. Me quedaré aquí con esta hermosa joven.

Franco apartó a Angelo de la mesa y ahuecando una mano alrededor de la boca, susurró:

—Somos agentes de la SEC, así que actúa en consecuencia.

—Sí, seguro. —Se sentó junto a Amy y ella se movió para dejarle sitio.

Apenas quince minutos más tarde, fue obvio para Franco que Amy ya había bebido bastante y se estaba divirtiendo, quizá incluso demasiado. Había visto cómo el camarero se volvía en varias ocasiones para mirarlos cuando ella se reía. Su risa era como un chillido agudo.

Franco miró a Angelo e hizo un gesto con la cabeza hacia la puerta. Su compañero asintió.

—¿Dónde está la belleza negra? —preguntó Franco.

—A la vuelta de la esquina —respondió Angelo. Luego le dijo a Amy—: Volveré en un momento, encanto.

Franco observó cómo Amy tomaba otro sorbo del cóctel.

—¿Por qué se ha hecho eso en el pelo?

Amy se encogió de hombros y luego se rió.

—Es divertido. Antes de hacerlo, nadie se fijaba en mí.

Franco advirtió que a Amy le costaba cada vez más mantenerse erguida.

Unos minutos más tarde, Angelo entró en el bar.

—El coche está aparcado aquí mismo.

—Vamos, Amy —dijo Franco, y le tiró del brazo.

—No he acabado mi copa —protestó Amy con una exagerada expresión de tristeza. Se rió.

—Creo que ya ha bebido bastante —respondió Franco.

Le hizo un gesto a Angelo y entre ambos la levantaron sobre sus pies tambaleantes. Con la ayuda de los dos hombres, salió del bar. Con cierta dificultad, la sentaron en el asiento trasero.

—Siéntate con ella —dijo Franco—. Si crees que va a vomitar, sácale la cabeza por la ventanilla.

Mientras colocaban a Amy en el asiento trasero con la cabeza en el rincón más apartado y con la ventanilla bajada, no se dieron cuenta de que un hombre salía del bar. Vestía a la moda hip hop, con una sudadera muy larga que no era de su talla y una gorra de béisbol de los Yankees con la visera hacia atrás. Sin detenerse para mirar qué hacían Franco y Angelo, caminó hacia el norte por Broad Avenue.

—¿Estás preparado? —preguntó Franco mirando por el espejo retrovisor.

—Todo listo.

Amy tenía puesto el cinturón de seguridad y su rostro estaba casi fuera de la ventanilla. Angelo le aguantaba la cabeza con la mano. La muchacha estaba inconsciente.

Después de buscar en el mapa la ruta más corta para volver a Hoboken, Franco hizo un cambio de sentido en medio de Broad Avenue y aceleró hacia el sur.

Durante un rato condujo en silencio. Fue Angelo quien habló primero.

—Desde luego espero que Vinnie aprecie todos estos esfuerzos. Conducir por la ciudad a la hora punta ya ha sido bastante malo, pero ni punto de comparación con meterse en el túnel y después salir a New Jersey. Ha sido horroroso.

—Me habría cambiado por ti sin pensarlo —dijo Franco—. Tener que viajar un día sí y otro también en un autobús como aquel debe de ser una pesadilla.

No volvieron a hablar hasta que llegaron al club náutico. Franco llevó el coche hasta el mismo lugar adonde había ido la noche anterior y aparcó junto al muelle principal. Apagó los faros. La oscuridad era total. Los dos hombres salieron del coche y se dirigieron hacia la puerta trasera del lado del conductor. Cuando la abrieron, la cabeza de Amy cayó hacia la izquierda.

—¡Vamos, nena! —dijo Angelo—, hora de levantarse.

Apoyó la cabeza en el vehículo y desabrochó el cinturón de seguridad. Después sacaron a Amy del coche.

—No pesa mucho, ¿verdad? —comentó Franco.

—Cuando su jefe dijo anoche que era pequeña no mentía.

Con relativa facilidad, llevaron a Amy por el muelle. El aire frío del río la hizo reaccionar hasta cierto punto, y ella los ayudó, así que no tuvieron que soportar todo su peso. La única parte algo difícil fue que cruzara la angosta pasarela para llegar a la popa del barco.

—¿Qué haremos con ella mientras nos ponemos en marcha? —preguntó Angelo.

—No ha vomitado, así que la dejaremos en uno de los camarotes de proa. No quiero que se levante y caiga por la borda. Espera aquí y cuídala mientras enciendo las luces de la cabina principal y las de abajo.

Fue un poco más complicado mover a Amy en el barco de lo que había sido en el muelle, pero consiguieron llevarla a un camarote y dejarla sobre una cama con los pies todavía apoyados en el suelo. Ante la posibilidad de que vomitara, le colocaron toallas debajo de la cabeza. Cuando acabaron, se irguieron y miraron a la mujer.

De pronto, Franco se inclinó, sujetó las solapas del abrigo de Amy y tiró con fuerza. Los botones volaron en todas las direcciones y cayeron al suelo.

—¿Sabes una cosa? —dijo—. Si no te fijas en el pelo y en los granos, no está mal. ¿Tú que dices?

—Le dimos una píldora —respondió Angelo, y sus labios quemados se deformaron en una media sonrisa—. No está bien desperdiciar nada.

—Sí, sería como la lucha del embrión congelado y la célula madre. Me refiero a que si vas a tirarlos por el inodoro, ¿por qué no utilizarlos?

Franco y Angelo se miraron el uno al otro. Sus respectivas sonrisas se ampliaron hasta que se echaron a reír.

—Vale —dijo Franco—. Una vez en marcha, tiraremos una moneda para ver a quién le toca primero.

—¡Trato hecho, compañero!

Con más entusiasmo del que habían mostrado durante toda la noche, subieron a cubierta. Franco continuó hasta el puente mientras Angelo desembarcaba para soltar las amarras. En el momento en que Angelo soltó la amarra de proa y la arrojó a cubierta, Franco ya tenía al motor diésel ronroneando como un gato satisfecho. Angelo corrió a popa y soltó la amarra del enorme noray. Cuando se disponía a arrojar el cabo a la cubierta, vio un destello en el muelle donde estaba el surtidor de gasolina. Por un segundo, Angelo escrutó la oscuridad, pero al ver que no se repetía se dijo que debía de ser un breve reflejo de la luz que salía del yate sobre el cristal del surtidor.

Angelo arrojó el cabo, subió la pasarela y la recogió a bordo.

—Todo listo —gritó hacia el puente.

Mientras el yate se apartaba del amarre, Angelo recogió las gruesas defensas blancas. Las luces de navegación que Franco acababa de encender lo iluminaron durante unos segundos.


Brennan permaneció detrás del surtidor más tiempo del que consideraba necesario. No quería correr riesgos. Le preocupaba haber llamado la atención de Angelo mientras intentaba ver el nombre del yate. El problema había sido que con el rabillo del ojo había visto cómo Angelo se erguía bruscamente para mirar por un momento en su dirección. Brennan pensó que era posible que las luces de la embarcación se hubiesen reflejado en las lentes de los prismáticos.

Esperó a que el sonido de los motores le indicara que el barco se había alejado lo suficiente para no ser visto, y entonces asomó la cabeza por un lado del surtidor; vio las luces del *Full Speed Ahead* a unos doscientos metros más allá del final del muelle. Seguro de que no lo verían desde esa distancia, corrió por el muelle, pasó junto al coche de Franco y luego continuó hasta el fondo del aparcamiento del club náutico. No vio el Denali negro hasta que casi lo tuvo encima. Se apresuró a sentarse en el asiento del pasajero. Estaba sin aliento.

—¿Qué ha pasado? —preguntó Carlo.

Brennan levantó una mano para darse un momento para recuperar la respiración.

—Se la han llevado en un yate —respondió con voz entrecortada.

—Dado que estamos en un club náutico, eso no es muy esclarecedor, sobre todo cuando has creído que la han drogado en el bar.

—¡Estoy seguro que la han drogado! —replicó Brennan. No le gustaba que Carlo le diese órdenes—. Casi la han sacado en volandas del bar.

—¡Vale, vale! No te ofendas.

—Tú también tendrías que corretear un poco por ahí si no confías en mí.

—He dicho que vale, la han drogado —manifestó Carlo—. ¿Crees que todas estas ridículas maniobras solo son para follársela? Quiero decir que ha sido mucho esfuerzo. Desde luego hay muchas tías en Queens para que necesiten venir hasta aquí.

—No puede ser que eso sea solo para tirarse a una tía —afirmó Brennan—. ¿Qué pasa contigo, eres estúpido?

Por un momento los dos permanecieron en silencio. La tensión de la actividad de la tarde empezaba a surtir sus efectos. Carlo fue el primero en hablar:

—No tendríamos que estar tocándonos los cojones. Esto no ha sido una fiesta como creí que sería. Dicho esto, tenemos que encontrar algo que decirle al jefe.

—Se han tomado el trabajo de salir con el yate. No creo que se hubiesen molestado en hacerlo si solo tuvieran la intención de echar un polvo, ni tampoco por una muchacha que desde luego no es nada especial. Nos estamos perdiendo una información importante.

—¿De verdad no oíste nada de lo que dijeron en el bar?

Furioso, Brennan miró a Carlo.

—Vale, vale, ya has dicho que no lo habías oído. De todas maneras, ha sido mala suerte. Era la oportunidad perfecta.

—La música estaba demasiado fuerte. Solo se oía un continuo bum, bum, bum —dijo Brennan, que golpeó varias veces el puño contra la palma de la otra mano—. No podía siquiera escuchar mis propios pensamientos, y mucho menos la conversación de otros.

—Quizá se la han llevado en el yate para arrojarla sin más al agua cuando acaben con ella.

—Me parece una mala explicación —dijo Brennan, que controló su deseo de manifestar un juicio de valor más sólido. Sabía que uno de los efectos del Rohypnol, que probablemente sería lo que le habían dado, era que la víctima no recordaba nada.

—Bueno, por esta noche ya no podremos seguirlos, a menos que regresen.

«Dame un respiro», pensó Brennan, pero se lo calló. En cambio, dijo:

—Gracias a los prismáticos creo saber el nombre del barco. No podía verlo demasiado bien, y no hacía más que bambolearse, pero me ha parecido que era *Full Speed Ahead*.

Carlo se volvió hacia Brennan.

—Eh, eso podría ser algo que a Barbera le gustaría saber.

«¿De verdad?», pensó Brennan con sarcasmo. Algunas veces se preguntaba cómo Carlo había llegado al puesto que ocupaba en la organización.

Carlo cogió el móvil y llamó a Louie Barbera.

Cuando Barbera atendió la llamada, Carlo le hizo una rápida descripción de lo ocurrido hasta el momento. Louie pareció sorprendido. Su primera pregunta fue para saber el nombre de la empresa donde trabajaba la muchacha, pero por desgracia Carlo y Brennan no tenían ni la más remota idea. Louie entonces les preguntó si por casualidad sabían el nombre del yate.

—Creemos que es *Full Speed Ahead*. Estaba oscuro y resultaba difícil ver, pero Brennan llevaba unos prismáticos, y parecía que era ese nombre.

Brennan hizo un gesto para agradecer que Carlo le otorgase el mérito.

—Tíos, estáis haciendo un buen trabajo —los felicitó Louie—. Esta puede ser una información muy interesante. Por lo que sé, nadie está enterado de que Vinnie Dominick esconde un yate en New Jersey. Podría ser la respuesta a cómo consigue la droga.

—¿Qué quieres que hagamos?

—Quedaos por allí y esperad a que regresen, a ver si la chica está con ellos o no. Si no es muy tarde, volved a la Trump Tower. Quiero una lista de las empresas que tienen oficinas allí. Algo está pasando con una de esas empresas, y me gustaría saber qué es.

Carlo se despidió de Louie y se volvió hacia Brennan.

—¿Lo has oído? Tenemos que quedarnos aquí.

—Gracias por atribuirme el mérito de descubrir el nombre del barco.

—Eh, lo merecías. ¿Qué te parece si vamos a buscar un café? Quién sabe cuánto tiempo estarán esos gilipollas en su romántico crucero.

—Es la mejor idea que has tenido hoy —dijo Brennan.


—¿Y bien? —preguntó Franco cuando Angelo volvió al puente.

Franco hacía navegar el gran yate a una velocidad de crucero de forma que apenas planeaba. Podría haber ido mucho más rápido, pero no había ninguna necesidad, y los motores hacían un ruido terrible cuando aceleraba.

—Ha dicho que yo le he gustado mucho más porque tu polla es muy pequeña.

Franco lanzó un puñetazo en broma a Angelo, que el otro esquivó con facilidad. Franco había ganado cuando lanzaron la moneda, y mientras Angelo conducía la embarcación, había ido abajo para tener su momento con la inconsciente Amy. Después había sido el turno de Angelo.

—¿Hasta dónde tenemos que ir? —preguntó Angelo. Miró el perfil urbano de Nueva York a la izquierda y la costa de Jersey a la derecha. A menos distancia, delante de ellos, estaba la Estatua de la Libertad iluminada.

—Más o menos como anoche. ¿Tienes preparada la cadena?

—Todavía no.

Navegaron en silencio durante un rato hasta que Angelo preguntó:

—¿Qué vamos a hacer?

—¿Por qué lo preguntas? Haremos lo mismo que hicimos anoche. Le disparamos y la arrojamos por la borda.

—¿Por qué molestarnos en dispararle?

Franco desvió la mirada de proa y observó a Angelo bajo la escasa luz del puente.

—Estará viva cuando la arrojemos al agua.

—¿Y qué?

Franco se encogió de hombros.

—No me parece correcto lanzarla viva al agua. No es humano.

—¿Así que crees que eres humano? ¿Es eso, Franco?

Franco miró de nuevo a proa. Vio las luces de un barco a estribor que seguía un rumbo que interceptaba el suyo. Movió hacia atrás las palancas del acelerador y el barco redujo la velocidad de inmediato.

—¿Qué demonios pretendes insinuar? —preguntó Franco furioso—. ¿Estás intentando quedarte conmigo?

—¡Diablos, no! —exclamó Angelo—. ¡Tranquilo, tío! Solo lo preguntaba porque yo también me siento así. No está bien arrojarla sin matarla primero. Pero eso hace que me pregunte si no nos estamos volviendo unos blandos.

—Eh, habla por ti.

—Franco, esto es una discusión, no un debate. Comparados con los tipos de antaño, sobre todo los matones como nosotros, somos unos gatitos.

—¿De qué demonios hablas?

—Una vez vi una película donde los verdaderos jefes estaban al mando. Cuando uno de los matones se llevaba a alguien para matarlo como estamos haciendo nosotros, ataban a la persona a una silla y le hundían los pies en cemento, y mientras el cemento se secaba, la persona que iba a morir podía pensar en lo que iba a suceder. Esos tipos sí eran malos de verdad, no como nosotros.

—Tú estás chalado.

—Quizá, pero puede que algún día tenga la oportunidad de hacerlo. Además, ahora sería más rápido y fácil, con esa cosa que se seca de inmediato que venden en las ferreterías.

—Te garantizo algo. Esta noche no volveremos para ir a una ferretería porque tú quieras divertirte un poco.

# 12

*3 de abril de 2007, 19.17 horas*

Angela salió a paso rápido a la Quinta Avenida por la puerta principal de la Trump Tower y se sumó a los numerosos peatones que caminaban hacia el sur. Mientras esperaba que cambiara el semáforo en la calle Cincuenta y seis miró su reloj. Ya llegaba tarde para su cena de las siete y cuarto con Chet McGovern. Tuvo la sensación de que últimamente no hacía más que correr y llegar tarde. La presión era implacable. Sabía que no podía tomarse el tiempo para una cena relajada, pero la coincidencia de haber tenido un enfrentamiento con la doctora Laurie Montgomery y la insistente invitación a cenar por parte de uno de sus colegas el mismo día era una oportunidad que no podía desaprovechar. Le preocupaba que Laurie Montgomery pudiese ser en aquel momento la mayor amenaza para el secretismo con el que Angels Healthcare había conseguido ocultar el problema con el EARM y la consiguiente falta de liquidez. Angela necesitaba saber hasta qué punto representaba un peligro para sus planes.

Cuando cambió el semáforo, la mente de Angela volvió a su otro gran problema. Paul Yang aún no había regresado; antes de salir del despacho, Angela se lo había preguntado a Bob. Sin duda la habría llamado si el contable se hubiese puesto en contacto con él, pero Angela quería estar segura. Habría sido agradable poder tachar una de sus preocupaciones. Después de preguntarle por

Paul Yang, había aprovechado para averiguar si lo había arreglado todo con Michael respecto a los cincuenta mil dólares. Le había respondido que se habían hecho todos los trámites pertinentes excepto recibir el dinero, que esperaba que llegaría por la mañana.

La última cosa de la que Angela había tenido que ocuparse antes de salir del despacho fue de una discusión entre Cynthia Sarpoulus y Herman Straus, el director del Angels Orthopedic Hospital. Cynthia exigía mantener cerrado el quirófano de David Jeffries otras veinticuatro horas, mientras Herman quería tenerlo disponible. Su razonamiento era que se habían realizado cuatro intervenciones después de la de Jeffries, sin que hubiese habido ninguna infección, y el quirófano se había limpiado a fondo. Cynthia, en cambio, quería esperar otro día para comprobarlo de nuevo antes de dar luz verde. En circunstancias normales, el director jefe de gestión, Carl Palanco, se habría encargado del problema, pero la irascible Cynthia había amenazado con dimitir, lo que obligó a Angela a hacer de mediadora. No quería perder a su experta en control de infecciones cuando el EARM seguía siendo una amenaza potencial.

En la calle Cincuenta y cuatro, Angela dobló a la izquierda y aceleró el paso. A pesar de todos los problemas y las presiones, estaba decidida a disfrutar de la cena aunque, como todo lo demás, estaba relacionada con el trabajo. Después de todo, visto por el lado positivo, era uno de sus restaurantes favoritos.

Cruzó la puerta principal y después la puerta interior, se quitó el abrigo y lo entregó a la persona encargada del guardarropa. Al acercarse a la recepción, esperó ver a alguno de los dos propietarios. No lo sabía a ciencia cierta, pero sospechaba que eran hermanos. Al que esperaba ver, dado que hacía las funciones de jefe de comedor, era el elegante italiano con el omnipresente traje de corte perfecto, la impecable camisa blanca, la atrevida corbata de seda con el pañuelo de bolsillo a juego y el pelo oscuro lacio y un tanto largo. El otro era un hombre fornido que exudaba testosterona, y que podría haber interpretado el papel de gángster en una serie. Vestía de una manera mucho más informal, y sin embargo imponía un respeto que despertaba cierto temor. Por lo general estaba detrás de la barra del pequeño bar; cuando Angela entró en el comedor vio que efectivamente estaba allí. La saludó con un gesto y la llamó por su nombre. Antes del desastroso problema del EARM, Angela solía ir a ese restaurante casi todas las semanas, pero a la hora de comer, no a la hora de cenar. No tardó en darse cuenta de que los hermanos debían de turnarse por las noches, porque al mediodía era cuando el restaurante estaba más lleno.

Uno de los camareros también la reconoció. Era un joven italiano con una encantadora sonrisa que también la saludó por su nombre. Con un gesto grandilocuente le señaló la primera mesa de la esquina.

—Su invitado ya está aquí.

De pie detrás de la mesa, Chet saludó con la mano y le dedicó una sonrisa de bienvenida.

Mientras Angela se acercaba, lo evaluó. Había olvidado su encantadora y despreocupada sonrisa, además de su atractivo juvenil. Nunca habría sospechado que era médico, y menos todavía forense. Durante sus estudios, la patología no había sido su materia preferida. No pudo evitar preguntarse por qué alguien escogería hacer carrera en esa especialidad.

Cuando llegó a la mesa, Chet la sorprendió al adelantarse y darle un beso en la mejilla. Ella se lo devolvió sin mucho entusiasmo. Después de todo, era una cena de trabajo, aunque él no lo supiera.

—Gracias por venir, dado lo ocupada que está.

—Gracias por la invitación. No estoy segura de que hubiese cenado de no haber sido usted tan insistente.

—Como dije, tiene que comer.

Se sentaron.

—Lo primero es lo primero —dijo Chet—. Yo invito.

—Creo que voy a llevarme la mejor parte de este encuentro —respondió Angela. Sabía que, acorde con su calidad, el San Pietro no era barato.

Mantuvieron una conversación superficial durante un rato, después de que Angela llamara al camarero. Estaba dispuesta a que la velada fuese breve.

El joven y sonriente camarero se acercó y recitó una impresionante lista de más de una docena de aperitivos especiales y otra docena de entrantes. Luego les entregó las cartas.

—Eso ha sido increíble —susurró Chet a Angela—. ¿Cómo logra recordarlo todo?

Después de haber elegido, y pedir una botella de Brunello de 1995, reanudaron la conversación. Como la noche anterior, Angela pensó que Chet era un magnífico conversador y disfrutó con su humor y refrescante sinceridad. Era, como él mismo admitió sin tapujos, un incorregible galán. Sin embargo, al reconocerlo con tanta sinceridad, lograba evitar una vulgar superficialidad. De nuevo, como había ocurrido en el encuentro anterior y a pesar de todas las presiones a las que estaba sometida, empezó a divertirse. Por supuesto, el vino ayudaba mucho, porque era realmente delicioso, hasta el punto de hacerla sentirse un poco culpable. No dudaba que la botella costaba lo suyo.

Mientras Angela seguía la conversación intentando que no se notara su verdadero interés por acudir a aquella cena, que era descubrir todo lo posible acerca de Laurie Montgomery, se aprovechó de la sinceridad de Chet para preguntarle por qué había estudiado medicina y había elegido ser forense.

—¿Quiere la versión oficial o la verdad? —preguntó Chet con una de sus traviesas sonrisas.

—¡La verdad! —respondió Angela con una exagerada convicción. Bebió otro sorbo del delicioso vino.

—La mayoría de las personas, prácticamente el noventa y ocho por ciento, estudian medicina porque de verdad están motivadas para ayudar a las personas. Yo no. No tenía ni idea de qué quería hacer hasta que llegué a octavo.

—¿Qué pasó?

—Uno de mis amigos, a quien yo consideraba bastante empollón, me refiero a que era presidente del club de ajedrez, de pronto decidió que de verdad quería ser médico, y por la razón habitual. ¿Sabe usted qué pasó?

—Me muero por saberlo.

—Pues que de un día para otro se hizo muy popular entre las

chicas. No podía creerlo. Fue como una metamorfosis. Incluso la chica con la que yo intentaba ligar, Stacey Cockburn,* quería salir con Herbie Dick. De verdad, ese era su nombre. No bromeo.

Angela contuvo una carcajada.

—Así que yo también quise ser médico —continuó Chet—. Funcionó. Dos semanas más tarde llevé a Stacey al baile del sábado por la noche.

—¿Pero esa fue motivación suficiente para que estudiase medicina?

—Lo fue para mí. Siempre me había gustado la biología, así que la medicina no iba en contra de mis intereses. Además, tener un objetivo claro a esa edad era tranquilizador. Mis padres y mis hermanas estaban como locos con la idea de que algún día fuera médico, porque en una pequeña ciudad del Medio Oeste, un doctor es considerado todavía como un individuo hasta cierto punto respetable.

—Vale —dijo Angela—. Pero ¿por qué forense?

—Porque me gustan los enigmas y aprender cosas nuevas. Para mí, eso es la medicina forense. Además, en la facultad me di cuenta de que no era muy bueno con los pacientes, sobre todo cuando estaban vivos.

Angela asintió con una sonrisa. Desde el punto de vista filosófico lo comprendía, pero no tanto lo de tener que hacer autopsias.

—De acuerdo, es su turno —manifestó Chet—. ¿Por qué escogió ser empresaria?

Angela titubeó un momento, mientras pensaba si le interesaba responder. Su primer impulso fue eludir la pregunta con una respuesta intrascendente, pero la sinceridad de Chet, sus recientes dudas sobre las motivaciones, y quizá incluso el vino, la inclinaron hacia la sinceridad.

—Supongo que debería hacerle la misma pregunta que me ha formulado a mí. ¿Quiere la versión oficial o la sincera?

* *Cockburn* significa «fornicar»; *dick* es «falo». Ambos son términos jergales. *(N. del T.)*

—La sincera, por supuesto.

—En realidad nunca quise ser una empresaria, al menos hasta hace cinco años.

—¿Qué quería ser?

—Quería ser médico.

—¿No es coña? —preguntó Chet con una sonrisa insegura en el rostro.

—No es coña —dijo Angela—. Era parte de la manada. Pertenecía al noventa y ocho por ciento que ha mencionado. Quería atender y si era posible curar a la gente. Puede sonar demasiado sensiblero, pero incluso tenía la intención de llevar la medicina a los barrios más desfavorecidos, como una especie de moderno doctor Livingstone.

—¿Por qué no lo hizo?

—Sí que lo hice. Recorrí todo el camino: hice la residencia en medicina interna, cursé la especialidad y abrí una consulta en Harlem.

Chet se echó atrás en la silla y dejó el tenedor en el plato. Por un momento se quedó sin palabras. Había intuido desde el momento en que había entablado conversión con Angela en el gimnasio que había algo especial en ella, pero nunca habría adivinado que era doctora. La sorprendente noticia desafió su autoestima, dado que ser doctora y empresaria de alto nivel desde luego superaba que él solo fuese médico. Pero al mismo tiempo, la noticia aumentó su interés por Angela.

—¿Está sorprendido? —preguntó Angela. Parecía como si hubiesen disparado un cañonazo al lado de Chet.

—Estoy atónito.

—¿Por qué?

—En realidad no lo sé —tartamudeó Chet.

—Yo también estoy sorprendida —admitió Angela—. Pero quizá mis razones para estudiar medicina no fueron tan altruistas como siempre había creído.

—¿Ah, no? —Chet se inclinó hacia delante—. ¿Por qué no?

—Parte de los motivos por los que quise ir a la facultad de medicina, y supongo que cuidar de las personas, porque eso es lo que por lo general haces después de licenciarte, fue vengarme de mi padre.

—¿De verdad?

—De verdad —repitió Angela.

En realidad, sentía el mismo asombro por la afirmación respecto a su padre que el propio Chet. No era porque esa idea no hubiese pasado vagamente por su mente en algunas ocasiones a lo largo de los años, sino porque nunca había abordado de verdad la cuestión.

—Perdóneme si le parece que soy demasiado indiscreto —dijo Chet mientras se acomodaba en la silla—. ¿Por qué quería vengarse de su padre? No sé por qué, me había hecho a la idea de que había disfrutado de una infancia idílica.

—Lo fue en apariencia —respondió Angela. De nuevo se sorprendió de sí misma. Era una persona reservada, y estaba admitiendo cosas que solo había confiado a unas pocas amigas íntimas de la facultad—. Era muy importante para mi padre que lo pareciese. Pero nuestra familia perfecta tenía sus secretos. —Hizo una pausa, poco segura de si quería continuar—. Espero no aburrirlo. ¿Está seguro de que quiere escuchar esto?

—¡Oh, vamos! —se quejó Chet—. Estoy fascinado. Y no se preocupe, no saldrá de aquí.

—Se lo agradezco. —Angela bebió un sorbo de vino, pensó un momento y después añadió—: Por desgracia, mi padre abusó de mí, no en un sentido sexual sino emocional. Por supuesto, yo no lo sabía, pues era una niña. Solo fue después de alcanzar la madurez, si es que he llegado a ella. Cuando era muy joven, era la niña de los ojos de mi padre. Lo recuerdo muy bien, y yo estaba loca por él. Pero reservado como era en sus emociones y siempre pendiente de las apariencias, el coste para mí y para mi madre fue terrible; exigía una fidelidad como la de un perro. Mientras fui su pequeña muñeca, todo fue perfecto. El problema fue que mientras crecía y en el momento en que comencé a manifestar cierta autonomía como persona, se apartó de mí y dejaba caer comentarios sobre que yo lo abandonaba, algo que me hizo sentir muy culpable. Durante un tiempo intenté desesperadamente complacerlo, pero continuamente lo decepcionaba a medida que mis intereses se alejaban de mi hogar y se centraban más en mis amigos y en la escuela. Mi pobre madre, que tuvo que permanecer siempre fiel, quizá sufrió más que nadie, porque mi padre pareció aburrirse de ella y tuvo la habitual crisis de la mediana edad, con aventuras y alcohol. Por supuesto, nunca aceptó su responsabilidad. Nos culpaba a las dos y afirmaba que nadie se preocupaba por él. Por alguna razón que nunca comprenderé, mi pobre madre permaneció a su lado hasta que él se divorció para irse con una mujer más joven.

—Lo siento por usted —manifestó Chet—. Es trágico que las personas como su padre puedan ser sus peores enemigos. Es obvio que su padre debería haberse sentido orgulloso de sus logros, no amenazado por ellos. Pero ¿cómo influyó esto en su deseo de ir a la facultad de medicina?

—Mi padre era un dentista bastante reconocido y muy bueno, pero había admitido en uno de sus escasos momentos de sinceridad que hubiera querido ser médico pero que no había podido ingresar en la facultad. Para complacerlo, cuando yo tenía diez u once años le dije que estudiaría medicina, cosa que no era del todo una sorpresa, porque uno de mis juegos infantiles preferidos era jugar a enfermeras o médicos, que en aquel momento creía que eran la misma cosa.

—Estaba siendo clarividente. Año a año, los dos campos se acercan cada vez más. La mayor diferencia ahora es que las enfermeras trabajan mucho más y los médicos se forran.

Angela sonrió, pero se sentía incómoda por su propio relato. Nunca había hablado, ni siquiera a sí misma, con tanta sinceridad.

—¿Así que parte de su motivación para estudiar medicina fue el deseo de vengarse de su padre? —preguntó Chet.

—Creo que sí. Fue una manera gratificante de obtener algo así como una revancha. Que me licenciara en medicina fue para él tal ofensa que no asistió a mi graduación.

—No sé si acabo de creerme esta teoría —comentó Chet.

—¿Por qué?

—Porque después hizo una residencia como médico interno, que es una de las más duras y exige mucho compromiso.

—De todas maneras, no ejerzo.

—¿Por qué?

—La verdad es que mi consulta se fue a la quiebra. Me endeudé considerablemente debido a que los reembolsos de Medicaid tardaban demasiado en llegar o eran inexistentes, y los de Medicare eran demasiado bajos para cubrir el déficit.

—Vaya —exclamó Chet—. Comparada con la suya, mi vida ha sido una continua fiesta. En mi infancia, mis momentos de mayor sufrimiento emocional eran cuando alguno de los chicos mayores daba un puntapié a mi calabaza de Halloween. Mis padres todavía están juntos, y mi padre asistió a todos los acontecimientos deportivos y graduaciones que tuve desde el jardín de infancia en adelante.

—Con esos antecedentes de tanta estabilidad, ¿cómo es que se ha convertido en un Casanova? Espero que no le importe que se lo pregunte, porque tampoco sé si es verdad. Anoche se le veía tan desenfadado cuando me abordó, y su discurso parecía tan ensayado...

—No es más que una actuación. —Chet se rió—. Siempre estoy muy nervioso por dentro y temeroso ante la posibilidad de un rechazo. Llamarme Casanova me da más crédito del que merezco. Casanova tenía éxito; por lo general yo no, aunque cuando ya he salido con una mujer media docena de veces, necesito volver a ir de cacería. Si eso es un problema o no, no lo sé. Comenzó en la facultad, cuando tenía que trabajar además de ir a clase. No tenía tiempo para una relación seria porque una relación de ese tipo exige tiempo. —Chet se encogió de hombros—. Creo que la semilla se plantó entonces.

—Bueno, suena sincero.

—Sincero, sí; admirable, desde luego no. Me gustaría decir que no he encontrado a la mujer adecuada, pero no puedo porque por lo general no mantengo la relación el tiempo necesario para descubrir si lo es.

—¿Alguna vez ha tenido una relación duradera?

—¡Oh, sí! Casi todo el tiempo que estuve en la universidad. Mi novia y yo teníamos planes para que ella me siguiese a Chicago, donde cursaba la carrera, pero en el último minuto me dejó por alguien de aquí, de Nueva York.

—Lo siento.

—Todo vale en la guerra y el amor.

—Quizá aquel episodio lo afectó más de lo que cree.

—Quizá —admitió Chet. Luego, para cambiar de tema y volver a ella, añadió—: Mencionó que estaba divorciada. ¿Quiere hablar de ello?

Angela titubeó. Por lo general, evitaba hablar de su divorcio, no solo porque por naturaleza era una persona reservada, sino porque aquel lamentable asunto todavía la enfurecía después de seis años. No obstante, dado que Chet había sido tan abierto y ella le había hablado de otros asuntos privados, dejó a un lado su habitual reticencia.

—Hacia el final de la facultad me enamoré como una colegiala de un hombre que creí que era la antítesis de mi padre. Por desdicha, no fue así. Se sentía amenazado por mi título de médico. También tenía aventuras y le gustaba pegarme.

—Eso es intolerable y no hay excusas que valgan —declaró Chet—. Y lo digo porque en el depósito vemos más casos de violencia doméstica de lo que la gente cree.

El camarero apareció de pronto para llevarse los platos, y después les preguntó si tomarían postre. Chet miró a Angela.

—No soy muy aficionada a los postres —confesó ella.

—Tampoco yo —dijo Chet—. Pero un capuchino sería el colofón perfecto.

—Yo me acabaré el vino —dijo Angela, señalando la botella. El camarero le sirvió el resto y se llevó la botella vacía.

—Muy bien —dijo Chet reclinándose en la silla—. Su consulta en la ciudad fue a la quiebra. ¿Cuándo fue eso?

—En 2001 —contestó Angela—. Si la suerte me acompaña, aquel año será mi nadir. Me refiero a que no pudo ser peor. Mi consultorio se fue a la ruina y me divorcié, dos desagradables experiencias que no recomiendo a nadie. Fue un año que no me gustaría volver a vivir.

—Lo supongo. ¿Cómo hizo la transición de la medicina privada a ejecutiva de una empresa? Por cierto, ¿cuál es su posición, consejera médica?

—Soy la fundadora y directora ejecutiva.

Reapareció la sonrisa irónica de Chet, y sacudió la cabeza en una muestra de incredulidad.

—¡Es usted increíble! ¡Fundadora y directora ejecutiva! Estoy asombrado. ¿Cómo ocurrió?

—La bancarrota fue un desastre humillante, pero tuvo una virtud salvadora. Hizo que me diera cuenta del enorme poder que la economía tiene en la medicina. Eso era algo que más o menos sabía antes de la quiebra, pero no en la medida en que lo supe después. En cualquier caso, tenía la idea de hacer algo al respecto, pero la facultad no me enseñó nada acerca de la economía médica. Es más, no sabía nada de economía o empresa, que es algo en lo que, por desdicha, se ha convertido la atención médica, así que volví a la universidad y me licencié en empresariales en Columbia.

Chet echó la cabeza hacia atrás y se dio una palmada en la frente.

—Ya está bien —suplicó—. No puedo seguir escuchando. Está logrando que me sienta un auténtico inútil.

—Es una broma, ¿no?

—Supongo —admitió él—. Pero señora, tiene usted un currículo asombroso.

Llegó el camarero con el capuchino de Chet.

—Tengo una pregunta para usted —dijo Angela al caer en la cuenta de que, absorta en la conversación, no había abordado el tema que la había llevado a aquella cena.

—Dispare.

—Quería preguntarle por la doctora Laurie Montgomery.

—¿Qué le gustaría saber?

—¿La considera una persona persistente y dispuesta a hacer su trabajo, o cree que es una de esas que empiezan una cosa y nunca la terminan?

—Lo primero, por supuesto. La considero como una de las personas más persistentes que conozco, tanto ella como su marido. Algunos de los demás médicos forenses los catalogan como unos trabajadores compulsivos que hacen que los demás parezcamos unos haraganes.

Angela sintió que se le tensaban los músculos del vientre. Había deseado y esperado que Chet dijera algo que mitigase sus preocupaciones, no que las avivara.

—La he conocido hoy. No ha sido en las mejores circunstancias. Durante aproximadamente un mes hemos tenido que enfrentarnos a un brote de estafilococos resistentes a la meticilina en los procesos posquirúrgicos, lo que nos ha obligado a realizar un esfuerzo extraordinario para controlarlo, incluso hasta el punto de contratar a una epidemióloga y especialista en control de infecciones.

—Laurie me mencionó el problema. También me recordó que yo me había ocupado de uno de sus casos.

—No me diga.

—Sí. Vino a mi despacho para recoger el expediente del caso, que yo había hecho unas semanas atrás, aunque todavía estaba a la espera de algunos resultados del laboratorio. Ella acababa de hacer uno similar esa mañana. Creo que ambos eran de uno de sus hospitales.

—¿Dijo algo de qué iba a hacer al respecto, si es que pensaba hacer algo? Me refiero a que ya estamos haciendo todo lo que está en nuestras manos. Yo misma he dado carta blanca a nuestra especialista en control de infecciones.

—Bueno, puede estar tranquila porque Laurie dijo con toda claridad que iba a resolver su problema aunque le fuese la vida en ello.

A Angela se le secó la garganta. Bebió un sorbo de vino.

—¿Utilizó exactamente esas palabras?

—Por supuesto.

De pronto Angela deseó dar por terminada la velada. Aunque antes de empezar a hablar de Laurie Montgomery se había divertido más de lo que había imaginado, ahora tenía un problema que no podía esperar. Sin preocuparse por parecer precipitada, dejó la copa, dobló la servilleta y la dejó sobre la mesa. Luego, con una gran alharaca, consultó su reloj.

—¿Por qué tengo la sensación de que nuestra deliciosa velada está a punto de terminar? —comento Chet con un toque de melancolía—. Confiaba en que estaría dispuesta a caminar una calle hacia el norte para tomar una copa en el elegante Saint Regis King Cole Bar.

—Esta noche no. El deber me llama —respondió Angela—. Pidamos la cuenta, y ¿qué tal si vamos a medias?

—Oh, no —dijo Chet—. Esta vez invito yo. Lo he dejado claro desde el principio.

—De acuerdo, si insiste…, pero ahora, si me perdona, tengo que volver a mi despacho. Debo hacer una llamada.

Angela apartó la silla y se levantó. Chet hizo lo mismo. El súbito fin de la velada lo había dejado desconcertado.

—Volveremos a hablar muy pronto —le aseguró Angela, y extendió la mano, que Chet estrechó.

—Eso espero.

Con una última sonrisa, Angela cruzó el comedor, recogió su abrigo en el guardarropa, y después de dirigir una última mirada y un gesto a Chet, salió presurosa del restaurante.

Chet se sentó lentamente. Su mirada se cruzó con la del camarero, que se encogió de hombros en una muestra de solidaridad.

# 13

*3 de abril de 2007, 21.05 horas*

En el lavabo del entresuelo del Cipriani en el SoHo, Michael cerró el móvil y rechinó los dientes. Había ido con un par de amigos y tres chicas de New Jersey al discreto club privado que funcionaba en el segundo piso. Cuando sonó el móvil y vio que era Angela atendió la llamada, pero incapaz de escuchar nada por el estruendo de la machacona música disco, había escapado al lavabo. En ese momento lamentaba haberlo hecho.

Con gran esfuerzo, Michael resistió la tentación de golpear la pared cubierta de grafitos, afortunadamente, dado que la pared era de ladrillo y cemento, y no contrachapado.

—¡Mierda! —gritó Michael tan fuerte como pudo.

Dentro de aquel reducido espacio, el sonido rebotó en las paredes en una explosión de energía acústica, e hizo que los oídos de Michael pitaran en señal de protesta. Se sujetó a los lados del único lavabo y tensó los músculos como si fuese a arrancarlo de la pared. Poco a poco, dejó que su mirada se alzase y se miró en el espejo. Tenía un aspecto terrible. Su cabello engominado se levantaba en un extremo como si una descarga de diez mil voltios le hubiese sacudido el cuerpo, y sus ojos parecían los de Drácula.

Luego resolló. Estaba furioso pero se controlaba. La muy zorra de su ex le había endosado otro problema, como si fuese un maldito lacayo. De no haber estado metido en aquello hasta las cejas, le habría dicho con placer que se fuera a tomar por el culo, pero no podía. Tenía que resolverlo, y la única manera era ir a Queens y suplicar a los pies de Vinnie, calzados con sus zapatos bien lustrados.

De pronto, cedió a su impulso y dio un golpe contra la pared, aunque fue lo bastante astuto como para usar la palma, y no el puño, de forma que la fuerza del golpe se repartió sobre un zona mayor. De todos modos, le ardía la mano cuando la apartó.

Más calmado después del golpe, abrió el teléfono. Con dedos temblorosos, marcó el número privado del móvil de Vinnie. Era el que Vinnie llevaba día y noche.

—Dime que por una vez me llamas para darme una buena noticia —dijo Vinnie con aquella voz absolutamente tranquila que Michael tanto temía.

Michael recordó la vez que había utilizado aquella misma voz cuando despidió a un hombre. Luego, en cuanto el tipo se perdió de vista, Vinnie le hizo un gesto a Franco, que también se marchó. Aquel fue el final del hombre, al que nunca más nadie volvió a ver.

—Tengo que hablar contigo —dijo Michael con toda la tranquilidad de que fue capaz.

—¿Esta noche? —preguntó Vinnie sin perder la calma.

De fondo, Michael podía oír las alegres conversaciones y la voz de Frank Sinatra cantando, una clara indicación de que aún estaba en el Neapolitan.

—Cuanto antes mejor —respondió Michael—. Lamento molestarte, y no lo habría hecho de no ser importante.

—Bueno, tú mismo, Mikey, pero no tardes. Cuanto más tarde se hace, menos tolerante soy con los fallos, si es eso lo que vas a venir a decirme.

Michael se puso a tope. Volvió al club, que estaba vacío salvo por sus dos amigos y las tres muchachas de Jersey, porque el local no se animaba hasta después de las once, y les dijo que tenía una reunión importante pero que volvería. Luego bajó de dos en dos peldaños la escalera de incendios que se utilizaba como entrada al club, subió a su Mercedes aparcado al otro lado de la calle, y arrancó. Como estaba en el centro, tomó por el puente Williamsburg y siguió por la autovía hasta la calle Ciento ocho en Corona. En poco más de veinte minutos, tenía al Neapolitan a la vista.

Se había calmado mucho durante el breve trayecto. Incluso había estado pensando en un plan B por si Vinnie se negaba sin más a ayudarlo como había hecho por la mañana. No había encontrado ninguna alternativa aceptable, y eso significaba que debía convencer a Vinnie como fuese. El razonamiento había sido válido mientras Michael conducía, pero ahora que cruzaba la calle y se disponía a enfrentarse a Vinnie, sus miedos se multiplicaron.

Se detuvo delante de la puerta e intentó pensar en una introducción apropiada. Pensó que podía intentar apelar a la vanidad de Vinnie, que al menos era un blanco seguro. Con esta idea, Michael entró y se deslizó entre la cortina.

El restaurante estaba lleno de invitados a la fiesta de cumpleaños. El techo aparecía cubierto con globos y había serpentinas por todas partes. La pequeña pista de baile era un mar de confeti, y había un gran cartel detrás del bar con las palabras «Feliz cumpleaños Victorio». Vinnie ocupaba la misma mesa a la que había estado sentado por la tarde, con Carol a su lado. Michael no reconoció a sus otros amigos. Frank Sinatra continuaba cantando.

Cuando Michael miró a Vinnie, casi dio un salto; de repente se sintió animado. Se reía con tantas ganas que las lágrimas caían por sus mejillas. Michael permaneció donde estaba con la esperanza de cruzar una mirada con el agasajado, pero transcurridos cinco minutos fue evidente que no iba a suceder. Con desgana, caminó en dirección a la mesa. Reconoció a unas cuantas personas, pero la mayoría eran desconocidas. Michael advirtió que Franco y Angelo no estaban presentes, aunque vio a Freddie y a Richie en el bar. Cuando ya estaba cerca, consiguió por fin llamar la atención de Vinnie, y se sintió complacido al ver que la sonrisa se mantenía. Vinnie lo presentó, y Michael, obediente, estrechó las manos de todos. Luego Vinnie se disculpó, hizo un gesto a Michael para que lo siguiera y fue hacia el fondo del restaurante, mientras saludaba a algunos de los invitados con un gesto y estrechaba las manos de otros. Pasaron por la cocina, donde en medio de una actividad frenética el personal estaba terminando de preparar los entrantes. Al fondo había una puerta que daba a un despacho. Vinnie entró sin llamar. Paolo Salvato, el propietario, lo miró desde su silla al otro lado de la mesa, sorprendido.

—Paolo, amigo mío —dijo Vinnie—. ¿Podríamos utilizar tu despacho un momento?

Paolo se levantó en el acto.

—Por supuesto. —Salió de detrás de la mesa y desapareció en la cocina, sin olvidar cerrar la puerta.

—Bien, Mikey —dijo Vinnie—. ¿Cuál es ese nuevo problema que no puede esperar hasta mañana?

Con la intención de alagar el ego del mafioso, Michael comenzó diciendo que era algo que solo Vinnie podía resolver. Luego resumió lo que Angela le había dicho: que había una doctora —una médico forense, para ser precisos— que de pronto había asumido la responsabilidad de resolver el problema de las bacterias en los hospitales Angels. Señaló que aquello era una complicación grave, ya que si esa doctora acudía a los medios, la oferta pública de acciones sería un fracaso. Acabó manifestando que alguien muy persuasivo debía hablar con ella y convencerla para que, por su interés, desistiera.

Para alivio de Michael, Vinnie no lo había interrumpido ni había cambiado de expresión mientras escuchaba aquel rápido resumen. Pero cuando Michael acabó, de la forma más inesperada, Vinnie ladeó la cabeza y con una impenetrable sonrisa irónica preguntó:

—¿Por casualidad el nombre de la doctora es Laurie Montgomery?

—Así es —respondió Michael con asombro y no poco desconcierto.

—Oh, qué tragedia —exclamó Vinnie, que aplaudió la mar de contento.

—¿Conoces a esta persona?

—Oh, sí —contestó Vinnie con toda tranquilidad—. La señorita Montgomery y yo tenemos un viejo asunto pendiente. Me causó un gran problema con mi esposa a causa de la funeraria de su hermano, y, por si eso fuera poco, consiguió que me llevaran a juicio y me condenaran a dos años de cárcel. Para mí eso significa que nos conocemos el uno al otro. Pero ¿sabes quién tuvo más problemas que yo con esa zorra?

—No tengo ni idea —dijo Michael. Estaba atónito y agradecido por aquella inesperada pero favorable situación.

—¡Angelo! Hace quince años, ella fue la responsable de que su rostro se quemara hasta tal punto que estuvo a punto de morir.

Vinnie metió la mano en el bolsillo de la chaqueta para sacar el móvil. En su impaciencia, el teléfono parecía resistirse. Cuando consiguió liberarlo, se apresuró a marcar. Franco respondió. Vinnie puso en marcha el altavoz.

—¿Qué estáis haciendo vosotros dos? Disfrutando del viaje, ¿no?

—Nos hemos divertido —dijo Franco—. La primera parte de la noche fue un tocacojones, pero la segunda parte lo compensó. Los peces ya tienen alimento.

—Fantástico. ¿Angelo está ahí?

—Lo tengo a mi lado.

—Pásamelo.

La voz característica de Angelo sonó en el teléfono. Dado que apenas podía mover los labios, las pes, las des, las emes y las tes tenían un claro sonido apagado.

—Angelo —dijo Vinnie—. Qué pensarías si te dijera que la doctora Laurie Montgomery… La recuerdas, ¿verdad?

En lugar de responder, Angelo se limitó a reír de forma despectiva y mordaz.

—¿Qué pasaría si te dijera que está poniendo en peligro un importante trato, y que tú y Franco deberíais hablar con ella para hacerla entrar en razón como hicisteis ayer con el señor Yang?

Angelo volvió a reírse, pero esta vez con evidente alegría.

—Te diría que ni siquiera tienes que pagarme. Lo haré gratis, siempre y cuando pueda hacerlo a mi manera.

—¿Sabes qué? Frankie estaba cantando esa canción hace unos

minutos aquí en el Neapolitan. Parece que se te han otorgado tus deseos.

Vinnie cortó la llamada. Puso un brazo sobre los hombros de Michael y lo guió de nuevo a través de la cocina.

—Por lo visto, este también es tu día de suerte. El problema del ocho-K está resuelto, y puedes dejar de preocuparte por Laurie Montgomery. No está mal para una noche de trabajo.

Michael se limitó a asentir para indicar que lo había entendido. Se había quedado mudo. Veinte minutos más tarde, después de haber tomado una copa de vino en la mesa de Vinnie, estaba sentado al volante de su coche, todavía asombrado por lo impredecible que era la vida.

# 14

*3 de abril de 2007, 21.45 horas*

Adam Williamson conducía su Range Rover tan a gusto como llevaría un ajustado guante de cuero forrado de cachemira. La fabulosa *Novena Sinfonía* de Ludwig van Beethoven había estado sonando durante los últimos ciento sesenta kilómetros, y el asombroso coro final estaba a punto de comenzar. Llevaba el volumen casi al máximo, así que era como si estuviese sentado en el centro de la Orquesta Filarmónica de Berlín. Cuando se inició el coro, cantó en alemán al unísono con los cantantes profesionales. Era tan conmovedor que sintió cómo se le ponía la carne de gallina en la espalda y las extremidades. Era casi orgásmico.

Con una asombrosa precisión, las notas de la sinfonía se apagaron cuando Adam realizó un amplio giro de trescientos sesenta grados a la derecha que lo llevó a las cabinas de peaje de la entrada al túnel Lincoln, la comunicación entre New Jersey y Nueva York. Después de pagar el peaje entró en el túnel.

La siguiente selección fue un CD de Bach; los sonidos de los instrumentos de cuerda y del clavicordio eran el excelente final a la majestuosa obra de Beethoven, y los dedos de Adam comenzaron a golpear suavemente el volante al compás de la música.

Había sido un viaje agradable desde Washington hasta Nueva York, pero Adam estaba ansioso por llegar y llevar a cabo su misión. Sabía muy poco de su objetivo, tal como prefería, algo que la gente para la que trabajaba apreciaba. En su actual estrategia de trabajo, demasiado conocimiento solo servía para complicar las cosas. Lo único que necesitaba era un nombre, una dirección, ya fuese del trabajo o del domicilio, y algunas fotos. Si no había ninguna foto disponible, le bastaba con una descripción. En aquellas misiones en las que no había fotos y solo una descripción, siempre se tomaba un poco más de tiempo. No era el tipo de persona que toleraba errores, así que la preparación le llevaba más tiempo. La actual misión resultaba ser una de aquellas sin fotos, y por tanto se reservó tres días por si surgía alguna dificultad con la identificación.

El Range Rover salió del túnel en el corazón de Manhattan. Adam no había estado en Nueva York desde que había vuelto de Irak. Mientras circulaba en dirección norte por la Octava Avenida, observó la ciudad con absoluta indiferencia, algo que no era extraño, dado que era así como lo observaba todo entonces. En su juventud, incluso cuando estaba en la universidad, había ido a la ciudad en numerosas ocasiones con entusiasmo; primero con su familia y después solo, y en una ocasión con su prometida. Pero en aquel momento le pareció como si la avenida, con sus tiendas vulgares, perteneciese a una vida anterior; y en cierto modo, así era. En sus años de juventud era una persona totalmente distinta. Es más, dividía su vida entre AI y DI, iniciales que correspondían a «antes de Irak» y «después de Irak». El Adam Williamson AI era un joven caballero discreto, educado, de una inteligencia brillante y muy apuesto; encajaba perfectamente como miembro de una familia de clase alta de Nueva Inglaterra. Había ido a un famoso internado, le habían enseñado buenas maneras y a respetarlas, y después había ingresado en Harvard, como habían hecho su padre, su abuelo y todos sus antepasados hasta el momento en el que el *Mayflower* llegó a la costa en Plymouth, Massachusetts.

El principio del paso de AI a DI no fue una revelación sino el horrible atentado del 11-S, que sacudió el cómodo y previsible mundo de Adam como si un planeta se hubiese salido de su órbita. En el instante en que el primer avión se estrelló contra la torre norte del World Trade Center, Adam estaba cepillándose los dientes en el dormitorio de la Harvard Business School, donde estudiaba todos los intríngulis de la economía, un paso obligado en su formación para cuando llegase el momento de asumir el control de la entidad financiera propiedad de su familia.

Contra los deseos de sus padres y de su prometida, que estudiaba derecho, Adam, impulsado por un súbito celo mesiánico de salvar a Estados Unidos y a la democracia, insistió en presentarse voluntario al ejército. Su carácter, que lo llevaba a hacerlo todo con la máxima entrega, junto con su condición de atleta —había sido miembro de uno de los mejores equipos de *lacrosse* de ámbito nacional además de un buen jugador de polo—, hizo que una vez en el ejército, que para él era un mundo desconocido, se pusiera como meta convertirse en miembro de las fuerzas especiales. Siempre espoleado por su perfeccionismo, no tuvo suficiente, y no se dio por satisfecho hasta convertirse en miembro de la Fuerza Delta.

Adam disfrutó con el entrenamiento y las dificultades, como si la instrucción, de por sí, fuese a ayudar a la causa de la democracia. Pero cuando lo enviaron al frente, entrar en combate le provocó una terrible conmoción, porque Adam era más cerebral que físico. En su segunda misión nocturna en Irak, se vio obligado a matar a puñaladas a otro ser humano, y su reacción le asombró y le sorprendió. La experiencia desencadenó un trascendental sentimiento de culpa y tristeza, que ocultó a sus camaradas. Para superar lo que él consideraba una debilidad y un fallo, hizo todo lo posible en las siguientes misiones por dar muerte a sus enemigos. Con el tiempo, y entre el horror y el alivio, llegó a aceptar lo que estaba haciendo y también que se había convertido en una auténtica máquina de matar con poca o ninguna respuesta emocional. No era algo que lo hiciera feliz ni sentirse orgulloso. Solo se trataba de lo que creía que esperaban de él.

Adam giró a la derecha en Columbus Circle; los *Conciertos de Brandeburgo* de Bach parecieron muy apropiados con la súbita aparición de Central Park, con sus árboles en flor que daban un bienvenido alivio a la ciudad dura, angular y casi toda de cemento. La ruta de Adam lo llevaría a lo largo de Central Park sur hasta Madison Avenue, donde giraría al norte. Una vez allí, no tenía más que dar la vuelta a la manzana para llegar a su destino, el hotel Pierre, un hito de la época dorada de Nueva York.

El Pierre era el hotel donde Adam se había alojado siempre desde su primera visita a la ciudad en la infancia, e incluso cuando estudiaba en la universidad. En este viaje, había insistido en alojarse allí, para enfado de sus jefes. Su supervisor había insistido en que se alojara en un lugar menos vigilado y donde pudiese tener el Range Rover a su disposición inmediatamente. Pero Adam se había mantenido firme. Tenía curiosidad por saber si sentiría alguna nostalgia. No lo creía. Era como si sus experiencias en Irak, sobre todo las misiones encubiertas, hubiesen acabado con todas las emociones después de presenciar y participar en unas atrocidades que antes de Irak ni siquiera hubiese podido imaginar. Lo más preocupante era que había llegado a disfrutar con lo que estaba haciendo, incluso con los asesinatos.

Su experiencia en Irak tuvo un desastroso final. Ocurrió durante una desafortunada acción encubierta que salió mal. Él y el resto de su equipo fueron atacados por el fuego amigo del grupo que ellos mismos habían pedido como apoyo. Él no murió, como los demás, pero se fracturó una pierna y perdió el conocimiento. Totalmente indefenso, lo capturaron las mismas personas que el comando debía matar o capturar.

A pesar del supuesto entrenamiento como prisionero de guerra, Adam no estaba preparado para el sufrimiento de su cautiverio. Su pierna nunca recibió la atención adecuada y era una fuente de constante dolor. Pero lo peor fue que lo torturaron repetidamente, y en cada ocasión estaba seguro de que le dispararían o lo decapitarían.

Aunque le habían explicado que el síndrome de Estocolmo era una respuesta psicológica habitual, se sorprendió cuando le ocurrió a él. Después de varios meses, comenzó a identificarse con sus captores y su retorcida ideología. Incluso participó en un vídeo que se transmitió por la cadena de televisión Al Jazeera donde defendía la causa de los insurgentes y criticaba los motivos de Estados Unidos para intervenir en Irak. Su mente había sido manipulada hasta tal extremo que cuando, en secreto, lo intercambiaron por detenidos insurgentes tras una negociación con un agente del FBI, no sabía si alegrarse o lamentar su liberación y el regreso a su patria. De forma intuitiva, supo que nunca podría volver a su vida anterior; eso quedaba descartado.

Adam giró a la izquierda en la calle Sesenta y uno, y a media manzana se detuvo delante de la marquesina de entrada del Pierre. El portero se llevó la mano al sombrero y abrió la puerta del Ranger Rover.

—¿Se alojará aquí, señor?

Adam se limitó a asentir mientras se apeaba del coche. Siguió al portero hasta la parte de atrás del vehículo e insistió en llevar él mismo la bolsa de tenis que contenía sus herramientas de trabajo. En cambio le dejó llevar la pequeña maleta con sus efectos personales.

—¿Necesitará el vehículo esta noche? —preguntó el portero mientras le abría la puerta del hotel.

Adam asintió de nuevo.

—Muy bien, lo tendré aquí junto a la puerta —dijo el portero mientras le señalaba la recepción.

Adam no necesitaba ninguna indicación, porque el vestíbulo apenas había cambiado a lo largo de los veinte años que habían transcurrido desde que él se alojaba en el hotel intermitentemente. Se detuvo un momento ante la mesa de centro con arreglos florales que había en medio de la alfombra, y miró aquel entorno conocido, incluido el salón elevado a la derecha y el mobiliario de estilo inglés del siglo XIX.

Tal como había esperado, no sintió nada. La escena no le provocó la menor emoción. Era como si sus recuerdos perteneciesen a la vida de alguna otra persona.

Después de registrarse, el recepcionista llamó a un botones y le dijo:

—Héctor, este es el señor Bramford de Connecticut. Por favor acompáñalo a su habitación. Por cierto, señor Bramford, le hemos preparado una habitación con una bonita vista del parque.

Bramford era una de las varias identidades que Adam llevaba para aquella misión, junto con la documentación pertinente. Sus supervisores en Washington tenían una discreta empresa de seguridad con sucursales en las principales ciudades del mundo, y Adam trabajaba para ellos en misiones especiales como contratista independiente. Los clientes para aquel trabajo, todos antiguos abogados y políticos, tenían contactos en las más altas esferas del gobierno, así que obtener las falsas identidades había sido algo bastante sencillo.

—Por aquí, señor Bramford —dijo Héctor, señalando hacia los ascensores.

El interior del ascensor era de un exclusivo estilo francés; Adam lo recordó inmediatamente al entrar en la cabina. Su frivolidad junto con su limpieza eran algo tan lejano de su experiencia bélica que se maravilló al pensar que estaban en el mismo planeta que Irak. Mientras subía en el lujoso ascensor, pensó en el enorme contraste de aquella situación con el momento de ser liberado. Entonces lo recogieron en pleno desierto vestido solo con unos calzoncillos sucios y cojeando sobre la pierna deformada.

En cuestión de horas, lo llevaron en avión hasta Alemania, donde volvieron a romperle y a recomponerle la pierna, y comenzó el tratamiento por lo que llamaron una variante de desorden de estrés postraumático. Con ayuda de los psiquiatras, hizo grandes progresos que le permitieron enfrentarse a la ansiedad, a la incapacidad para concentrarse, a la falta de alegría y a las dificultades para dormir. Tuvo menos éxito en volver a interesarse por cualquier cosa relacionada con su vida anterior, que incluía recuperar los vínculos con la familia, con la empresa, con su prometida, o con sus estudios en Harvard. Tampoco asimiló la pérdida de la camaradería con sus compañeros de la Fuerza Delta y el exclusivo y adictivo riesgo de cometer un asesinato.

Su psiquiatra se sentía frustrada por lo que consideraba una falta de progreso del paciente, hasta que le propuso una nueva estrategia: que aceptase aquello en lo que se había convertido a través de su experiencia militar en lugar de intentar reprimirlo o eliminarlo. Fue ella, que residía en Alexandria, Virginia, quien presentó a Adam al fundador y director ejecutivo de Risk Control and Security Solutions, que se mostró muy interesado en su entrenamiento en las fuerzas especiales y en su experiencia como prisionero de guerra. Para proteger su identidad, establecieron una relación de empleo que no se reflejaba en sus libros. A cambio, ellos le pagaban muy bien.

El ascensor del Pierre se detuvo. Héctor dejó que Adam saliera primero y se adelantó para abrirle la puerta de la habitación. Se la mostró brevemente, le explicó cómo usar los sencillos servicios de entretenimiento y le señaló la ubicación del minibar. Luego salió de la habitación, después de agradecer obsequiosamente la propina de Adam.

Durante unos minutos, Adam permaneció frente a la ventana que daba a Central Park. La parte más visible era la pista de patinaje, brillantemente iluminada en el centro de la zona más oscura del parque. Se apartó de la ventana, dejó la bolsa de tenis que llevaba al hombro y la abrió. En el interior había una selección de sus armas de fuego preferidas, muy bien envueltas en toallas y sujetas con cinta adhesiva. Las desenvolvió una a una y comprobó que todas estuvieran en el mismo estado de funcionamiento que cuando las envolvió. Satisfecho de que su arsenal no hubiera sufrido ningún daño durante el viaje, sacó una hoja de papel de un bolsillo interior. En ella aparecía el nombre del objetivo, una breve y sin duda inútil descripción y una dirección un tanto extraña: la de la oficina del jefe médico forense de la ciudad de Nueva York.

# 15

*3 de abril de 2007, 22.15 horas*

—Esto no tiene buena pinta —comentó el doctor Tom Flanagan—. No tiene buena pinta en absoluto.

El doctor Tom Flanagan era uno de los ocho médicos empleados por el University Hospital, con un gran coste, para supervisar la atención en la unidad de cuidados intensivos, la UCI. Estaba de servicio las veinticuatro horas, siete días a la semana. Hablaba con la doctora Marlene Ravelo, especialista en medicina interna y enfermedades infecciosas, que tenía a su cargo el departamento de enfermedades infecciosas.

—Por desdicha, estoy de acuerdo —asintió la doctora Ravelo.

Estaban a los pies de la cama de Ramona Torres en un cubículo aislado de la sala principal de la UCI.

En el lado derecho de la cama se encontraba el doctor Raymond Grady, un neumonólogo, que estaba ajustando la máquina de ventilación de presión positiva en un intento de dar a la paciente el volumen adecuado. Era cada vez más difícil. Echó una mirada a la lectura de la presión venosa central y la correspondiente a la intravascular.

—No la estamos ventilando bien —dijo a la doctora Phyllis Bohrman, la cardióloga que habían llamado a consulta.

Ella miraba el electrocardiograma en el otro monitor. A su lado estaba el jefe de medicina interna, Marvin Poole.

—Está bastante claro el motivo —manifestó la doctora Bohrman—. Miren esta última radiografía de pecho. Los pulmones están llenos de líquido.

—Vamos a mirarlo por el lado positivo —señaló el doctor Flanagan—. Estamos haciendo un buen trabajo atendiendo los choques sépticos, teniendo en cuenta todos los pacientes que llegan de los hospitales Angels.

—Eso es verdad —asintió la doctora Ravelo—. Pero sería agradable salvar a alguno de vez en cuando.

—No pueden culparnos. Después de haber pasado por una liposucción, la infección del sitio quirúrgico del paciente afectaba un significativo porcentaje de la superficie corporal.

—No olvidemos que yo creo que es una neumonía necrotizante —dijo la doctora Ravelo.

—¿Crees que la neumonía es el resultado de que se propagara la infección del sitio quirúrgico, o crees que es primaria? Una neumonía primaria por estafilococo es un tanto rara, ¿no?

—Lo es, pero la secuencia de tiempo llama la atención. ¿No nos dijeron que los síntomas pulmonares precedieron a los síntomas de celulitis?

—Es lo que aparece en el historial.

—Es muy curioso, sobre todo si consideramos que el caso de anoche fue muy similar, aunque la infección en el punto quirúrgico era mucho más pequeña.

—Vale, chicos y chicas —intervino el doctor Flanagan—. La función pulmonar va hacia la Antártida y la función cardíaca sigue la misma dirección, así que la presión sanguínea está por el suelo. Ya no hay descarga de orina, y eso nos dice qué ha pasado en sus riñones, y el hígado ya no hace lo que debería hacer. Gracias a todos por el duro esfuerzo, pero es obvio que hemos perdido la batalla.

El doctor Flanagan y la doctora Ravelo se volvieron para ir a la mesa central, donde buscaron la ficha de Ramona Torres para escribir las notas finales.

—¿Crees que deberíamos haber hecho algo de otro modo? —preguntó la doctora Ravelo mientras se sentaban codo a codo.

El doctor Flanagan negó con la cabeza.

—Seguimos el protocolo más reciente hasta la última coma, así que no lo creo. Demonios, le dimos todo lo que teníamos, incluidos la proteína C activada y corticoesteroides. Además cambiaste los antibióticos en el momento en que supimos que de nuevo nos estábamos enfrentando con el EARM, así que teníamos la certeza de emplear el cóctel correcto. Recuerda que su APACHE II salía del gráfico cuando llegó, así que no teníamos mucho con lo que trabajar.

—¿Por qué no podemos conseguir que estos hospitales nos envíen antes a sus pacientes?

—Esa es una pregunta muy buena. Yo creo que las infecciones de estos pacientes se desarrollaron con inusitada rapidez después de la intervención. A esta mujer la operaron esta misma mañana a las siete y media. En su ficha dice que los primeros síntomas no específicos comenzaron poco después de las cuatro de la tarde. Eso es una velocidad sorprendente.

—Con todas esas horribles toxinas potenciales a disposición de los estafilococos, es comprensible. Estoy dispuesta a apostar que la bacteria de esta paciente tiene el gen Parton-Valentine leucocidina, o gen PVL.

—¿No te sorprende que tengan tantos casos de EARM?

—El estafilococo es el patógeno más común en los sitios quirúrgicos, y si bien el EARM, en los setenta, solo llegaba a un dos por ciento, hoy es de un sesenta y continúa en aumento.

—En realidad, lo que más me preocupa es el dilema de los hospitales especializados. No tienen los recursos para este tipo de casos, y tienen que derivarlos. Es más, en un hospital especializado, creo que fue en un hospital ortopédico, un paciente tuvo un paro cardíaco. ¿Sabes qué hicieron?

—No.

—Llamaron al 061.

—¡Bromeas! —exclamó la doctora Ravelo incrédula.

—No tenían ningún médico de servicio. ¿Puedes creerlo?

—¿El paciente sobrevivió?

—No lo creo.

—Parece una parodia.

—Estoy de acuerdo. Pero ¿qué puedes hacer? ¿Estás al corriente del debate de los hospitales especializados?

—Supongo que algo sé. Es una de las ventajas de estar en la medicina académica: no nos afectan tanto las rencillas del sector privado.

—Yo no estaría tan seguro. Podrían acabar influyendo en nuestros salarios. El mayor problema que la gente ve en estos hospitales privados es que solo les interesa cierto tipo de pacientes: los sanos y asegurados que acuden para una intervención rápida y se van. En realidad son una máquina de hacer dinero, porque les pagan lo mismo que a los del University, pero como no tienen UCIs o salas de urgencias como las nuestras, que no dan dinero, sus costes son mucho menores.

—Oí en alguna parte que el gobierno ha impuesto una moratoria contra ellos. ¿Fue esa la razón?

—No —respondió el doctor Flanagan—. El gobierno estuvo en contra durante un tiempo, en realidad desde finales de 2003 hasta finales de 2006, porque en los hospitales especializados los médicos son parcialmente propietarios para garantizar un flujo continuo de pacientes. Hay una disposición en la ley de Medicare que impide que los médicos envíen pacientes a organizaciones de servicios médicos donde tengan interés personal, como los centros de resonancia magnética y los laboratorios clínicos. Pero hay un vacío en lo que se refiere a todo un hospital. La propiedad en este caso no está prohibida porque se considera que en un hospital general existe poco riesgo de un conflicto de intereses.

—¡Pero un hospital especializado no es un hospital general! —afirmó la doctora Ravelo indignada—. Solo se ocupan de un limitado número de servicios.

—¡Así es! Pero al afirmar que son un hospital general se están aprovechando de ese hueco.

—Entonces ¿por qué se levantó la moratoria?

—No tengo ni la menor idea. Hubo una serie de sesiones en el Senado donde todos estos temas se plantearon con toda claridad. La mayoría de las personas que participaron en el debate, ya fuese asistiendo a las sesiones o por las informaciones en la prensa, eran firmes partidarios de la moratoria; es más, creían que debía ser reforzada porque la existente solo impedía que los nuevos hospitales especializados obtuviesen la licencia como proveedores de Medicare, que es necesaria para el reembolso.

—¿Qué pasó?

—De pronto, la moratoria se levantó sin muchas explicaciones. Creo que entre bambalinas hubo una lucha entre grupos de presión, con los partidarios de la AMA, la Asociación Médica Americana, enfrentados a los partidarios de la AHA, Asociación de Hospitales Americanos, y la FHA, la Federación de Hospitales Americanos. Creo que los médicos gastaron más dinero que los grupos que administran los hospitales.

—Eso es terrible. Todo acaba siendo una cuestión de dinero. Me avergüenzo de nuestra profesión.

—Bueno, tampoco es tan malo. Por lo general, a los pacientes les gustan los hospitales especializados, y para las intervenciones de rutina, desde luego son más cómodos.

—Quizá deberíamos preguntárselo a Ramona Torres —dijo la doctora Ravelo—. Puede que tenga su propia opinión sobre qué es mejor: un hospital especializado y sus comodidades o un verdadero hospital general. De haber estado aquí desde el principio, según nuestras estadísticas, habría tenido muchas más posibilidades de sobrevivir a la infección.

—Muy bien dicho —manifestó el doctor Flanagan—. Muy bien dicho.

# 16

*3 de abril de 2007, 23.05 horas*

—¡Eh, imbécil! —exclamó Carlo mientras sacudía con fuerza el hombro de Brennan.

Brennan, que se había quedado dormido y poco a poco se había deslizado sobre el asiento hasta quedar con las rodillas apoyadas en el salpicadero, se sobresaltó al ser despertado con tanta brusquedad y se sentó como empujado por un resorte. Ansioso, buscó más allá del parabrisas la presencia de alguna bestia o algún enemigo. Cuando oyó que Carlo se reía en la penumbra del interior del coche, recordó dónde y con quién estaba. Se dispuso a decirle a Carlo que ya estaba harto de él por esa noche, pero su compañero le señaló algo más allá del parabrisas.

—Creo que nuestros pájaros regresan a puerto —añadió Carlo—. ¡Adelante y al centro! —Había pasado un año y medio en el ejército antes de que lo expulsaran y, aunque detestaba la vida militar, todavía utilizaba de vez en cuando expresiones militares.

Brennan tuvo que forzar la vista para ver más allá del muelle. Un trozo de luna había aparecido sobre el perfil urbano de Nueva York y proyectaba una clara línea de reflejos a través del Hudson. Brennan y Carlo todavía estaban en el Denali aparcado en un desnivel al fondo del aparcamiento del club náutico, a la espera de que Franco y Angelo regresaran.

—No los veo —dijo Brennan. Apenas pronunció esas palabras, un yate de considerable tamaño se deslizó en silencio a través del reflejo de la luna—. Bien, veo un barco. ¿Cómo sabes que son ellos?

—¿Cuántos barcos hemos visto entrar y salir esta noche?

—Sigues sin saber si son ellos —replicó Brennan, mientras alzaba los prismáticos. Con los aumentos, el yate parecía un fantasma cruzando la bruma suspendida sobre la superficie del agua—. ¿No tendrían que llevar unas luces encendidas?

—¿Cómo voy a saberlo?

—¿Qué vamos a hacer?

—Nos quedaremos sentados aquí, miraremos cómo se marchan y veremos si todavía los acompaña la muchacha. Luego iremos a echar una ojeada al barco.

Les pareció que tardaban una eternidad en realizar la maniobra de atraque y en colocar las amarras. Cuando acabaron, Franco y Angelo echaron a andar por el muelle.

Carlo bajó la ventanilla. Incluso a aquella distancia, oyeron que Franco y Angelo conversaban como si hubiesen estado en una fiesta. Todavía reían cuando subieron al Cadillac con alerones de Franco, cerraron las puertas y se marcharon.

—Ha tenido que ser toda una travesía.

—A costa de la muchacha —comentó Carlo mientras ponía en marcha el coche—. ¡Qué par de cerdos!

—No tiene mucho sentido. Me pregunto quién era ella. ¿Por qué tanto esfuerzo? No era nada especial.

—No tiene sentido para nosotros, pero quizá lo tenga para Louie —manifestó Carlo—. ¿Llevas tus herramientas de cerrajero? —le preguntó a Brennan.

—Siempre las llevo conmigo.

—Echemos una rápida ojeada al interior del yate, si puedes abrir la puerta y desconectar el sistema de alarma.

—Lo haré —respondió Brennan con confianza.

Dos de sus principales habilidades eran forzar cerraduras y saber cómo funcionaban los equipos electrónicos, incluidas las alarmas y los ordenadores. Había ido a una escuela técnica de electrónica después de que lo expulsaran del instituto.

Carlo aparcó más o menos en el mismo lugar donde lo había hecho Franco. Sacó una linterna de la guantera antes de salir del coche. Avanzaron en silencio, disfrutando del chapoteo de las olas contra los pilotes. Cuando llegaron a la pasarela del *Full Speed Ahead*, Carlo titubeó. Miró atrás a lo largo del muelle.

—Espero que no hayan olvidado nada y deban regresar.

—¿Quieres que vuelva y mueva el coche?

Carlo sacudió la cabeza.

—Estaremos atentos, así tendremos tiempo de sobra para reaccionar. Este no es el único barco del muelle.

Subieron al yate.

—Comienza por la puerta —dijo Carlo—. Yo vigilaré.

—Bonito barco —comentó Brennan. Luego se detuvo—. ¿Para qué crees que sirve esa pila de bloques de cemento?

—Tres intentos y los dos primeros no cuentan, tonto.

Brennan miró los bloques y sintió un escalofrío al pensarlo. Se acercó a las puertas de cristal doble que daban al interior del barco y sacó el estuche con las pequeñas herramientas de cerrajero. No había mucha luz, pero tampoco la necesitaba. Forzar cerraduras era algo que se hacía casi solo con el tacto.

—¿Cómo lo ves? —preguntó Carlo.

Estaba sentado en la borda en popa desde donde tenía una buena visión de la entrada del club náutico y de todo el aparcamiento.

—Está chupado —respondió Brennan.

Dos minutos más tarde había forzado la cerradura, pero aún tenía que ocuparse del primitivo sistema de alarma. Resuelto el problema, llamó a su compañero.

Carlo utilizó su linterna para echar una rápida ojeada al interior de la cabina principal. Señaló las copas en el bar.

—Estuvieron bebiendo. Eso explica el buen humor.

—¿Qué pasará si encontramos a la muchacha? ¿Qué vamos a hacer?

—Tendremos que improvisar. —La luz de la linterna alumbró los escalones y el pasillo hacia proa. Después de mirar de nuevo hacia la entrada, que apenas podía verse porque el barco

contiguo era casi tan grande como el yate donde estaban, Carlo
bajó la escalerilla y entró en la cocina y la zona de comedor.
A paso rápido para no perder de vista el muelle, cruzaron la cocina y siguieron por el pasillo que iba a proa. Carlo abrió todas
las puertas, pero los camarotes estaban vacíos y en orden hasta
llegar al último. Allí, las sábanas de la cama de matrimonio estaban
desordenadas, y había una toalla abandonada sobre el lecho.

—Yo diría que esta es la escena del crimen —opinó Carlo.
Alumbró con la linterna el resto del camarote, que por lo demás
estaba en perfecto orden—. La muchacha no está. Es lo que habíamos venido a averiguar, así que ahora vámonos.

Retrocedieron deprisa. Carlo no se sintió tranquilo hasta que
vio de nuevo el muelle y el aparcamiento a popa del barco. Todo
estaba tranquilo. Se volvió hacia Brennan.

—Se me acaba de ocurrir una idea. ¿Es muy difícil esconder
un aparato rastreador en este yate?

—Es fácil —respondió Brennan—. ¿Qué tipo de dispositivo
rastreador te interesa: uno que registre exactamente dónde ha
estado el barco o uno que lo rastree en tiempo real y te permita
ver adónde va?

—El segundo —dijo Carlo, entusiasmado con la idea.

—Eso está hecho. Podemos instalar un dispositivo del tamaño
de una baraja en algún lugar del barco, y después fijar la señal para
que podamos seguirla por internet.

—Muy bien. Llamemos primero a Louie.


—Oh, vamos —suplicó Angelo—. Tampoco está tan lejos.

—Falta poco para la medianoche y estoy agotado —dijo
Franco.

Estaban en el túnel Lincoln y regresaban a Nueva York; Franco tenía la intención de cruzar Manhattan para ir al túnel de
Queens.

—Quiero pasar por el Neapolitan —continuó Franco—. La
fiesta no tardará mucho en acabar, y quiero asegurarme de que
Vinnie sepa que la secretaria ya es historia.

—Solo tenemos que desviarnos veinte manzanas. Quiero ver si ella vive en el mismo lugar, porque si es así, será muy sencillo. No puedes imaginar cuánto he esperado para poder vengarme. Cumplí dos condenas en la cárcel por esa perra, me encerraron por culpa de su maldito novio y es la responsable de que mi rostro tenga este aspecto.

Franco miró a Angelo en la penumbra del coche. Se había acostumbrado a sus horribles cicatrices. Se preguntó si de haberle ocurrido a él habría logrado acostumbrarse.

—¿Cuánto tardaríamos? —insistió Angelo—. Diez minutos, quince como máximo.

—Bueno, de acuerdo —aceptó Franco a regañadientes.

Veinte minutos más tarde, el gran coche negro de Franco circulaba a paso de tortuga por la calle Diecinueve; Angelo iba inclinado para ver las fachadas. La última vez que había estado allí fue diez años atrás, pero la experiencia se le quedó grabada a fuego en la memoria. Estaba seguro de que recordaría el edificio, pero no conseguía verlo.

—¿Cuál es, por el amor de Dios? —preguntó Franco.

Había tomado la decisión de sacrificar ese tiempo porque, por un momento, se había apiadado de Angelo, pero se le estaba acabando la paciencia a la vista de que su compañero estaba tardando una eternidad en algo tan sencillo como encontrar el edificio correcto. Antes, Angelo le había asegurado que no sería un problema.

—¡Allí está! —exclamó Angelo de pronto. Señaló.

—¿Estás seguro? —Franco miró el edificio que Angelo le señalaba. Era de ladrillo, y estaba en un estado de conservación lamentable, al igual que las casas vecinas—. ¿Cómo lo sabes?

—¡Confía en mí! Lo sé.

Mientras Angelo se apeaba del coche, Franco aprovechó para recordarle que la visita solo era un rápido reconocimiento. Angelo hizo un gesto por encima del hombro para indicar que lo había oído.

Angelo miró hacia lo alto del edificio. Las luces del apartamento del quinto piso estaban encendidas. La doctora Laurie

Montgomery vivía en el apartamento de atrás: el 5 B. Angelo abrió la puerta y entró en el vestíbulo. En cuanto lo hizo, recordó cómo su loco compañero, Tony Ruggerio, disparaba en aquel vestíbulo a una mujer que ambos habían creído que era la doctora Laurie Montgomery pero que resultó ser otra persona. Tony fue una pesada carga como compañero, pero no había tenido elección; finalmente, la temeridad del tipo hizo que lo matasen.

Con la ilusión de encontrar su recompensa, Angelo miró los nombres junto a los timbres. Para su gran decepción, el nombre para el timbre del 5 B era Martin Soloway.

Después de haberse ilusionado tanto, Angelo sintió una momentánea parálisis. Pero después recordó que sabía dónde trabajaba la mujer, y su estado de ánimo cambió de inmediato, aunque un segundo después el entusiasmo se enfrió de nuevo ante la posibilidad de que después de doce años ella hubiera cambiado de trabajo y se hubiese trasladado a otra ciudad de la misma manera que había dejado su antiguo apartamento. Con un humor que fluctuaba entre el entusiasmo sin límites y un estado cercano a la depresión, Angelo volvió al coche.

Las cicatrices limitaban la variedad de expresiones faciales de Angelo, pero Franco había aprendido a interpretar los cambios sutiles. Supo de inmediato que Angelo estaba desilusionado.

—¿Ya no está allí? —preguntó Franco.

—Ya no está allí —confirmó Angelo.

Luego le comentó su preocupación ante la posibilidad de que hubiese dejado la ciudad.

—¡Vamos, anímate! Tiene que estar aquí. De lo contrario no estaría causando problemas.

Aunque no lo reflejaban sus movimientos faciales, Franco supo que el humor de Angelo había cambiado a mejor.

# 17

*4 de abril de 2007, 4.15 horas*

Ángela había tenido dificultades para conciliar el sueño. Había intentado leer, pero después de varias horas había renunciado. También había probado con la televisión, que por lo general la hacía dormir en menos de diez minutos, pero en aquella ocasión no fue mejor que el libro. Mientras se esforzaba por prestar atención al programa de tertulias, su mente volvía una y otra vez a sus principales preocupaciones: la falta de capital, la aparente juerga que se había corrido Paul Yang con un ocho-K preparado en su ordenador portátil a un solo clic de ser presentado a la SEC y la posibilidad de que la doctora Laurie Montgomery convirtiese el brote de EARM en un desastre de relaciones públicas, ya fuese desanimando a los médicos y a los pacientes a ir a los hospitales de la empresa o alertando a la SEC de la falta de liquidez, lo que tendría graves consecuencias financieras.

Acabó por renunciar y se tomó un somnífero. Era consciente de que en los últimos meses había estado utilizando los hipnóticos con demasiada frecuencia, pero consideró que estaba justificado. De todas las personas en Angels Healthcare, ella era la única en la que se podía confiar para salir de la actual crisis y salvar la oferta pública de acciones. Para hacerlo necesitaba tener la mente despejada, y no lo conseguiría si no dormía.

Como ocurría últimamente, la pequeña pastilla blanca ovalada obró el milagro, y Angela se sumergió en un sueño profundo, aunque drogado, lleno de inquietantes pesadillas. La peor era verse forzada a caminar por una angosta cornisa de un alto acantilado. No sabía la razón, pero debía llegar al otro lado o se produciría una catástrofe. La cornisa se había ido estrechando poco a poco, y cuando estaba cerca de la meta, su pie resbaló. En el último instante logró sujetarse al borde con las manos. Pese a sus esfuerzos, no conseguía encaramarse de nuevo a la angosta cornisa. Poco a poco, sus dedos y brazos se cansaron y cayó a las profundidades del abismo.

Angela se despertó con el corazón desbocado, pero se tranquilizó al descubrir que estaba viva. Si bien comprendía la causa de la pesadilla, se preguntó de dónde había surgido la idea de estar en un acantilado.

No le hacía ilusión pisar el frío suelo de mármol del baño, pero como no tenía alternativa, se deslizó de debajo de las mantas para mantener la cama lo más caliente posible. Procuró darse prisa, de la misma manera que intentó mantener la mente en blanco. Le preocupaba no volver a dormirse. Calculó que había dormido unas cinco horas.

Los temores de Angela se hicieron realidad. Aunque aún se sentía agotada e incluso drogada, no pudo calmar su mente, que no hizo caso de sus órdenes, y de inmediato empezó a funcionar a tope. Iba a tener un día muy atareado. En primer lugar, quería asegurarse de que los cincuenta mil dólares de Michael habían sido transferidos a la cuenta de la empresa. Luego debía hablar con Bob para saber si Paul había aparecido y, aún más importante, si había presentado o no el ocho-K.

A las cuatro y media de la madrugada, tuvo que admitir que dormir, por muy necesario que fuese, sería imposible. A regañadientes, se levantó y, camino de la cocina, se detuvo ante la puerta de su hija. Después de preguntarse por un momento si valía la pena despertarla, la abrió. Con la luz de la lámpara del pasillo, vio el cuerpo de Michelle, con su precioso pelo negro apartado de su rostro angelical. A media luz, su cutis impecable parecía desprender un resplandor sobrenatural desde el interior.

Por un momento se quedó mirando a su hija como solo puede hacerlo una madre. Sintió una oleada de amor que eclipsaba todos los sufrimientos y rencores asociados con Michael, la ignominia de la bancarrota y la ansiedad que le provocaban todos los problemas con Angels Healthcare. Era una manera de recuperar sus prioridades y saber qué era de verdad importante. Al hacerlo, pensó en la velada de la noche anterior. En aquel momento veía con mucha más claridad que durante la cena con Chet McGovern había disfrutado de un modo totalmente inesperado. Si bien había aceptado con una intención determinada —descubrir si Laurie Montgomery era una amenaza real—, había redescubierto que una conversación sincera y la interacción social con un hombre en apariencia sano podía ser enriquecedora. Nunca había tenido con nadie una discusión franca sobre sus motivaciones, incluida ella misma.

Con el mismo sigilo con que había entrado en la habitación de Michelle, se marchó y entornó la puerta, para dejarla tal como la había encontrado. Michelle siempre quería un poco de luz como un vínculo con el mundo real en la oscuridad de su dormitorio.

Entró en la cocina y preparó la cafetera en silencio. El dormitorio y el baño de Haydee estaban junto a la cocina, y Angela no quería molestarla.

Mientras esperaba a que se encendiese el piloto que indicaba que la cafetera había alcanzado la temperatura y la presión correcta, Angela volvió a pensar en la cena con Chet McGovern. Admitir que había ido a la facultad de medicina en parte como una revancha contra su padre no era muy halagador. Lo que no le había dicho era cuánto había disfrutado en la facultad, sobre todo durante los años pasados en la clínica, ni tampoco cómo había gozado con la residencia médica. La mayoría de sus compañeros habían vivido el período de residencia como un martirio, y en cambio ella creía con toda sinceridad que había sido la mejor experiencia de su vida: la perfecta combinación de servicio y aprendizaje.

El piloto de la cafetera indicó que estaba preparada. Colocó una de las cápsulas selladas en el recipiente, la puso en marcha y el café comenzó a caer en la taza. Hizo una mueca ante el sonido que rompía el silencio del apartamento

Angela recordó algunos episodios con los pacientes y los familiares durante su residencia y el año que había tenido su consulta privada. Iban de una gran alegría a una enorme tristeza, pero siempre eran humanos. Luego comparó cómo se sentía después de un día de ejercer la medicina con lo que sentía al acabar la jornada en Angels Healthcare, y reconoció qué distintas eran las recompensas. Con la medicina, todo era profundamente personal; al final del día casi siempre podía disfrutar con la realidad de que había ayudado al menos a unas cuantas personas de la forma más directa posible. En la empresa, era algo más vago y tenía que ver con conseguir algún objetivo que, aunque fuera difícil definirlo con claridad, siempre tenía que ver con el dinero.

Se llevó el café al despacho. Era su habitación preferida, con toda una pared llena de estanterías desde el suelo hasta el techo, y una escalera sujeta a un riel a lo largo de la biblioteca. A Angela le encantaban los libros desde la niñez y se sentía orgullosa de no haberse desprendido nunca de ninguno.

Sentada a la mesa, sacó un bloc y comenzó a escribir los problemas a los que se enfrentaba en aquellos momentos y qué intentaría hacer respecto a ellos durante el día. Al escribir el nombre de Paul, pensó en un hombre que tenía dificultades con el alcohol, del que ella no había sabido nada. Desde el punto de vista de directora ejecutiva, la enfurecía que no se lo hubieran comunicado, y le sorprendió que Bob fuese el responsable. Pero después, gracias a sus recientes reflexiones sobre sus estudios, enfocó el problema desde el punto de vista médico y recordó lo difíciles que eran todas las adicciones. Se preguntó si la empresa debía pagar la rehabilitación, algo que podía ser importante si en realidad había recaído. Anotó la idea. Era una cuestión que trataría después de la OPA.

Cuando Angela escribió el nombre de la doctora Laurie Montgomery, hizo una pausa. Había poco que pudiese hacer respecto a ese problema. Estaba en manos de Michael, si es que se podía confiar en su ex marido. La noche anterior, cuando lo llamó para comunicarle las inquietantes noticias referentes a la personalidad de la mujer y que había manifestado la voluntad de resolver el problema de Angels Healthcare con el EARM aunque le fuese la vida en ello, prometió hacer algo al respecto de inmediato. Conociéndolo como lo conocía, no tenía ni idea de si le había dicho la verdad o solo buscaba tranquilizarla. Su intuición le advertía alto y claro que Laurie Montgomery era la mayor amenaza para mantener el problema de las infecciones fuera de los medios, y que no había tiempo que perder. Con todas las dificultades y esfuerzos que estaban pasando con la falta de liquidez, sería trágico si la OPA fracasaba por culpa de una forense demasiado entusiasta.

La mirada de Angela se posó en el teléfono y luego se fijó en su reloj de mesa Tiffany. Eran las cuatro y treinta cinco de la madrugada, una hora poco adecuada para una llamada. No obstante, estaba hasta tal punto segura de la amenaza que representaba Laurie que pensó que debía llamar. Por propia y triste experiencia, sabía que a veces Michael estaba de juerga hasta esa hora, y en numerosas ocasiones incluso hasta las cinco. Mientras se debatía entre hacer o no esa llamada, se justificó pensando en la importancia de iniciar una ofensiva contra Laurie y en que Michael se lo merecía. Siempre que había vuelto a aquellas horas, borracho como una cuba, no solo la había despertado a ella, sino también a Michelle.

Marcó el número con cierto placer vengativo. Mientras sonaba el teléfono, esperó oír el contestador automático, porque él tenía un identificador de llamadas, y ella una línea particular.

Para su sorpresa, él respondió con una voz un tanto ebria.

—Más vale que sea importante —farfulló Michael.

—Michael, soy Angela.

Hubo una pausa. De fondo, oyó una voz de mujer con un fuerte acento de New Jersey que se quejaba y quería saber quién llamaba en plena noche.

—¿Me escuchas? —preguntó Angela. Ahora que lo había despertado, se sentía un poco culpable, pero estaba decidida a no mostrarlo.

—Por amor de Dios. Son las cuatro y media de la madrugada.

—Las cuatro y treinta y cinco, para ser exactos. Me preocupa el problema con la doctora Laurie Montgomery por el cual te llamé anoche.

—Te dije que me ocuparía.

—¿Lo has hecho?

—Te dije que me ocuparía y lo hice. Está solucionado, así que vete a dormir.

—¿Cómo puedes estar tan seguro? Tiene fama de ser muy insistente.

—No es cuestión de lo insistente que sea. Mi cliente la conoce personalmente. Dijo que estaría muy contento de hablar con ella, y está seguro de que ella comprenderá su posición. Por lo que tengo entendido, la doctora le debe mucho a mi cliente.

La explicación de Michael no tenía mucho sentido, pero su seguridad sí. Angela le dio las gracias y le dijo que se fuera a dormir.

# 18

*4 de abril de 2007, 4.45 horas*

Laurie llevaba despierta un rato; no sabía cuánto, y finalmente se decidió a mirar el reloj. Eran las cinco menos cuarto; faltaba una hora para que Jack se levantara y una hora y quince minutos para que fuera a sacarla de la cama. Esta era la rutina habitual, el hecho de que ya estuviera despierta decía mucho de su estado anímico. Laurie era una persona nocturna. Alrededor de las diez de la noche, cuando Jack apenas podía ya mantener los ojos abiertos, ella solía animarse. Le encantaba leer de noche y se quedaba hasta después de medianoche absorta en alguna novela; lo hacía mucho más a menudo de lo que le gustaba admitir, aunque a la mañana siguiente se arrepentía y se juraba no hacerlo de nuevo.

En aquel momento, mientras yacía allí, despierta y con la mirada fija en el techo oscuro, sabía con exactitud cuál era el problema: estaba deprimida. No era una depresión grave que la incapacitase, algo que nunca había tenido aunque podía imaginar cómo era, sino una molesta melancolía porque suponía que se llevaría una gran desilusión.

Siempre había querido tener un hijo, y se había visto a sí misma como una madre a la espera durante su larga formación médica, a la que culpaba de no haber tenido tiempo para encontrar a un esposo. Luego se había enamorado de Jack, y había tenido que enfrentarse con su culpa por la pérdida de su familia y con sus dudas sobre si debía o no comprometerse con otra. Pero aquello formaba parte del pasado; ahora estaban intentando tener una familia, aunque durante el último año no había ocurrido nada, a pesar de las gráficas de temperatura y el cuidadoso seguimiento de sus períodos. El problema, tal como lo veía, era su edad, pues ya estaba en la cuarentena. Cada mes que pasaba, veía con ansiedad cómo disminuían las oportunidades para una concepción natural, y ahora Jack no solo insistía en someterse a una intervención que lo dejaría fuera de servicio durante Dios sabía cuánto tiempo, sino que había escogido un momento en el que correría un serio riesgo.

Laurie se volvió de cara a Jack y se incorporó apoyada en un codo. Miró su perfil, la viva imagen de la tranquilidad, tumbado boca arriba con un brazo sobre la almohada detrás de su cabeza. Ella lo amaba, pero a veces su obstinación podía volverla loca, como ocurría entonces. Aunque le fuese la vida en ello, no conseguía entender cómo él podía hacer caso omiso de la realidad y creer que era prudente someterse a la intervención.

Laurie se levantó tras admitir que no conseguiría volver a dormir. En albornoz y zapatillas, fue al estudio que se habían hecho y que daba a la calle Ciento seis. Amanecía. Miró a través de la ventana la querida cancha de baloncesto de Jack, con el deseo de que desapareciera por arte de magia. Luego se volvió hacia la mesa. Su lado estaba lleno de expedientes de casos de EARM y de registros de hospital de los veinticinco pacientes fallecidos, junto con la matriz incompleta. Se lo había llevado todo a casa con la intención de trabajar unas horas antes de irse a la cama, pero no lo había hecho. Ya que se había despertado temprano, pensó que podía aprovechar el tiempo, pero incluso antes de sentarse, se dio cuenta de que se sentía como la noche anterior. Su desconsuelo le seguía diciendo que todos sus esfuerzos eran en vano. Jack haría lo que quisiera.

En la cocina, Laurie preparó el café. Se sentó a la mesa y comenzó a pensar en una fertilización in vitro y en cómo Jack respondería a esa idea. Aunque era el paso siguiente lógico, no lo habían discutido. En realidad, Laurie tenía miedo. Sabía que Jack había aceptado tener hijos para complacerla a ella, y no porque los deseara.

Para sorpresa de Laurie y a pesar de haber sido incapaz de dormirse en la cama, se quedó dormida en la silla, lo que probaba su agotamiento. La despertó la voz de Jack, que estaba en el umbral, desnudo, con las manos en los muslos y una exagerada expresión de desconcierto en el rostro.

—¿Qué demonios haces durmiendo en la cocina?

—No podía dormir —respondió Laurie, consciente del contrasentido.

Jack entró en la cocina y apoyó una mano en su hombro.

—Si todavía estás preocupada por la intervención, te prometo que estaré bien.

—Oh, sí, claro —replicó Laurie en tono sarcástico—. ¿Por qué tienes que ser tan empecinado?

—¡Mira quién habla!

—Bueno, si la situación fuese a la inversa, te aseguro que de ningún modo correría el riesgo que tú estás dispuesto a correr.

—¡Eh! —exclamó Jack—. Ya hemos hablado de esto antes, ¿recuerdas?

Acordamos que estábamos en desacuerdo. Tengo que ir al hospital esta mañana camino del trabajo para un análisis de sangre y de orina para el preoperatorio, me tomarán la muestra para la prueba de EARM que te mencioné, y tendré una charla con el anestesista. Por eso me he levantado temprano. ¿Por qué no vienes? Participar en todos estos preparativos quizá te haga sentir mejor.

Laurie consideró por un momento la propuesta. Primero se dijo que, a modo de protesta, prefería no saber nada más de los planes de Jack, pero al replanteárselo comprendió que sería como tirar piedras a su propio tejado. En esa visita, sería la esposa de un paciente, y nadie podría acusarla de presentarse como forense. La intuición le decía que si el brote no era intencionado, entonces tenía que haber algún tipo de error en el sistema que compartían los tres hospitales, y para tener alguna posibilidad de adivinar cuál era, debía aprovechar aquella oportunidad que Jack le ofrecía.

—De acuerdo, te acompañaré —dijo Laurie con tanta decisión que Jack se sorprendió un tanto.

—Fantástico —dijo—. Vamos a la ducha y nos pondremos en marcha.


Franco se despertó pero abrió un solo ojo. Sonaba el móvil, pero antes de responder miró el despertador para saber la hora. Eran las cinco y cuarenta y cinco. Renegando, sacó una mano de debajo de las mantas y cogió el teléfono.

—¿Sí? —atendió en un tono que haría saber al interlocutor que no le hacía la menor gracia que lo despertaran a esas horas. La única razón por la que respondía era por si lo llamaba Vinnie.

—Vamos a ponernos en marcha —dijo Angelo—. Pero no llevaremos tu tartana. Iremos en una furgoneta.

Franco le recordó con algunos insultos escogidos la hora que era.

—Sé que es temprano —admitió Angelo—. Pero anoche, cuando volví a mi apartamento, llamé a la oficina del forense. Pregunté por la doctora Laurie Montgomery y me dijeron que todavía trabaja allí. También pregunté a qué hora entraba, para saber si podíamos secuestrarla. Sé que esas personas trabajan muchas horas.

—Estás demasiado ansioso —protestó Franco.

—Vinnie quería hacerlo ayer, ¿no lo recuerdas?

—Sí, lo recuerdo —dijo Franco de mala gana.

—Vale, nos encontraremos en el Neapolitan. Yo me encargaré de la furgoneta.

—El Neapolitan no estará abierto.

—Vaya, tienes razón.

—Angelo, estás obsesionado con esto. ¡Cálmate! Cuando se está demasiado ansioso se cometen errores, como olvidar que no hay nadie en el maldito restaurante hasta después de las diez.

—Tienes razón. Estoy demasiado ansioso, pero tú también lo estarías si estuvieses en mi lugar. ¡Ya está! Pasaré a recogerte por tu apartamento a las seis y media. ¿Vale?

—Puedes recogerme en el restaurante —dijo Franco. No quería encontrarse sin coche más tarde—. Siempre hay sitio para aparcar delante a esa hora. —Cerró el teléfono y sacó los pies de debajo de las mantas. Intuía que iba a ser un día muy largo intentando calmar el entusiasmo de Angelo, sobre todo porque cargarse a un funcionario público que trabajaba en un entorno razonablemente seguro no iba a ser tan sencillo.

Adam Williamson respondió al teléfono al primer timbrazo. Si estaba en una misión, dormía como un gato nervioso, siempre preparado para saltar a la menor provocación.

—Señor Bramford, le avisamos de que son las seis, tal como usted pidió. Hoy se espera que el día esté nublado con la posibilidad de algún chubasco y una temperatura máxima de diecisiete grados.

Adam dio las gracias al conserje y de inmediato llamó al servicio de habitaciones para pedir un desayuno completo con zumo, huevos, beicon, patatas fritas y café. En misiones como aquella, nunca sabía cuándo tendría la oportunidad de volver a comer, ya que estaría vigilando la casa o el lugar de trabajo del objetivo. Para ayudarlo, sus supervisores siempre le daban matrículas del estado donde la operación tendría lugar, junto con carteles publicitarios para las puertas del Ranger Rover. En aquella ocasión, eran una tienda de antigüedades y diseños de interiores en la calle Diez llamada Biedermeier Heaven.

Satisfecho porque todo estaba en orden, Adam se fue a la ducha. Desde que había regresado de Irak, solo en momentos como aquel se sentía completo: estaba en una misión, y todo iba de acuerdo con los planes. La única manera de que fuera mejor sería hacerlo con sus camaradas de la Fuerza Delta que lo habían acompañado en su última y desgraciada misión militar. Por supuesto, el momento álgido aún estaba por llegar. Sería cuando cometiese el asesinato.

Laurie se quedó unos pasos detrás de Jack cuando entraron en el Angels Orthopedic Hospital. Había mucha más actividad a las seis y cuarto de la mañana de la que había a las dos y media de la tarde del día anterior. Mientras Jack iba al mostrador de información, Laurie se mantuvo cerca. Si bien tenía una razón legítima para estar allí, no le interesaba tener otra confrontación, como podía ocurrir si tenía la desdicha de encontrarse con Angela Dawson o Cynthia Sarpoulus. Con Loraine Newman quizá sería otra historia, pero incluso así se vería obligada a llamar a los demás si veía a Laurie. Después de todo, eran sus jefes.

A Jack le dijeron que fuese al segundo piso. Mientras esperaban el ascensor, Jack advirtió la conducta vigilante de Laurie.

—¿Qué demonios te pasa? —le preguntó—. Pareces una ardilla que espera encontrarse con un perro.

—Ya te conté que ayer no me trataron con mucha hospitalidad. Preferiría evitar encontrarme con la directora ejecutiva o su especialista en control de infecciones.

—No seas paranoica. Tienes todo el derecho de estar aquí.

—Quizá sí, pero no quiero tener ninguna pelea al respecto.

En el segundo piso, encontraron con facilidad el camino hasta la sala de espera preoperatoria. La decoración era más parecida a la de una sala de estar de una mansión privada que a la de un hospital. Incluso el nombre era engañoso, porque apenas tuvieron que esperar. Había otros pacientes para las intervenciones del día siguiente, pero había suficiente personal disponible. Jack y Laurie ni siquiera llegaron a sentarse antes de que se llevaran a Jack a uno de los cubículos para extraerle sangre.

—¿Llevas el móvil? —le preguntó Laurie a Jack.

—Por supuesto. ¿Por qué?

—Yo también llevo el mío. Voy a ir hasta el cuarto piso para visitar el laboratorio de patología clínica. Llámame si no estoy de vuelta cuando hayas acabado.

Jack le guiñó un ojo.

—¿Vas a hacer un uso constructivo de tu tiempo?

—Algo así —admitió Laurie.

Aunque en un primer momento Laurie había deseado que no

la reconocieran, en ese momento cambió de opinión. Pensó que podría aprovechar la ocasión para ver si Walter Osgood estaba allí. Al recordar que llamaría al CDC en algún momento del día, quería averiguar si a Osgood le interesaría saber si el EARM que había infectado al menos a tres pacientes era del mismo tipo, ya que eso podría indicar que el estafilococo provenía de una misma fuente. Le había molestado que la tarde anterior hubiese intentado justificar no haber buscado el subtipo de la bacteria en todos los casos. Desde el punto de vista epidemiológico era obligatorio, sobre todo en una situación en la que la fuente y el método de contagio eran desconocidos.

En el cuarto piso, Laurie entró en el laboratorio y preguntó al primer técnico que encontró si el doctor Osgood estaba allí.

—No lo sé —admitió el técnico—. Tendrá que preguntarle al doctor Friedlander, el supervisor del laboratorio clínico. Su despacho está en la pared del fondo. No puede equivocarse. —Le señaló el lugar a través de la habitación.

«Esto ya lo he oído antes», murmuró Laurie mientras caminaba en la dirección indicada. A pesar de su desconfianza, encontró el despacho donde le había dicho el técnico. Se acercó a la puerta abierta y vio a un hombre delgado con barba y una impecable bata blanca almidonada, que se ocupaba de los papeles amontonados sobre su mesa.

—Perdón —dijo Laurie.

—¿En qué puedo ayudarla?

—Busco al doctor Osgood. ¿Puede decirme si está aquí esta mañana?

—No, hoy no. Hoy está.. —El hombre dio media vuelta en la silla para mirar el tablero a su espalda—. Está en el hospital cardiológico. Aquí solo viene los lunes y los jueves.

—Gracias.

—¿Hay algo en que pueda ayudarla? Soy el supervisor del laboratorio de patología clínica.

—Necesito hablar personalmente con el doctor Osgood —respondió Laurie, aunque por un momento pensó en pedirle al doctor Friedlander que le transmitiera el mensaje.

—¿Es urgente? Podríamos llamarlo. Por lo general, está disponible en su móvil.

—Tiene que ver con el brote de EARM.

—Yo diría que es importante. ¿Quién es usted?

Laurie se identificó, y el doctor Friedlander hizo la llamada. Osgood atendió, y el supervisor le informó de que la doctora Laurie Montgomery estaba en su despacho y que deseaba hablar con él. Laurie se dispuso a coger el teléfono, pero Friedlander levantó una mano para pedirle que esperara. Laurie no podía escuchar lo que decía Osgood, por lo que se limitó a sostener la mirada de Friedlander, que no le quitaba ojo mientras decía intermitentemente «Sí» y acababa con un «Comprendo». El supervisor colgó antes de dirigirse a Laurie.

—Lo siento, me temo que el doctor Osgood está muy ocupado. Dice que lo llame en otro momento del día a su despacho. Puedo darle el número.

Cogió una de sus propias tarjetas, marcó con un círculo el número de Angels Healthcare y se inclinó sobre la mesa para dársela a Laurie.

Un tanto enfadada al verse rechazada de forma tan impersonal cuando creía que iba a hacerle un favor a un colega, Laurie salió de la oficina sin ventanas.


«Esto sí que es una emergencia», pensó Walter Osgood. La primera vez solo había sido una vaga intuición, basada sobre todo en la renuencia de la doctora Laurie Montgomery a aceptar su explicación por no haberse tomado el trabajo de identificar el subtipo de EARM. Pero aquello era distinto. Estaba de nuevo en el hospital ortopédico, a pesar de que la directora ejecutiva de la empresa le había dicho con toda claridad que no volviera, y en esta ocasión había pedido nada menos que hablar con él.

Walter sacó de nuevo el número del teléfono de emergencia y llamó a Washington.

El teléfono sonó más veces de lo que había hecho el día anterior, aunque al final acabaron por responder. La voz profunda y desconfiada parecía somnolienta.

—¿Cuál es el problema esta vez?

—El mismo.

—¿Está en una línea terrestre?

—Sí.

—Llame a este número.

El hombre dio el número a Walter y colgó.

Walter esperó varios minutos antes de marcar. Lo atendió la misma persona, aunque esta vez la leve ronquera había desaparecido.

—¿Habla de la forense?

—Sí, ha vuelto esta mañana, al parecer para investigar, pese a que se le dijo que no lo hiciese. Me preocupa. No estoy seguro de querer continuar si no se hace algo al respecto.

—Sin duda algo se está haciendo. Tendrá que ser paciente.

—¿Qué es lo que se está haciendo? —preguntó Walter. Detestaba aquel secretismo, máxime cuando era él quien estaba al descubierto.

—En este momento tenemos a un individuo en la ciudad cuya especialidad es resolver este tipo de problemas.

—Tendrá que ser más específico.

—Creo que cuanto menos sepa, mejor para usted.

—¿Me está diciendo que hay alguien aquí en Nueva York ahora mismo?

—Eso es lo que estoy diciendo.

—¿Qué hay de su nombre o de su número de teléfono?

—Lo siento. No puedo dárselos.

—No sé si quiero seguir con esto.

—Me temo que ahora mismo ya no tiene alternativa. Fue su opción comenzar, pero no lo es abandonar. La presión debe mantenerse al menos durante unos días más.

Walter sintió una mezcla de furia y miedo, pero ganó el miedo. No respondió.

—Confío en que su silencio signifique que comprende la realidad de su situación.

—¿Si vuelve a aparecer los próximos días, puedo llamarle para que le diga a la persona enviada que no ha conseguido evitar sus curioseos?

—Sí, puede hacerlo, pero tranquilo, hemos enviado a nuestro mejor negociador.

—Una última pregunta. No sé su nombre.

—No necesita saberlo.

Como el día anterior, la llamada se interrumpió sin más y Walter se encontró escuchando el tono. Colgó el teléfono. Pese a las garantías que le había dado su interlocutor, Walter tuvo miedo y se preguntó hasta qué punto resultaría errónea su decisión de comprometerse cuando todo estaba dicho y hecho. Su único consuelo era que, al parecer, su hijo estaba estabilizado, y los médicos a cargo del supuesto tratamiento experimental mostraban un moderado optimismo.


Laurie solo había leído un par de artículos en el *Times,* cuando Jack apareció acompañado por un joven médico vestido con prendas quirúrgicas pero cubiertas con una larga e inmaculada bata blanca almidonada como la del doctor Friedlander. Al parecer, la pulcritud en el vestuario era una política del hospital. Laurie tuvo que admitir que estaba mucho más presentable que algunos de los residentes del University Hospital, que parecían competir por ver quién llevaba la bata más sucia, como si fuera una prueba de lo duro que trabajaban.

Jack lo presentó como el doctor Jeff Albright. Laurie pensó que tenía los ojos más azules que jamás había visto.

—Soy afortunado —continuó Jack—. El doctor Albright ha aceptado ser mi anestesista. Le comenté que te preocupaba el EARM y que me operase, así que se ofreció amablemente a salir y hablar contigo, y con un poco de suerte conseguir que te tranquilices.

Laurie estrechó la mano del anestesista; ver lo joven que parecía hizo que se sintiera vieja. También se sintió un tanto avergonzada por la presentación de Jack, como si ella fuese una madre superprotectora. Jeff le dio las garantías habituales y añadió que Jack estaba sano como un toro, lo que hizo que Laurie se preguntara hasta qué punto estaban sanos los toros, porque creía que la expresión era «fuerte como un toro». Cuando Jeff acabó con la palabrería de rigor, Laurie le preguntó cuántos casos había atendido en los que el paciente hubiera sufrido una infección de EARM.

Albright, de pronto nervioso, miró a Laurie y después a Jack. Al parecer, Jack no le había formulado esa pregunta específica.

—Uno —acabó por admitir—. Fue varios meses atrás, después de operar una fractura de hombro. Como los demás, fue algo totalmente inesperado, y por desgracia fatal.

—¿Cómo se llamaba el paciente? —preguntó Laurie.

—No estoy muy seguro de poder divulgarlo —respondió Jeff.

Laurie sabía que tenía derecho a preguntar, por ser un caso que requería la intervención del forense, pero no insistió. El nombre no importaba, solo que debía asegurarse de no pasar por alto ningún caso. En aquel momento le interesaba mucho más la intervención de Jack.

—¿Recuerda si hubo algo en el caso que fuese extraño?

Jeff sacudió la cabeza.

—Todo fue como la seda. Bueno, hubo una cosa. Nos sometemos a pruebas de EARM todas las semanas. Aquella semana en la que ocurrió la muerte yo di positivo. Si me contagié de aquel paciente, no lo sé. Pero puedo decir con toda seguridad que ahora estoy limpio. Ayer nos hicieron las pruebas.

—Me alegra informarle de que yo también estoy limpio de esas bacterias —dijo Jack.

—¿Fue usted el anestesista de David Jeffries el lunes?

—No. La anestesista fue Dolores Suárez.

—Gracias por hablar conmigo —dijo Laurie esbozando una débil sonrisa.

Los esfuerzos de Jeff no habían aumentado su confianza.

—Cuidaremos bien de su marido —prometió Jeff. Se despidió y desapareció en la zona médica.

—¿Qué? —preguntó Jack—. Debes admitir que está bien

montado. Solo el hecho de que no te hagan esperar ya lo hace único.

—Es limpio, pulcro, agradable —reconoció Laurie—. Pero es obvio que aquí hay un problema, a pesar de la aparente limpieza.

—No me digas que no estás más tranquila.

—Está claro que el EARM no respeta todo este lujo.

—Eres imposible —manifestó Jack con un suspiro—. Todos los hospitales tienen problemas con el EARM.

—Pero no todos los hospitales tienen múltiples casos de neumonía necrotizante provocada por el EARM que mata a las personas como si fuese una epidemia de fiebre hemorrágica parecida al Ébola.

—¡Venga! —dijo Jack—. Vamos a trabajar.


—Esto es un maldito follón —se quejó Franco—. ¿Para esto me has sacado de la cama?

Señaló a través del parabrisas. Delante del edificio de la OCME había un bullicioso grupo de cincuenta o sesenta personas que participaban en una manifestación no autorizada para quejarse por el informe inicial del jefe médico forense referente a la muerte de Concepción López. La mayoría eran hispanos. Llevaban carteles clavados o pegados en mangos de escoba para protestar por un supuesto encubrimiento y para condenar la brutalidad policial contra la comunidad hispana.

—Lo que no puedo entender es qué hacen aquí a esta hora —dijo Angelo.

—Supongo que quieren aparecer en las noticias de la mañana —replicó Franco—. Además, logran más protagonismo si interrumpen el tráfico en hora punta, algo que están consiguiendo.

Muchos de los manifestantes iban hacia la Primera Avenida. Un pelotón de la policía antidisturbios esperaba a que los llamasen para entrar en acción en su autobús aparcado en la calle Treinta. Por el momento, los agentes intentaban mantener a la multitud fuera de la calzada y confinada en una zona delante del edificio, pero con poco éxito.

Franco y Angelo estaban sentados en una furgoneta de la organización Lucia, que solían utilizar para los atracos y los robos en el aeropuerto Kennedy. Habían aparcado entre las calles Veintinueve y Treinta, en una zona donde no se podía aparcar ni esperar, delante de unos de los edificios del Bellevue Hospital. Tenían una buena visión de la entrada de la OCME, excepto por un Range Rover aparcado delante de la furgoneta

—¿Qué pasa con ese todoterreno? —se quejó Angelo—. ¡Vaya jeta! En esta zona está prohibido aparcar. Es una vergüenza cómo la gente hace caso omiso de la ley.

—¡Tranquilízate! —dijo Franco.

Angelo golpeó el volante varias veces para dar rienda suelta a su furia.

—Con tantos días como hay, ¿por qué han tenido que venir justo hoy a manifestarse?

—Te estás poniendo cada vez más furioso —le advirtió Franco—. ¿Por qué no nos vamos? Con todos estos polis por aquí, por no mencionar a esos locos que protestan, es imposible intentar secuestrarla.

—Al menos quiero verla —dijo Angelo—. Después iremos al Home Depot.

—¿Al Home Depot? —Franco lo miró asombrado—. ¿Qué demonios quieres ir a buscar a una ferretería?

Angelo le devolvió la mirada y enarcó las cejas.

—¡Espera un segundo! —exclamó Franco al recordarlo—. ¡Dime que no vas a ir a comprar un cubo y cemento rápido!

—Vinnie dijo con toda claridad que podía hacerlo a mi manera, y es así como lo haré. Desde que lo vi en aquella película he querido hacérselo a alguien que se lo mereciese, y nadie se lo merece más que Laurie Montgomery. Vinnie estará de acuerdo conmigo.

—Oh, por el amor de Dios —gimió Franco, poniendo los ojos en blanco

—¡Allí está! —Angelo señaló a través de la ventanilla. Buscó el tirador y consiguió abrir la puerta antes de que Franco tuviese tiempo de sujetarlo por un brazo.

—¿Qué demonios crees que estás haciendo? —gritó Franco

mientras Angelo intentaba soltarse—. Este lugar está lleno de polis. Es un suicidio ir allí.

Angelo dejó de debatirse, volvió a meter el pie en el interior y cerró la puerta. Sabía que Franco tenía razón. No había forma de poder acercarse a Laurie en aquellas circunstancias. Llevaba toda la mañana tan tenso que había reaccionado por reflejo cuando la había visto bajar de un taxi al otro lado de la calle, dispuesta a evitar a los manifestantes que estaban delante del edificio. Dominado por una aguda y frustrante impotencia, tuvo que limitarse a mirar a Laurie desde quince metros de distancia; vio que se inclinaba de nuevo en el interior del taxi y sacaba un par de muletas. Luego apareció Jack.

—Ese es su amigo —gruñó—. No me importaría cargármelo a él también.

—¡Cálmate! —repitió Franco—. Tengo la sensación de estar sentado al lado de un perro rabioso.

Durante casi un minuto, Laurie y Jack permanecieron a plena vista, algo que puso a prueba la capacidad de dominarse de Angelo, mientras esperaban que cambiase el semáforo. Luego, como un gato obligado a ver pasar a un tentador ratón por delante de su hocico, tuvo que hacer otro esfuerzo para observar su lento avance por la Primera Avenida. Cuando iban a cruzar la calle Treinta, solo los separaba el largo del Ranger Rover aparcado delante.

—Habría sido perfecto, de no ser por la manifestación.

—Quizá si, quizá no —dijo Franco, con filosofía—. Ahora que la has visto, larguémonos de aquí.

Angelo puso en marcha la furgoneta.

—Estoy pensando que ella me reconocerá con la misma facilidad con la que yo la he reconocido.

—Quizá más —señaló Franco.

—Eso significa que necesitaremos más gente. —Angelo puso la marcha, miró atrás hacia la Primera Avenida y se apartó del bordillo—. Cuando volvamos esta tarde, creo que deberíamos traer a Freddy y a Richie con nosotros.

—Creo que es una buena idea —asintió Franco.

Adam había recorrido la zona alrededor del edificio de la OCME la noche anterior y había ideado un plan para conseguir una identificación positiva del objetivo. Esa mañana había llegado antes de las siete y había aparcado su Range Rover en la zona de aparcamiento prohibido donde tenía la seguridad de que la publicidad comercial del todoterreno obraría su magia habitual. No le había hecho ninguna gracia encontrarse con la manifestación que entonces comenzaba a formarse, no por la multitud y la confusión, sino por la presencia de las furgonetas y los reporteros de la televisión enviados para cubrir el evento. Adam quería a todo coste evitar aparecer en las filmaciones.

Tal como había esperado, habían abierto la puerta principal de la OCME, que había estado cerrada durante la noche. Estaba seguro de que la abrirían por la mañana, porque la noche anterior espió el interior del vestíbulo y vio un mostrador de recepción y otra puerta de cristal más allá.

Una vez dentro, Adam se sentó en un sofá con un ejemplar del *New York Times*. La recepcionista le preguntó si podía ayudarlo y él le respondió que esperaba a uno de los forenses.

Durante quince minutos, Adam estuvo sentado en el vestíbulo. En ese tiempo entraron varias personas, entre ellas una forense a quien la recepcionista saludó como doctora Mehta. A las otras las llamó por el nombre de pila. También averiguó que el nombre de la recepcionista era Marlene Wilson.

A las siete y cuarto en punto, se abrió la puerta principal y entraron dos personas, una de ellas con muletas. Adam bajó un poco el periódico para espiar por encima de él. La otra parecía ser la que le interesaba. Era de mediana estatura, con los rasgos muy marcados, pelo oscuro con toques dorados y una llamativa tez pálida. Coincidía con los datos de la descripción, aunque fuesen escasos, pero necesitaba estar seguro.

—Buenos días a los dos —saludó la recepcionista para enfado de Adam, porque eso significaba que se vería forzado a seguir el plan B.

No le había costado conocer el modus operandi de la entrada. La recepcionista miraba antes de pulsar el botón para permitir la entrada de los empleados. Una vez en el edificio, el personal utilizaba unas puertas dobles opuestas a las que daban a la calle. En cambio, la única forense que había entrado hasta entonces había salido del vestíbulo por una puerta situada más allá de la mesa de la recepcionista, y para hacerlo había tenido que cruzar la sala y pasar por delante de Adam. La persona que creía que era el objetivo, acompañada por el hombre con las muletas, siguió la ruta de la otra doctora.

—Perdón —dijo Adam—. ¿Es usted la doctora Laurie Montgomery?

Laurie se detuvo un paso más allá de Adam, como hizo Jack, que estaba casi delante de Williamson.

Adam se levantó y miró a Laurie un instante. A juego con la tez pálida, los ojos eran de un color claro azul verdoso. Le preguntó de nuevo si era Laurie Montgomery.

—¿Por qué lo pregunta? —replicóLaurie.

—Soy de la agencia de cobros ABC. ¿Podría decirme si alguna vez ha vivido en la zona del SoHo de Greenwich Village?

Laurie intercambió una mirada de interrogación con Jack.

—No, no soy yo.

—¿Pero su nombre es Laurie Montgomery?

—Sí, pero nunca he vivido en el SoHo.

—Entonces lamento haberla molestado —dijo Adam, y se dirigió hacia la puerta.

—Si me permite la pregunta, ¿por qué busca a esa tal Laurie Montgomery?

—Por una factura telefónica que dejó impagada cuando se marchó.

—Lo siento —dijo Laurie mientras caminaba hacia la puerta de la sala de identificación.

Adam salió a la calle. En aquel momento la protesta estaba en su momento álgido, con los manifestantes caminando formando un círculo delante del edificio, mientras repetían una y otra vez al unísono «¡La brutalidad policial debe cesar! ¡Encubrimiento!».

Con mucho cuidado para evitar cualquier posibilidad de que lo pillara alguna de las cámaras, Adam volvió a su vehículo, lo puso en marcha y pasó bordeando a los manifestantes para ir en dirección norte por la Primera Avenida. Pensó en regresar al hotel para tomarse una segunda taza de café, trazar sus planes y después ir al Metropolitan Museum. Era su visita preferida en su juventud. Estaba totalmente seguro de que no volvería a ver a Laurie Montgomery hasta última hora de la tarde. Dado que aún necesitaba conseguir la dirección de su domicilio, debía confiar en la oficina del forense para obtenerla.

# 19

*4 de abril de 2007, 7.20 horas*

—Bueno, ya era hora, chicos —exclamó el teniente de detectives Lou Soldano. Dejó el periódico a un lado y consultó su reloj con un gesto exagerado—. Siempre estáis alardeando de lo temprano que llegáis aquí, pero esto no es lo que se dice temprano.

—¿Qué ocurre? —preguntó Jack—. ¿Es hoy o ayer? No te vemos en meses, y de repente apareces dos días seguidos. ¿A qué se debe?

—Supongo que mi presencia confirma que de nuevo he estado de pie toda la noche.

—¿Por qué no dejas que alguien más de tu departamento trabaje?

Lou lo pensó un momento. Era una pregunta que nunca se había planteado.

—Supongo que será porque no tengo nada más que hacer. Sin duda suena patético.

—Lo has dicho tú, no yo —manifestó Jack mientras se acomodaba en una de las sillas de vinilo marrón y levantaba la rodilla mala.

—Habríamos llegado más temprano —explicó Laurie—, pero tuvimos que pasar por el hospital para las pruebas preoperatorias de Jack.

Lou miró a Laurie y después a Jack.

—¿Todavía estás dispuesto a operarte mañana?

—Mejor que no entremos en eso —replicó Jack—. Dinos en cambio por qué estuviste levantado toda la noche.

—Es un *déjà vu* —comentó el teniente.

Laurie preguntó a Jack si quería café, y él le respondió levantando el pulgar. Luego le indicó a Lou que continuara.

—Estuve otra vez con los tipos de la bahía. Como la noche anterior, encontraron un cadáver flotando al que le habían disparado igual que al otro. Les había pedido que me avisaran si ocurría. Es justo lo que no quería ver. La mayoría de las guerras entre los sindicatos del crimen organizado rivales comenzaron de la misma manera. Primero un muerto, luego otro, y después una condenada avalancha.

Laurie llevaba la taza de café de Jack en una mano y la suya en la otra. Se sentó en el brazo de la silla de su marido para escuchar las explicaciones de Soldano.

—El único signo alentador es que este asesinato es ligeramente distinto.

—¿En qué se diferencian? —preguntó Jack.

—Es una chica —contestó Lou, y se apresuró a añadir—: Quiero decir una mujer. —Miró a Laurie con expresión culpable. Sabía que era muy puntillosa con algunas cuestiones feministas, como llamar «chicas» a las mujeres—. Es una novedad. No hemos visto demasiadas mujeres asesinadas al estilo de las bandas, y por tanto existe la posibilidad de que este episodio no esté relacionado con el de ayer, y quizá no sea una escalada de aquello que motivó el asesinato de ayer.

—El cadáver de la bahía no es el único *déjà vu* —señaló la doctora Riva Mehta desde la mesa donde repasaba los casos que habían llegado durante la noche, para decidir cuáles debían ser objeto de una autopsia y qué forenses las harían—. Laurie, pediste los casos de EARM. Aquí hay uno. Supongo que lo querrás.

—Por supuesto —dijo Laurie, que se levantó del brazo de la silla de Jack y se acercó a Riva—. ¿Es de alguno de los hospitales de Angels Healthcare?

—No. Es del University Hospital.

Laurie cogió el expediente y fue hasta la silla junto a Vinnie, que como siempre estaba absorto leyendo las páginas de deportes del *Daily News*.

—¡Maldita sea! —susurró Jack a Lou—. Ya verás como intentará utilizar este caso como otro argumento más contra la operación de mañana. Por favor, no saques el tema.

—Lo intentaré, pero cuando se trata de sentido común, no estás a la altura de Laurie. ¿Estás seguro de que no deberías seguir su consejo?

—No empieces tú ahora —le pidió Jack, que levantó una mano como si fuese a detener un ataque—. Continuemos con tu caso. ¿El cadáver estaba vestido o desnudo?

—Es interesante que lo preguntes. Mitad mitad.

—¿Qué demonios significa eso? ¿La parte de abajo pero sin la parte superior, o a la inversa?

—Algo así. Llevaba uno de esos vestidos camiseros. Creo que es como los llaman, y un abrigo, pero sin sujetador ni bragas. No sé si eso es importante o no. ¿No está de moda entre algunas chicas, quiero decir mujeres, salir sin ropa interior?

—Me has pillado —dijo Jack—. No tengo ni la menor idea. En cualquier caso, debemos buscar pruebas de una violación por si acaso.

—Creo que nací demasiado pronto —opinó el teniente con una risa.

—¿Han identificado el cadáver?

—No, en ese aspecto, es similar al de ayer.

—¿Qué pasa con el de ayer? ¿Has identificado a la víctima?

—No, y eso que ayer le dediqué bastante tiempo. No consigo entenderlo. El tipo llevaba un anillo de casado e iba bien vestido. No comprendo por qué la familia no ha llamado. En casos así, la División de Personas Desaparecidas suele aclarar el misterio en veinticuatro horas, o menos. Solo se me ocurre pensar que pueda tratarse de un extranjero. En cambio, en el otro caso, sospecho que se trata de una persona soltera, y por tanto no me sorprendería que tardáramos algunos días, a menos que la mujer tenga una compañera de apartamento o el tipo de empleo en el que un supervisor o una compañera de trabajo llame a la policía.

—¿Qué edad le calculas?

—Joven, unos veinte años o pocos más.

—¿Tiene aspecto de ser una prostituta?

—¿Cómo puedes saberlo tal como visten ahora? Lo único extraño son unas mechas verde lima en el pelo.

—¿Verde lima? —preguntó Jack con incredulidad.

—Como he dicho, es extraño.

—¿Tiene las mismas marcas en las piernas como si hubiese estado encadenada, quizá a un peso, como el de ayer?

—Las tiene, y por eso he intentado no comentarlo. Si va a haber más de estas ejecuciones mafiosas, quiero que continúen saliendo a flote. Espero que esos tipos sigan cometiendo el mismo error.

—¿Qué esperas averiguar de la autopsia?

—Pues no lo sé —dijo Lou, que levantó las manos—. Tú eres el mago.

—Desearía que así fuese.

—Quiero el proyectil. Si de nuevo es una bala de punta hueca y alta velocidad Remington como creo que es la de ayer, al menos sabremos que se utilizó la misma arma en ambos casos.

—¿El cadáver lo encontraron en el mismo lugar que el otro?

—En realidad no, pero tampoco muy lejos de allí. Teniendo en cuenta cómo cambian las corrientes y las mareas en la bahía, cualquiera sabe dónde acaban los restos flotantes.

—De acuerdo, vamos allá —dijo Jack. Se levantó, recogió las muletas y se acercó a la mesa de Riva—. ¿Tienes a mano al nuevo flotador? —le preguntó. Riva le entregó la carpeta, y Jack la utilizó para apartar de un golpe el periódico de Vinnie—. Vamos, muchachote. —Arrojó la carpeta en el regazo de Vinnie—. Vamos a echarle una mano a la justicia.

Vinnie protestó, como era su costumbre, pero dejó el periódico y se levantó.

—Necesitaremos el equipo para recoger pruebas de una violación —añadió Jack.

Vinnie asintió y fue hacia comunicaciones de camino a la sala de autopsias.

Jack miró por encima del hombro de Riva la pila de carpetas que estaba revisando.

—Parece un día muy atareado.

—Más que el de ayer —afirmó Riva.

—Eh, nos vemos abajo —avisó Soldano a Jack, que le señaló con un gesto que se adelantase.

—¿Tienes alguna otra cosa interesante? —preguntó Jack. Intentó buscar entre la pila preparada, pero Riva le pegó en el dorso de la mano con la regla que tenía para ese propósito—. ¡Ay! —exclamó Jack, al tiempo que se sujetaba la mano y se la frotaba para hacer ver que le dolía de verdad.

—Aquí hay un par que pueden ser un desafío.

—Eso promete. ¿Cuántos me tocan?

—Al menos tres. Tengo a dos forenses que han solicitado días de papeleo, así que el resto de vosotros tendrá que repartirse el trabajo. —Día de papeleo era cuando los forenses no hacían autopsias sino que se ocupaban de conseguir toda la información necesaria para cerrar sus casos y redactar los certificados de defunción.

—Jack, me temo que tendrás que mirar esto —dijo Laurie. Acababa de leer la carpeta del caso de EARM que Riva le había dado.

Jack puso los ojos en blanco. No le costó adivinar que Laurie estaba a punto de iniciar otra campaña para lograr que cambiara de opinión.

—Es similar al de David Jeffries —comenzó Laurie—. La paciente fue operada en un hospital de Angels Healthcare, y poco después mostró los síntomas de una fulminante infección por EARM. La derivaron al University Hospital con la esperanza de salvarla.

—Demos gracias a Dios de que no fue en el hospital ortopédico.

—Jack, no bromees —le reprochó Laurie—. Esta es la segunda infección fulminante de estafilococos en dos días. Debes reconsiderar tu decisión. La gran mayoría de las infecciones de EARM no matan a sus víctimas, y desde luego no a las pocas horas de los síntomas iniciales. Estos son muy extraños en todos los aspectos. ¿Por qué no puedes verlo?

—Lo veo. Es un misterio, y apoyo todos tus esfuerzos por aclararlo. En cuanto a mí, me he puesto en las muy capacitadas manos del doctor Wendell Anderson. Si él tiene confianza, yo también. Si puedes encontrar algo más específico para justificar que corro un riesgo, lo pensaré más detenidamente; de lo contrario, la decisión está tomada. Me han hecho las pruebas de EARM y no lo tengo. El doctor Anderson no ha tenido ningún caso. En resumen, mañana me operaré, y se acabó. —Jack se detuvo y respiró varias veces a fondo. Se había puesto nervioso tras ese monólogo. Él y Laurie cruzaron sus miradas un instante y luego añadió—: Ahora me voy abajo para ocuparme de la primera autopsia. ¿De acuerdo?

Laurie asintió. La melancolía que había experimentado al levantarse volvió. Sintió que las lágrimas asomaban a sus ojos, pero las contuvo.

—De acuerdo —asintió con un ligero titubeo—. Te veré en la sala de autopsias.

—Allí te veré —dijo Jack, y salió de la habitación.

Riva y Laurie se miraron la una a la otra; Laurie en busca de apoyo y Riva dispuesta a darlo.

—El problema con los hombres —pontificó Riva— es que son hombres, y no opinan como nosotras. La ironía es que nos acusan a nosotras de ser emocionales mientras que ellos también lo son. Ha tomado la decisión emocional de operarse y, desde ese momento, es incapaz de razonar.

Laurie sonrió a pesar de sí misma.

—Gracias, lo necesitaba.

—Sin embargo, es interesante que te haya ofrecido una salida —añadió Riva—. Yo soy testigo. Dijo que si encontrabas algo que específicamente significara un riesgo, estaría dispuesto a escuchar. Por supuesto, no ha dicho que cambiaría de opinión, pero quizá lo haga. Lo que necesitas es descubrir el cómo y el porqué de estas infecciones. Sé que es mucho pedir en menos de veinticuatro horas, pero por tus antecedentes, si hay alguien que puede hacerlo, eres tú.

Laurie asintió, no porque ella fuese la más capacitada para ese desafío, sino por la idea de poder cambiar la decisión de Jack si resolvía el aparente misterio. Se levantó sin más y salió de la habitación. La melancolía había sido superada por la descarga de adrenalina. Estaba comprometida, no importaban las escasas probabilidades de éxito, y tampoco temía la en apariencia imposible limitación de tiempo.

—Me temo que tendré que asignarte algunos otros casos —la avisó Riva.

Laurie agitó una mano para indicar que la había oído.

—¿Quieres los expedientes ahora o más tarde? —gritó Riva.

Laurie se detuvo y volvió deprisa a la mesa de su colega.

—Ambos parecen casos interesantes y rápidos —comentó Riva mientras le daba las dos carpetas—. Son jóvenes, al parecer sanos, de treinta y pico años, así que las autopsias serán rápidas y podrás volver a tu misterio del EARM.

—¿Cuál es la supuesta causa de la muerte?

—No hay ninguna. Uno murió en el consultorio del dentista después de que le administraran un anestésico local. Sé que suena como una reacción a la droga, pero no había síntomas de anafilaxis. El otro murió en un gimnasio mientras pedaleaba en una bicicleta estática.

—¡Estoy aquí! —gritó una voz—. Ya puede empezar oficialmente el día.

Laurie y Riva levantaron la cabeza cuando Chet entró en la habitación. Hacía girar la chaqueta por encima de su cabeza como si fuese un lazo y la soltó para que cayera en una de las sillas tapizadas de vinilo.

—¿Dónde están todos? —preguntó desconcertado. Había esperado ver a Jack.

—Jack y Vinnie ya están abajo —respondió Laurie—. Se te ve mucho más contento que ayer, y casi has llegado a la hora dos días seguidos. ¿Qué pasa? No me digas que has conseguido ir a cenar con tu nueva amiga.

Chet se irguió, levantó la mano derecha con el saludo de los niños exploradores y chocó los tacones.

—Los exploradores nunca mienten. Lo hice, y me satisface informar que es más intrigante y hermosa de lo que había imaginado. Disfruté mucho hablando con ella.

—¡Presta atención, Riva! Estamos presenciando el posible inicio de la madurez del joven eterno. Se siente feliz solo con tratar con otro ser humano femenino.

—Bueno, yo no diría tanto —manifestó Chet—. Aún estaba planeando llevarla a mi apartamento o que me invitase al de ella, pero me dejó colgado apenas terminamos de cenar.

—Maldita sea —dijo Laurie, y chasqueó los dedos con fingida desilusión.

—Tengo que agradecerte el consejo, Laurie. Estoy seguro de que no hubiese conseguido la cita de no haber sido por tu aliento y consejo.

—Todos los que necesites —ofreció Laurie—. Gracias por estos casos —le agradeció a Riva—. Son perfectos. —De nuevo fue hacia la puerta.

—Me tomó totalmente por sorpresa —añadió Chet, con lo que obligó a Laurie a detenerse—. Es doctora, especialista en medicina interna. Además, es la directora ejecutiva de lo que debe de ser una empresa multimillonaria que construye y explota hospitales especializados. Me refiero a que es una mujer impresionante.

Laurie experimentó una contracción visceral acompañada de una sensación parecida al vértigo, pero que se despejó tan rápido como había aparecido. Se aclaró la garganta antes de preguntar:

—¿Por casualidad su nombre es Angela Dawson?

—¡Sí! —exclamó Chet—. ¿La conoces?

—Apenas —respondió Laurie—. La conocí, y por desgracia debo decir que no me sentí tan impresionada como tú.

—¿Por qué no?

—Me temo que no tengo tiempo para esta conversación, pero déjame decirte que me dio la impresión de que sus prioridades como empresaria dominan a las de médico.

Laurie sabía que Chet tenía más preguntas, pero debía marcharse. A pesar de sus protestas, se disculpó. Pasó a toda prisa por la sala de comunicaciones, donde se recibían los avisos de todas las muertes en la ciudad, y comenzó a planificar el día. Con tan poco tiempo antes de que Jack estuviese debajo del bisturí, necesitaba ser eficiente. La primera parada fue en el despacho del investigador forense. Janice Jaeger había hecho la visita al lugar donde había ocurrido el nuevo caso de EARM, y Laurie quería hablar con ella. En más de una ocasión se había enterado de algo importante gracias a las observaciones de Janice que no aparecían en los informes. Los investigadores forenses tenían la obligación de consignar solo los hechos, no sus impresiones.

Laurie encontró a Janice justo cuando terminaba su larga jornada. Era la única investigadora que hacía el turno de once a siete, pero casi nunca se marchaba antes de las ocho. Si era necesario recibía la ayuda de los patólogos forenses residentes que se turnaban las noches. Si eso no bastaba, o el caso planteaba alguna dificultad particular, también estaba disponible uno de los forenses.

¿He olvidado algo? —preguntó Janice cuando Laurie se acercó a su mesa.

Laurie siempre se había llevado muy bien con todos los investigadores, pero especialmente con Janice, que apreciaba el reconocimiento de Laurie hacia su labor. Con mayor frecuencia que el resto de los forenses, Laurie acudía a ella para hacerle preguntas, y valoraba su opinión.

—Voy a hacer la autopsia de Ramona Torres —respondió Laurie—. Tengo entendido por tus notas que hiciste una visita al University Hospital.

—Así es.

—¿Viste alguna cosa en este caso que te pareciera digna de atención, pero no apropiada para constar en el informe?

Janice sonrió. Como siempre, Laurie le planteaba preguntas interesantes.

—Pues sí. Me dio la impresión de que los médicos estaban inquietos porque no recibían a los pacientes con septicemia de

Angels Healthcare lo bastante pronto como para tener más posibilidades de salvarlos.

—¿Has visitado el hospital oftalmológico y de cirugía estética de Angels Healthcare?

—No, no lo he hecho. No en este caso. ¿Crees que debería?

—No lo sé. Pero sí has visitado los hospitales de Angels Healthcare en relación con otros casos de EARM.

—Por supuesto. En varias ocasiones.

—He leído varios de tus informes. ¿Cuál es tu opinión general sobre los hospitales y estos recurrentes casos de EARM?

Janice sonrió de nuevo.

—¿Quieres saber la verdad?

—¡Por supuesto! No te lo preguntaría si no fuese así.

—No sé cómo explicarlo, pero tengo la sensación de que algo extraño está pasando. No hay nada concreto que pueda poner en los informes, pero continúan teniendo estas infecciones y no interrumpen las intervenciones. Cada vez que les hago alguna pregunta al respecto, afirman estar haciendo todo lo posible. No obstante, la gente muere.

—Obtuve la misma respuesta. Gracias por tu opinión. ¿Cheryl está por aquí?

—Ha salido para atender una llamada. Está Bart Arnold. ¿Quieres hablar con él? —Arnold era el jefe de los investigadores forenses y dirigía el departamento.

—No. Solo déjale una nota diciendo que necesito el informe del hospital de Ramona Torres. Pueden enviármelo por e-mail como hicieron con los otros.

—Ningún problema.

Laurie fue a toda prisa hasta los ascensores de delante para ahorrar tiempo. Eran rápidos y había más. Entró en su despacho, dejó los tres casos sobre la mesa y colgó el abrigo. Cogió el teléfono para llamar a la oficina del depósito y preguntó por Marvin. Cuando se puso al teléfono, le preguntó si quería trabajar de nuevo con ella. Le explicó que quería trabajar rápido. El técnico aceptó con su habitual buena disposición. Laurie le dio el número de expediente de Ramona Torres y colgó.

Consultó su reloj. Una de las primeras cosas que quería hacer era llamar al CDC, pero ante el riesgo de que aún no estuviesen dado lo temprano de la hora, repasó los casos de las autopsias del día. Eso significó releer el expediente de Ramona Torres. Después de hacerlo, estuvo segura de que la autopsia sería similar a la de David Jeffries. Dejó el expediente a un lado, cogió el primero de los casos de muerte súbita y sacó el informe del investigador forense.

El nombre de la paciente era Alexandra Zuben, de veintinueve años. Había ido al dentista para una endodoncia y le habían administrado la anestesia local tal como Riva le había descrito. Apenas comenzada la intervención, la paciente perdió el conocimiento. Después de ponerla cabeza abajo, volvió en sí e insistió en continuar. Unos minutos más tarde, se repitió la situación, aunque esta vez no reaccionó. Llamaron al 061, y la paciente fue trasladada de urgencia al hospital, donde le encontraron una arritmia, la presión arterial muy alta, y poco o ningún esfuerzo respiratorio. Le pusieron respiración asistida, pero a pesar de la terapia agresiva, acabó con un paro cardíaco que no pudieron revertir. El diagnóstico de la sala de urgencias apuntaba a un fallo respiratorio complicado con un fallo cardíaco secundario, debido a una severa reacción alérgica y anafilaxis a la novocaína. El investigador forense concluía diciendo que un miembro de la familia había comentado que la paciente era muy sana pero que había tenido, en ocasiones, episodios sincopales con palpitaciones, enrojecimientos y fuertes sudores.

Laurie guardó el informe en su carpeta. La impresión inicial era que el diagnóstico de la sala de urgencias era erróneo, y tenía una idea aproximada de lo que encontraría en la autopsia. Tenía la casi absoluta certeza de que no necesitaría ningún equipo especial para la misma.

Luego, sacó el informe del tercer caso. Era muy breve. Solo decía que Ronald Carpentu estaba montado en una bicicleta estática que utilizaba casi cada día y de pronto sufrió un colapso. De inmediato el personal del gimnasio le dio asistencia cardiorrespiratoria, pero sin éxito, se llamó al 061 y se prosiguió la asistencia en el trayecto hasta la sala de urgencias. A su llegada, el paciente había sido declarado muerto con el diagnóstico de un infarto de miocardio.

Laurie guardó el informe. En este tercer caso, estaba totalmente segura de que el diagnóstico de la sala de urgencias sería correcto, pero aún quedaba la pregunta del porqué de lo ocurrido. Laurie se dijo que debía de ser a causa de las placas ateromatosas. Tampoco esta vez necesitaría un equipo especial.

Cogió el teléfono y llamó a la sala de autopsias. Sonó seis veces, lo que hizo que Laurie tamborilease con los dedos sobre la mesa. Mientras esperaba, pensó en la extraña coincidencia de que ella le hubiese aconsejado a Chet tener una cita precisamente con Angela Dawson.

—Hola —dijo una voz.

Laurie preguntó por Marvin, que unos segundos después se puso al teléfono.

—¿Estamos preparados?

—Estamos preparados desde hace horas —bromeó Marvin.

Menos de cinco minutos más tarde, Laurie estaba cambiada y miraba el cadáver de Ramona. Al igual que David Jeffries, tenía puesto el tubo endotraqueal y varias cánulas intravenosas. Pero lo más sorprendente eran los extensos morados en gran parte de su cuerpo debido a la liposucción.

—Hoy está muy motivada —comentó Marvin refiriéndose a lo rápido que había bajado Laurie al sótano, se había puesto el equipo protector y había entrado a la sala.

Solo se estaba haciendo una autopsia más aparte de la de Ramona, la del cadáver rescatado en la bahía. Laurie ni siquiera se había detenido a ver cómo iba.

—Quiero aprovechar el tiempo al máximo —admitió Laurie—. Prometo que no te dejaré abandonado como hice ayer. Me disculpo de nuevo. Me distraje y perdí la noción del tiempo.

—No sufra —manifestó el técnico, al parecer avergonzado porque Laurie considerase necesario disculparse.

Laurie palpó la piel de Ramona y la miró con atención. Tenía un tacto esponjoso y presentaba múltiples abscesos diminutos.

La forense llegó a la conclusión de que, de haber vivido, la epidermis habría quedado cubierta de escaras.

Después de sacar varias fotos, comenzó la autopsia. Trabajó rápido y en silencio. Cuando Marvin le hacía preguntas, las respondía como si estuviese preocupada, y él dejó de hacerlo. Dado que trabajaban juntos muy a menudo, tenían poca necesidad de charla.

Como había ocurrido con David Jeffries, el hallazgo patológico más notable, aparte de la extensa celulitis, fue en los pulmones. Ambos estaban llenos de líquido y contenían innumerables pequeños abscesos que, de haber sobrevivido el paciente, se habrían unido y formado otros cada vez más grandes. También en este caso, la necrosis era considerable.

Cuando acabaron con la última sutura que cerraba la incisión de la autopsia, Laurie se apartó de la mesa. Miró a su alrededor. Estaban ocupadas las ocho mesas. En la más cercana a la puerta, Jack y Vinnie, con el teniente como espectador, aún no habían acabado con la autopsia de la joven asesinada.

—Esta ha sido una de las autopsias más rápidas que he presenciado —comentó Marvin mientras comenzaba a recoger.

—¿Cuánto tardarás en tener el siguiente caso? —preguntó Laurie.

—Más o menos un cuarto de hora. ¿Tiene alguna preferencia respecto a cuál de los dos hará primero?

—Me es indiferente —respondió Laurie—. No te culparé si no me crees, pero subo a hacer una llamada y vuelvo.

Marvin sonrió.

Laurie se detuvo un momento en la mesa de Jack y en tono jocoso preguntó por qué tardaban tanto. Jack era conocido por su rapidez en las autopsias.

—Porque estos dos no dejan de charlar como un par de cotorras —manifestó Vinnie con disgusto.

—Hemos sido concienzudos —afirmó Jack—. Antes de que microbiología y el laboratorio contribuyesen, averiguamos que la joven fue violada de una manera un tanto brutal.

—Esta prueba plantea la pregunta —dijo Soldano— de si fue

una violación seguida de un homicidio, o si se trata de un homicidio y una violación incidental.

—Es de lamentar, pero la autopsia no nos dará la respuesta —manifestó Jack.

Laurie se disculpó y salió a la sala de desinfección para dejar los guantes y el traje desechable. Limpió la máscara con alcohol y la dejó en su taquilla. Con la intención de no dejar a Marvin esperando, se apresuró a subir.

De nuevo en el despacho, llamó a la doctora Silvia Salerno al CDC. Mientras esperaba, sujetó el teléfono entre la cabeza y el hombro para tener las manos libres. Buscó entre las carpetas el caso de Chet: Julia Francova. La abrió con la esperanza de poder añadir el subtipo de EARM de la paciente.

En vista de que no atendían de inmediato, Laurie miró la hora. Faltaba muy poco para las nueve, y estaba segura de que el CDC ya tenía que estar abierto.

—¡Vamos, vamos! Contestad al maldito teléfono.

En el momento en que se disponía a averiguar si el CDC tenía un sistema de búsqueda, descolgaron. Era Silvia, y parecía estar sin aliento. Se disculpó de inmediato y explicó que estaba en otro despacho.

—Espero no molestarte —dijo Laurie—. Prometiste llamarme, pero cuanto antes tenga la información, mejor.

—No seas tonta. No es ninguna molestia, y pensaba llamarte esta misma mañana. Hice la comprobación de los dos casos de EARM de la doctora Mehta. Son del mismo organismo, puedo afirmarlo con toda certeza. Como estamos añadiendo estas cepas a la biblioteca nacional de EARM, hacemos todo lo posible por identificarlos con diversos métodos genéticos, como el análisis por criba intensiva del polimorfismo de la longitud de los fragmentos amplificados. Puedo enviarte una lista de los otros métodos que utilizamos.

—Gracias, no creo que sea necesario. —Laurie no tenía ni la más remota idea de lo que decía Silvia—. Tengo otro caso, que se os envió unas semanas atrás para la tipificación. Se envió a nombre del doctor Percy.

—El doctor Percy es un colega. ¿Cómo se llama el médico que lo envió?

—El doctor Chet McGovern. Trabaja conmigo en la oficina forense.

—¿Cuál es el nombre del paciente?

Laurie le deletreó el nombre para evitar cualquier confusión.

—Espera un momento.

Laurie oyó el sonido del teclado de Silvia, lo que le hizo preguntarse cómo podían hacer las cosas antes de tener los ordenadores digitales.

—Sí, aquí está —dijo Silvia—. ¡Interesante! También es CC-EARM, USA 400, MWdos, SCCmedIV, PVL, idéntico a los dos casos anteriores. ¿Es de la misma institución?

—Es de una de las mismas instituciones —respondió Laurie—. Los dos primeros eran de hospitales diferentes.

—Sí, lo recuerdo. Referente a los dos casos de la misma institución, ¿están cercanos en el tiempo, o quizá incluso son de la misma fecha?

Laurie miró su matriz inacabada, pero tenía la información del caso de Mehta correspondiente al Hospital Oftalmológico y de Cirugía Estética. El nombre de la paciente era Diane Lucente, y, como Ramona, se había hecho una liposucción. Buscó la fecha de la muerte de Diane y del caso de Chet.

—No. Ocurrieron con una diferencia de casi tres semanas.

—Qué extraño —dijo Silvia—. Supongo que ya sabes lo genéticamente versátil que es el estafilococo.

—Digamos que estoy en un curso de aprendizaje intensivo —admitió Laurie—. Pero ayer me informaron de eso.

—Es muy insólito que el mismo subtipo aparezca en instituciones distintas y separados en el tiempo. Los tres han debido de estar en contacto con el mismo portador.

—¿Tenías este subtipo específico en vuestra base de datos antes de que la doctora Mehta enviase la muestra?

—Sí, lo teníamos. Como te dije la última vez, es uno de los subtipos más virulentos que hemos visto en todos los ensayos con animales y humanos.

—¿Habéis enviado cultivos de estos organismos?

—Lo hemos hecho. Apoyamos a los innumerables investigadores que están dispuestos a trabajar con estos organismos.

—¿Habéis enviado alguna vez este organismo en particular a Nueva York?

—Ahora mismo no puedo decírtelo, pero puedo averiguarlo.

—Te lo agradezco. —La inquietante preocupación de que la bacteria estuviese siendo propagada intencionadamente reapareció en la mente de Laurie; sin embargo, también reaparecieron los viejos argumentos contra tal idea, y cada uno anulaba al otro.

—He preguntado por el centro si alguien sabía algo acerca del brote de EARM que estás investigando, pero nadie ha oído nada.

—¿Eso es extraño? —preguntó Laurie.

—No. Es decisión de cada institución ponerse en contacto con nosotros para solicitar asistencia. No hay ninguna obligación de informarnos, pero es probable que sí deban comunicarlo al Estado o a las autoridades de la ciudad.

—¿Has recibido las otras muestra que pedí a nuestro departamento de microbiología que os enviase?

—Sí, las tengo. Están en los laboratorios. Tendré algunos resultados en dos o tres días, cuatro como máximo.

Laurie le dio las gracias por su ayuda y colgó. Permaneció un momento sentada a su mesa y repasó la conversación. Debía admitir que la llamada, lejos de aclarar el misterio, lo había complicado.

De pronto recordó la hora, saltó de su silla y corrió al ascensor. Una vez más había dejado esperando a Marvin.

Carlo siguió a Brennan fuera de la tienda de artículos electrónicos en Lexington Avenue en Manhattan. Brennan había comprado un localizador GPS de una empresa especializada en aparatos marinos y terrestres. Una vez fuera, vieron que había comenzado a llover, así que fueron corriendo a su Denali negro.

—Me alegra ver que llueve —dijo Carlo mientras aceleraba el motor antes de incorporarse al tráfico.

—¿Cómo es eso? —preguntó Brennan, absorto en cortar el envoltorio de celofán de la caja.

Le encantaban los artilugios electrónicos y se lo había pasado en grande escogiendo el GPS. Había pasado tanto tiempo hablando con el vendedor de las ventajas y desventajas de los diferentes modelos de localizadores, que Carlo se había aburrido.

—Porque habrá menos personas en el club náutico. No quiero que nadie nos vea colocar esta cosa en el barco. ¿Sabes lo que estoy diciendo?

Brennan no respondió, ocupado como estaba en sacar el localizador de su protección de espuma.

—¡Eh! —exclamó Carlo—. ¿Me estás escuchando?

—Más o menos —admitió Brennan con la mirada puesta en las profundidades del molde de espuma.

—Hablo de la lluvia y del club náutico. Te he preguntado si estabas de acuerdo en que es una ventaja para nosotros que llueva.

Brennan al fin encontró lo que buscaba. Era un paquete que contenía un libro de instrucciones y, más importante, el código de registro en línea.

—¿Qué? —preguntó Carlo, cada vez más irritado.

Brennan utilizó el cortaplumas para abrir el envoltorio del aparato, pero antes de poder sacarlo de la funda de celofán, su cabeza cayó hacia delante debido a un bofetón en la nuca que le pegó Carlo.

—¡Qué diablos! —gritó Brennan. Se volvió para mirar furioso a Carlo—. ¿Por qué me has pegado? —gruñó.

—Te estaba hablando —replicó Carlo a voz en cuello—. No me hacías caso. No me gusta que no me escuchen. Me cabrea.

Brennan miró a Carlo. Por un momento sintió cólera. Por fortuna, se controló, porque Carlo estaba al volante y circulaba por Lexington Avenue en medio de un denso tráfico. Carlo podía ser más grande y tener más años que él, pero desde luego no era muy listo. De hecho, era bastante tonto; esta consideración permitió a Brennan calmarse un poco.

—No vuelvas a pegarme —le advirtió Brennan con voz pausada para recalcar cada sílaba.

—Entonces préstame atención cuando te hablo —replicó Carlo.

Brennan puso los ojos en blanco, sacudió la cabeza y volvió a sumirse en la lectura de las instrucciones de funcionamiento. Estaba bastante seguro de saber cómo funcionaba el aparato, pero quería leer el registro para el servicio en línea en tiempo real.

—Lamento haberte pegado —dijo Carlo después de haber recorrido unas manzanas—. Pero que no me hagan caso es algo que me pone de los nervios.

—Lo lamento —dijo Brennan.

Para tranquilidad de Brennan continuaron en silencio durante un rato. Acabó de leer las indicaciones para registrar el aparato y luego pasó a las explicaciones de funcionamiento. Provisto con toda esta información, cogió el ordenador portátil del asiento trasero y sacó el móvil del bolsillo de la chaqueta. Una vez que tuvo encendido el ordenador, llamó a la compañía. No solo quería registrarlo, sino que quería estar seguro de que si el aparato se perdía no podrían rastrearlo hasta dar con él. Al parecer, esta era una petición bastante habitual, porque el empleado dijo que podía hacerlo sin problema.

—¿Cuánto tiempo tardará en estar en línea? —preguntó Brennan.

—Dado que acabo de recibir la aprobación de su tarjeta de crédito, lo estoy haciendo mientras hablamos.

Brennan le dio las gracias. A continuación abrió la parte trasera del aparato y colocó las cuatro pilas que había comprado. Volvió a la página web de la compañía, pinchó en el icono de posición y luego añadió el nombre de usuario y la clave que acababa de recibir. Con otro clic apareció el reloj de arena, y unos pocos segundos más tarde, una pregunta que le pedía que seleccionase el tamaño de la zona que quería ver. Brennan marcó 8 por 4,5 kilómetros. Apareció un pequeño punto parpadeante que se movía poco a poco por Lexington Avenue.

Volvió la pantalla del ordenador hacia Carlo.

—Funciona. Muestra que vamos al sur.

—Impresionante —dijo Carlo—. ¿Cómo funciona?

—Sería muy largo de explicar, pero en resumidas cuentas no es más que una simple triangulación utilizando las señales de los satélites.

—Es suficiente. —Su falta de conocimiento de los aparatos electrónicos le hacía sentirse poco preparado para ese tipo de explicaciones.

Como siempre, la lentitud del tráfico complicaba cruzar la ciudad, y la lluvia, pese a ser ligera, hacía que fuese aún peor. Era un continuo arrancar y parar.

El sonido del teléfono móvil de Carlo los sorprendió a los dos. Con cierta dificultad, Carlo lo sacó del bolsillo y miró el identificador de llamada. Satisfecho, la aceptó, conectó el altavoz y colocó el móvil sobre el salpicadero.

—¿Qué pasa? —preguntó Carlo.

—Nada —contestó Arthur MacEwan con su voz aguda y chillona que a todos ponía de los nervios—. Nada de nada. Llevamos aquí más de dos horas y el maldito coche de Franco Ponti no se ha movido ni un centímetro.

Arthur MacEwan y Ted Polowski estaban en el aparcamiento de Johnny's y llevaban vigilando el coche de Franco desde antes de las ocho de la mañana.

—¿Has visto al Halcón?

—No. Ni señal de Franco. Hemos visto a Vinnie Dominick cuando llegó con Freddie Capuso y Richie Herns. Han entrado en el Neapolitan y todavía es hora de que reaparezcan.

—¿Qué hay de Cara Cortada?

—Tampoco hemos visto a Angelo. Estamos cansados de estar sentados aquí y me pregunto si fue una buena idea. ¿Qué pasará si nos ven?

—Tienes razón, pero ya escuchaste a Louie esta mañana. Se puso como loco al saber que se habían cargado a la muchacha después del asesinato de la noche anterior. Es probable que Franco y Angelo estén durmiendo la mona. Quiere que los sigamos para averiguar qué pasa, y si lo hacen de nuevo, dirá a aquel detective que es un problema de los Lucia y que no tiene nada que ver con los Vaccarro.

—¡Joder! —exclamó Arthur de pronto. Luego bajó la voz—. Acaba de llegar una furgoneta azul con el rótulo de Sonny's Plumbing Supply, y Angelo acaba de bajar. También está Franco. Van a entrar en el Neapolitan.

—Al menos los has encontrado. No los perdáis de vista. Respecto a tu preocupación de que te vean: cómete un sándwich o haz algo que justifique estar allí.

—Vale —dijo Arthur sin mucho entusiasmo.

Cuando por fin Carlo y Brennan llegaron al túnel el tráfico mejoró mucho. No tardaron en llegar al club náutico en Hoboken. Había algunos coches en el aparcamiento, pero gracias a la lluvia el muelle se veía desierto.

Carlo aparcó cerca del agua y a bastante distancia del único edificio, cerca del cual estaban los otros coches. Sin demora, fueron hasta el muelle. Se detuvieron delante de la popa del *Full Speed Ahead.*

—Yo vigilaré mientras tú buscas un lugar donde ocultar el aparato —dijo Carlo. Miró hacia el edificio. No se veía a nadie.

Brennan subió por la pasarela y de inmediato comenzó a buscar un rincón adecuado. Encontró un hueco en la popa debajo de unos recipientes para cebo. Colocó el localizador tan atrás como pudo. Había incluso un reborde oculto que impediría que el aparato se deslizara. Unos minutos más tarde estaba de nuevo en el muelle, y los dos hombres volvieron al coche.

—¿Has visto a alguien? —preguntó Brennan.

—A nadie. ¿Cómo lo has hecho?

—He encontrado el lugar perfecto.

En el Denali, Brennan encendió el ordenador y repitió el proceso para comunicarse. Una vez conectado, pinchó el icono de posición como había hecho antes y luego la escala. En cuestión de segundos apareció una representación de la zona, incluido el muelle donde estaba amarrado el *Full Speed Ahead.* Un punto rojo parpadeante apareció en el lugar exacto donde debía estar.

Brennan colocó el ordenador en el regazo de Carlo.

—Bonito, ¿no?

Carlo asintió. Estaba impresionado, pero también le daba miedo.

—No me sorprende que no la pillásemos esta mañana —comentó Franco—. Secuestrar a esa tía no va a ser fácil. La zona alrededor del edificio es un lugar muy concurrido, con el Bellevue a un lado y el NYU Medical Center al otro.

—El problema fue la maldita manifestación —dijo Angelo—. De no haber sido por todos aquellos hispanos, habríamos tenido una oportunidad. Diablos, ella y su amigo que va en muletas pasaron por delante de nuestra furgoneta.

—Haces que suene demasiado fácil —afirmó Franco—. En primer lugar, había un todoterreno delante de nosotros. Segundo, ellos eran dos y nosotros solo dos. ¿En qué estás pensando? No había manera de meterlos en la furgoneta sin provocar un escándalo mayúsculo. Yo digo que deberíamos dispararle desde cierta distancia y marcharnos.

—¡No! —exclamó Angelo—. Quiero secuestrarla—. Es la única manera de estar seguro de que el trabajo está hecho, y quiero hacerlo bien.

—Paul Yang y Amy Lucas fueron coser y cantar— le recordó Franco—. No sospechaban nada y fue sencillo engañarlos. Pero la doctora Montgomery es harina de otro costal. No lograremos que suba a la furgoneta sin armar un escándalo, y eso siempre que podamos acercarnos cuando esté sola. Con su amigo con muletas, ella lo estará ayudando. Yo digo que le disparemos y acabemos con el asunto. Es una forense, y no dudo que hay una docena de personas a quienes no les importaría que la eliminaran.

—¿Cuál es el plan? —preguntó Vinnie a Angelo en tono más sereno. Para aquellos que lo conocían, era una señal de que estaba muy preocupado.

Franco, Angelo, Freddie y Richie estaban sentados en uno de los reservados del Neapolitan, hablando con Vinnie Dominick. Las tazas de café, los ceniceros a rebosar y un plato de *cannoli* llenaban la mesa.

—Estoy de acuerdo con Franco en que es un desafío —admitió Angelo—. Por desgracia, se ha marchado de su apartamento de la calle Diecinueve, lo que habría simplificado mucho las cosas. Quizá nos veamos obligados a averiguar dónde vive, pero por ahora creo que deberíamos seguir intentándolo en su trabajo. Franco también tiene razón en que necesitamos más hombres, sobre todo si tenemos que enfrentarnos con el novio, algo que no me importaría hacer. Necesitaremos otra furgoneta.

—¿Por qué otra furgoneta? —preguntó Vinnie.

—De apoyo. Si el secuestro sale mal necesitamos tener un segundo vehículo para escapar.

Vinnie asintió con la mirada puesta en Angelo. Todos permanecieron callados mientras pensaba.

—Quiero estar bien seguro de esto —acabó por decir Vinnie—. Recuerdo que parecía que tuviese siete vidas, y con dos hospitales ahí mismo, el disparo tendrá que ser muy certero. Sería muy mala suerte si le disparamos y ellos la salvan. ¡Secuestradla y acabad con ella de una vez para siempre! En cuanto a otra furgoneta, tenemos más de las que necesitamos. ¿Volveréis a la OCME a la hora de comer? No podemos esperar una semana para liquidar esto, ya sabéis a qué me refiero.

—Lo sabemos —dijo Angelo. Se sintió más tranquilo al ver que Vinnie no quería el camino fácil. Cuanto más lo pensaba, más dispuesto estaba a hacer que la doctora Laurie Montgomery tuviese una muerte lenta.

—¿Estás de acuerdo? —preguntó Vinnie a Franco.

—Tiene sus ventajas —reconoció Franco a regañadientes—. Pero me preocupa una cosa.

—¿Cuál?

—Con el debido respeto, Angelo está demasiado ansioso con este trabajo. Esta mañana, después de abandonar la vigilancia, tuvimos que pasar por el Home Depot para comprar un cubo grande y un par de sacos de cemento rápido. Me pongo nervioso cuando hay tanta implicación. Me refiero a que él considera esto como una venganza, no como un trabajo. Cuando las emociones están de por medio, como es el caso, se producen errores. No se piensa con claridad.

Una sonrisa irónica apareció en el rostro de Vinnie cuando se volvió hacia Angelo.

Era obvio que no desaprobaba los planes de venganza de Angelo. Al mismo tiempo, Vinnie sabía que Franco tenía razón.

—¿Quieres que Laurie Montgomery sufra un rato antes de lanzarla al agua?

—Algo así —admitió Angelo.

—¿Que hay de lo que ha dicho Franco acerca de los errores que se pueden cometer cuando están de por medio las emociones y que estás demasiado ansioso?

—Lo tendré en cuenta y me calmaré.

Vinnie volvió a dirigirse a Franco.

—¿Satisfecho? —preguntó.

Franco asintió.

Si me escucha...

Vinnie también asintió, y miró de nuevo a Angelo.

—Vosotros dos formáis un equipo. Hablad el uno con el otro. No corráis riesgos. Mantened la calma.

Angelo asintió con un gesto.

—Vale —dijo Vinnie—. Está decidido. Freddie y Richie, buscad otra furgoneta. Manteneos en contacto los unos con los otros y tenedme informado.

—¡De acuerdo! —respondieron los hombres al unísono mientras salían del reservado.

Después de que los hombres se hubiesen marchado, Vinnie pidió a Paolo Salvato que le sirviera otro café. Sentado en el silencioso restaurante vacío, pensó en los planes de Angelo para Laurie Montgomery. Era perfecto; incluso fantaseó con la idea de estar presente. Después de todos los problemas que le había causado, había querido matarla al salir de la cárcel, pero no lo había hecho porque Lou Soldano le había advertido que, si le ocurría algo a Laurie, él mismo iría a por Vinnie. Pero ahora, diez años más tarde, creía que ya había pasado tiempo más que suficiente.

# 20

*4 de abril de 2007, 11.44 horas*

Laurie salió de la sala de autopsias después de realizar su último caso del día. Le preocupaba la hora, dado que las dos últimas autopsias le habían llevado más tiempo del que esperaba y estaba ansiosa por volver a ocuparse del misterio del EARM. El problema era que había puesto demasiada confianza en lo que esperaba averiguar del CDC. Aunque era importante saber que los tres casos pertenecían a la misma bacteria, había esperado que Silvia pudiese darle algunas ideas que no hubiese considerado.

Mientras se quitaba el mono de Tyvek, se detuvo un momento y se miró las manos. Le temblaban como si hubiese tomado veinte tazas de café. Preocupada por lo que haría después, entró en el vestuario para cambiarse de ropa.

—¿Acabas ahora? —preguntó Riva cuando la vio.

—Eso me temo —dijo Laurie mientras hacía girar la cerradura con combinación de su taquilla.

—Creí que te había asignado unos casos que serían rápidos. Lo siento.

—Quizá podría haberlos hecho más rápido, pero me pareció que los aspectos médicos debían estar bien documentados. Ambos pueden ser casos de estudio.

—¿De verdad? ¿Por qué?

—El primero, la muerte en el consultorio odontológico, se

podía haber evitado, así que sería un buen caso de estudio, sobre todo para enseñar a los médicos de atención primaria y emergencias. Un miembro de la familia informó que la paciente tenía ataques que provocaban palpitaciones, enrojecimientos y diaforesis, pero no se investigó.

—Hipertiroidismo —dijo Riva.

—Así es. No fue una reacción alérgica como sospechábamos. La glándula tiroides y el timo estaban agrandados difusamente, como también lo estaban el corazón y la vesícula. Por eso su presión sanguínea era tan alta en la sala de urgencias.

—¿Qué hay del segundo caso? —preguntó Riva—. El ciclista de la bicicleta estática.

—Ese también fue interesante. Creía que iba a encontrar una enfermedad ateromatosa coronaria, pero no fue así.

—Eso fue lo que yo también sospechaba. Me alegro de haberlo puesto en la pila de las autopsias.

—Todo era normal en el corazón y las arterias coronarias.

—¿De verdad? —preguntó Riva sorprendida.

—Excepto por una cosa. La arteria coronaria derecha tenía un ángulo de despegue muy agudo. De pronto, algo que el paciente hizo mientras montaba en la bicicleta cortó el flujo a la arteria.

—Había oído mencionarlo pero nunca lo he visto.

—Es por eso que creo que también sería un buen caso de estudio. Seccioné con mucho cuidado el área y mandé que la preservaran.

A diferencia de Riva, Laurie había continuado cambiándose de ropa mientras hablaba. Cuando acabó cerró la puerta de la taquilla, hizo girar la cerradura con combinación e hizo un gesto de despedida a su compañera de despacho.

—Te veré arriba —le gritó Riva.

Poco dispuesta a tomarse la hora de la comida, Laurie fue al ascensor de delante y subió hasta el quinto piso. Antes de entrar en su despacho, fue al laboratorio de histología para ver si los portaobjetos pulmonares de David Jeffries estaban hechos. No se hacía muchas ilusiones respecto a que pudiesen añadir algo significativo. Se sentía obligada a ir a buscarlos, pues le había pedido a Maureen O'Connor que les diera prioridad.

—¡Cuánta prisa! —comentó Maureen con su fuerte acento irlandés cuando vio a Laurie—. Cuando dije que las tendría hoy, no dije que sería esta misma mañana.

—Detesto ser un incordio. Estaré en mi despacho.

—Mandaré a alguien que las lleve esta tarde.

Laurie caminó deprisa por el pasillo. Después de sentarse a su mesa, observó el montón de expedientes de casos y registros de hospital. Cogió la matriz que tenía delante. Distaba mucho de estar completa. Al mirar la pila de casos, sintió que perdía el entusiasmo y el optimismo. Transcribir la información le llevó más tiempo de lo que esperaba, y sin embargo le pareció que la matriz era la única esperanza de comprender qué estaba pasando en los hospitales de Angels Healthcare. Se disponía a comenzar, cuando recordó que no tenía la historia clínica de Ramona y algunas otras. Cogió el teléfono y llamó a la oficina de los investigadores forenses. Atendió Bart Arnold, el jefe de los IF, y pidió hablar con Cheryl.

—¿Qué puedo hacer por ti? —preguntó Cheryl.

—Te dejé un aviso a través de Janice a primera hora de esta mañana. Necesito la historia clínica de Ramona Torres.

—Recibí el mensaje e hice la llamada. Me prometieron que la enviarían con las otras. Me sorprende que no estén en tu bandeja de entrada.

—Espera. —Laurie se apresuró a abrir el correo. Tal como había dicho Cheryl, las historias clínicas estaban allí—. Lo siento. Tienes razón. Están todas aquí.

Laurie se despidió de Cheryl, puso el largo archivo en la cola de impresión y luego bajó al primer piso para recoger las hojas impresas.


Adam había pasado una mañana muy agradable. Después de su segunda taza de café en el hotel, había ido al Metropolitan Museum. Como había sido uno de los primeros en cruzar la imponente entrada, le pareció como si el museo fuese solo para él. No pretendía recorrerlo todo, sino ver aquellos objetos que había apreciado en su juventud, incluidos los vasos atenienses rojos, varias estatuas clásicas griegas y las obras de los viejos maestros.

Cerca del mediodía, Adam decidió volver al edificio de la OCME para una corta visita; aparcó en el mismo lugar de la mañana. Como se había dicho a sí mismo a primera hora, las oportunidades de ver al objetivo a la hora de comer eran pocas, pero había ido preparado. En el asiento de al lado tenía una toalla del hotel Pierre enrollada en forma de cono y sujeta con un trozo de celo transparente. En el interior del cono había una de sus armas favoritas: una Beretta del calibre 9 milímetros con un silenciador de diez centímetros. La punta del silenciador apenas se veía por el extremo puntiagudo del cono.

Podía meter la mano por el extremo abierto y empuñar la pistola. De esta manera, podía llevar el arma en público sin provocar el pánico, algo que hacía cuando no la camuflaba. Por supuesto, incluso con la toalla, el tiempo que el arma estaría fuera de debajo de su chaqueta quedaba reducido al mínimo.

Con el asiento echado hacia atrás, los codos apoyados en los reposabrazos y las manos sobre el estómago con los dedos entrelazados, Adam se puso cómodo para escuchar a Arthur Rubinstein interpretando a Chopin a un volumen moderado en el reproductor de CDs del vehículo. La ligera lluvia en el exterior se añadía a su satisfacción.

En contraste con la mañana, una calma relativa reinaba en la esquina de la Primera Avenida y la calle Treinta, excepto por el tráfico, con el incesante estruendo de los autobuses, los camiones de basura, las furgonetas, los taxis y los coches particulares que iban hacia el norte. Los manifestantes habían desaparecido, al igual que la policía, y había un reducido número de peatones, en particular los que entraban y salían del edificio.

Protegido del ruido del tráfico por el buen aislamiento de su vehículo además de por la música, Adam repasó con calma las diversas posibilidades en el caso que Laurie Montgomery lo sorprendiera y apareciese de pronto, preferiblemente sola. Por supuesto, se bajaría de inmediato llevando la toalla prestada del hotel Pierre y se acercaría a la señorita Montgomery. En aquel punto, no podía prever qué sucedería porque todo dependería de lo que hubiese pasado desde el momento de bajar del vehículo hasta llegar a la distancia aproximada de un brazo. Las variables incluían a los peatones o si alguien se fijaba demasiado en él. Si todo iba bien, sacaría la toalla y le dispararía a la nuca desde una distancia de un metro. Luego volvería sin prisas al Range Rover y se marcharía, para dirigirse hacia el túnel Lincoln. Tenía sus pertenencias en el maletero, y sus supervisores se encargarían de pagar la cuenta de hotel del señor Bramford. Al menos era así como se habían hecho las cosas en la mayoría de las anteriores operaciones.

En medio de sus reflexiones, Adam, que no había dejado en ningún momento de estar atento a su entorno, vio por el espejo retrovisor que los dos hombres de la furgoneta azul que acababa de aparcar detrás mantenían un agrio altercado. Le llamó mucho la atención que además de gritarse acompañasen las palabras con empujones intercalados con furibundos gestos de rechazo. Dado que las discusiones en público no eran algo habitual, y debido a su trabajo, Adam siempre desconfiaba de los comportamientos inesperados. Mientras miraba, el conductor hizo lo que pareció un último gesto antes de abrir su puerta. En el momento en que iba a bajarse, su compañero intentó detenerlo sujetándole un brazo. Pero no sirvió de nada. Se libró con facilidad y se apeó. La respuesta del pasajero fue bajarse él también de la furgoneta.

Adam observó aquella escena muda por el espejo retrovisor, pero de pronto se dio cuenta de que el conductor se había acercado al Range Rover. Se volvió para mirarlo. No le gustaba que se acercasen cuando estaba en una misión. Hacía que la posibilidad de un reconocimiento después del hecho fuese mucho más probable.

Advirtió dos cosas en el hombre. Una, las grandes cicatrices de quemaduras, y la otra, la elegancia y la calidad de sus prendas, que parecían fuera de lugar en relación con el estado de la furgoneta. El primer pensamiento de Adam fue que se trataba de un veterano de Irak como él mismo. Había visto a muchos con quemaduras similares durante su larga rehabilitación. Luego el conductor lo sorprendió cuando golpeó ruidosamente en la ventanilla del Range Rover.

Había dos posibilidades: abrir la ventanilla o marcharse. Esto último parecía lo más lógico, porque debía descartar terminar el trabajo, incluso si Laurie aparecía, pero impulsado por la curiosidad, sobre todo por saber si el hombre era un veterano de Irak, bajó la ventanilla.

—Aquí no se puede aparcar, maestro —le espetó Angelo con vehemencia.

El pasajero se había unido al conductor. Parecía furioso, pero no con Adam, sino con su compañero. Incluso le ordenó que volviera a su vehículo, pero el otro no le hizo caso.

—¿Me ha oído? —gritó Angelo.

Franco levantó las manos en una muestra de enfado y volvió a la furgoneta.

—¿Es un veterano de Irak? —preguntó Adam. Después de la experiencia en aquel país de pesadilla y el largo proceso de rehabilitación por la herida en la pierna, Adam sentía un especial e inmediato vínculo con cualquiera que hubiera sufrido como él.

—¿Qué clase de pregunta es esa, imbécil? —replicó Angelo.

—Las quemaduras me llevaron a creer que quizá había servido en el ejército —explicó Adam, que hizo un esfuerzo para no sentirse ofendido por la grosería del hombre.

—¿Se está burlando de mí?

—Todo lo contrario. Creí que usted y yo teníamos algo en común.

Angelo soltó una breve carcajada de desprecio.

—Escuche, pimpollo, me encanta su música, pero quiero que mueva este trasto. Aquí no se puede aparcar.

—En este momento no estoy aparcado, estoy esperando.

—Vale, listillo —gruñó Angelo—. Fuera del vehículo.

Adam miró al grotesco hombre que le ordenaba bajar del vehículo. En aquella confrontación, Adam tenía varias ventajas. Primero, no le importaba en absoluto lo que pudiese sucederle, ya que en muchas sentidos desearía haber muerto con sus camaradas, y segundo, su entrenamiento en artes marciales había sido tan completo que reaccionaba por instinto.

De nuevo, Adam debatió consigo mismo. Lo mejor para todos, incluido el presumido matón y su compañero, era que se marchara, pero se había enfadado, y esto se sumó a toda la ira reprimida.

Abrió la puerta y bajó con movimientos pausados, con todos los músculos de su cuerpo tensos, preparados para entrar en acción.

Angelo dio un paso atrás. El desconocido rubio era de constitución más fuerte, pero él creía que tenía una carta ganadora. Como siempre, llevaba su pistola Walther, y metió la mano por debajo de la solapa de la chaqueta para empuñar el arma. No iba a dispararle. Solo le pegaría con la pistola para que se marchara de una vez por todas.

En la fracción de segundo que Adam tardó en ver hacia dónde se movía la mano de Angelo, se adelantó con la velocidad del rayo y descargó una serie de golpes de karate que pillaron a Angelo totalmente desprevenido. El primero le golpeó en el brazo derecho y le provocó un entumecimiento similar al de una descarga eléctrica que lo obligó a soltar el arma, que cayó al pavimento. El segundo y el tercero fueron en la cabeza y el costado del cuello; Angelo retrocedió tambaleante pero todavía de pie. El último golpe fue un puntapié en el pecho que lo tumbó sobre la calle mojada.

Con idéntica velocidad, Adam recogió el arma y miró al ocupante de la furgoneta a través del parabrisas. Por fortuna, Franco no se movió; por un momento cruzaron sus miradas. A Adam le preocupaba que pudiese ir armado.

Adam se apartó, y se apresuró a subir al Range Rover. Puso en marcha el motor y antes de alejarse por la Primera Avenida arrojó la pistola a la calle, donde los neumáticos de los coches pasaron por encima una y otra vez.

—Mierda —exclamó Arthur MacEwan—. ¿Has visto eso?

—Nunca había visto a nadie moverse a tal velocidad —afirmó Ted Polowski—. Ha sido increíble. Mira a Angelo. Tiene problemas para levantarse.

—Allá va Franco. Ha recogido el arma.

Arthur y Ted habían seguido a los hombres de Dominick hasta Manhattan. Cuando los vieron aparcar la furgoneta detrás del Range Rover plateado, dieron la vuelta a la manzana para ir a aparcar delante de una boca de incendios de la calle Treinta. Desde allí veían con toda claridad la furgoneta azul, y se acomodaron para lo que suponían sería una larga espera. Pero resultó que no fue así. Casi de inmediato, una furgoneta blanca aparció detrás de la azul, y Ted, que conocía a la mayoría de la gente de Lucia, reconoció a Richie Herns sentado al volante. Después, cuando solo habían pasado unos minutos, Angelo había bajado de su vehículo para enfrentarse con el tipo del Range Rover.

Todavía sacudiendo la cabeza de asombro por lo que acababa de presenciar, Arthur llamó a Carlo, que, junto con Brennan, estaba comiendo con el jefe, Louie.

—No vas a creerte lo que acabamos de presenciar. —Le describió la paliza que le había dado a Angelo un tipo en un Range Rover cuando el matón había intentado enzarzarse en una pelea—. No puedes hacerte idea de lo rápido que era ese tipo —continuó Arthur, admirado—. Angelo no tuvo la menor oportunidad. Llegó a sacar la pistola, pero el tipo se la arrancó de la mano y la arrojó a la calle. Te lo juro, algo increíble.

—¿Dónde estás?

—Estamos al otro lado del depósito, en Manhattan.

—¿En el depósito? —preguntó Carlo—. ¿Por qué demonios estáis allí?

—No tenemos ni zorra idea.

—¿Por qué Angelo ha buscado pelea?

—A mí qué me preguntas.

—¿Angelo está bien?

—Eso creo. Anda de una manera un poco rara, pero ahora mismo está subiendo a la furgoneta.

—Espera —dijo Carlo—. Deja que le cuente todo esto a Louie.

Arthur oyó cómo Carlo relataba la historia y la reacción de asombro de Louie. Carlo se puso de nuevo al teléfono.

—Louie quiere saber si reconociste al tipo.

—No. Pero el Range Rover tenía el nombre de una empresa, Biede no sé qué Heaven.

—¿Algún número de teléfono o dirección?

—No podíamos verla desde donde estábamos. Las letras eran demasiado pequeñas, pero había varias palabras más.

—¿Sabes si Franco también está allí?

—Oh, sí. Está aquí. Intentó impedir que Angelo fuese a molestar al tipo, y tras la paliza, bajó para recoger la pistola en medio de la calle. Ah, una cosa más. Hay una segunda furgoneta aparcada detrás de la de Angelo y Franco. Eh, Angelo acaba de ponerse en marcha. Tengo que cortar. ¡No! ¡Falsa alarma! Solo ha avanzado un poco para situarse en la esquina, y ahora Richie lo sigue. Hay alguien más con él, pero no sabemos quién es. ¿Quieres que uno de nosotros vaya hasta allí y lo averigüe?

—De ninguna manera. No esperan que nadie los vigile, y no queremos que sospechen. Aguarda. Deja que le cuente a Louie el resto de esta extraña historia.

De nuevo, Arthur escuchó cómo Carlo relataba los detalles, aunque no oyó las respuestas del jefe. Carlo volvió al teléfono.

—Louie dice que estáis haciendo un buen trabajo. Quiere que os quedéis con ellos. Esta tarde, Brennan y yo iremos para relevaros.

—Me parece bien.


Carlo guardó el móvil y miró a Louie. Su jefe le devolvió la mirada, con su rostro carnoso arrugado y el entrecejo fruncido. Era obvio que estaba sumido en sus pensamientos. Carlo y Brennan lo conocían lo bastante bien como para permanecer en silencio y dedicarse a comer sus espaguetis.

Por fin, Louie rompió el silencio y se quitó la servilleta del cuello.

—No entiendo nada de todo esto, pero tengo claro que debe acabar. Están actuando de una manera muy extraña, matan gente y se pelean en pleno día en una calle de Manhattan. ¿De qué va todo esto del depósito?

Carlo y Brennan sabían que no debían responder a menos que les formulase una pregunta directa. Louie siempre había tenido propensión a pensar en voz alta. Mientras Louie levantaba su corpachón de la silla y comenzaba a andar, Carlo y Brennan intercambiaron una mirada preguntándose qué pasaría.

Louie fue hasta el bar sin interrumpir su monólogo. Después de jugar distraídamente con una copa llena de palillos durante varios minutos, volvió a la mesa.

—¿Estáis seguros de que en la Trump Tower no había ninguna empresa que reconocierais cuando estuvisteis allí esta mañana?

Carlo y Brennan negaron con la cabeza.

—¡Busca una guía de teléfonos! —ordenó Louie a Brennan. Obediente, Brennan dejó su silla para ir a buscar una guía y llevarla a la mesa—. Buscad Bieder no sé qué Heaven —dijo cuando volvió.

Louie miró a Carlo.

—Si continúan con este comportamiento irresponsable, antes o después se nos echarán encima los polis. ¿Qué pensáis?

Carlo asintió. Dado que le habían formulado una pregunta específica, respondió:

—Están corriendo muchos riesgos, así que debe de ser algo importante.

—Es lo mismo que estaba pensando. Me refiero a que aquel detective vino hasta aquí para avisarnos.

—No hay nada en la guía —informó Brennan.

—No creía que lo hubiese —afirmó su jefe—. No con un tipo que puede darle una paliza a Angelo Facciolo. El nombre puede ser una tapadera.

—¿Crees posible que estuviesen esperando delante del depósito por el mismo motivo? —preguntó Brennan, que se arriesgó a poner su pequeño grano de arena—. ¿Por qué Angelo iba a buscar pelea con alguien a plena luz del día a menos que hubiese competencia o algún mal rollo de por medio?

—Buena idea —admitió Louie—. Me alegra que los estemos siguiendo. Me gustaría saber qué está pasando, pero si matan a alguien más, le haré saber a aquel detective que nosotros no tenemos nada que ver.


Después de la descarga de adrenalina provocada por Angelo, Adam tardó un rato en calmarse, pero cuando llegó al hotel, ya se había tranquilizado lo suficiente como para pensar con claridad en el desafortunado y del todo inesperado incidente. Aunque no había pasado nada grave, aún podía ocurrir si alguien había presenciado el altercado y había llamado a la policía para dar una descripción del Range Rover. Por consiguiente, estaba enfadado consigo mismo por no haberse marchado de inmediato. Desde luego no había sacado nada beneficioso con aquella inútil confrontación; más bien todo lo contrario.

—¿Necesitará su coche, señor Bramford? —preguntó el portero, al tiempo que abría la puerta del conductor.

—No, gracias —respondió Adam mientras bajaba. Quería que guardaran el coche de inmediato en el garaje.

Subió a su habitación. Necesitaba hacer una llamada y no quería utilizar el móvil, sino una línea terrestre. Una de las consecuencias de su pelea era la reticencia a regresar a la OCME por miedo a encontrarse de nuevo con el matón de la cara quemada.

Sentado a la mesa en el vestidor de su suite, hizo la llamada. Según el protocolo, debía preguntar por un individuo ficticio llamado Charles Palmer y esperar a que le diesen otro número. Entonces llamaría al nuevo número y dejaría el suyo. A partir de ese momento, otra espera. La llamada de respuesta por lo general llegaba en un minuto.

No hubo charla inútil cuando Adam habló con uno de sus supervisores.

—Necesito la dirección de una casa —dijo sin citar siquiera un nombre. No necesitaba preguntar si la información se podía conseguir o no. Con el acceso de sus jefes a las más altas esferas del gobierno, siempre se lograba.

—La tendremos en unos minutos. La recibirá en su móvil.

Eso era todo. Adam colgó y después llamó al servicio de habitaciones. Decidió comer antes de ir a su segunda atracción favorita en Nueva York: el Museo de Historia Natural.


—Cómo iba a saber que era un experto en karate —protestó Angelo.

—Esa no es la cuestión —dijo Franco—. El problema es que no pensaste, y cuando no piensas, cometes errores. Por suerte no ha ocurrido nada grave.

—Eso a ti no te cuesta nada decirlo. Me siento como si me hubiera atropellado un camión; me duele el pecho, y también el costado del cuello.

—Considera esos golpes como una advertencia para mantener la calma. Nunca te he visto de esta manera, Angelo. Estás demasiado ansioso. Como le dije a Vinnie, estás que te sales.

—Tú también lo estarías si la tía esa te hubiese quemado el rostro y parecieras un monstruo.

—Yo no he dicho eso, has sido tú.

—¿Qué has hecho con mi arma?

—Está debajo de mi asiento. —Franco sacó la pistola y se la entregó. Angelo la miró con atención. Sacó el cargador, comprobó que no hubiese ningún proyectil en la recámara y luego apretó el gatillo varias veces. El mecanismo funcionó con suavidad—. Parece en buen estado.

—Quizá sería una buena idea hacer un par de disparos para estar seguros.

Angelo asintió mientras volvía a meter el cargador por la base de la culata.

—No has respondido a la pregunta que te he hecho —dijo Franco—. ¿Vas a ser capaz de controlarte? De lo contrario, te enviaré a casa unos días. ¡Presta atención! Yo mismo me encargaré de Montgomery, ¿está claro?

—Sí —asintió Angelo irritado—. Quizá no debería haber bajado de la furgoneta, pero al menos conseguí que el todoterreno que nos impedía ver se marchara.

—Con un riesgo muy grande, debo añadir. Lo entiendes, ¿no?

—Supongo que ahora sí.

De ahora en adelante quiero que todo se haga a mi manera hasta que la tengamos en el barco. Después no me importa lo que hagas. Al parecer, a Vinnie le gusta tu idea de los zapatos de cemento. De acuerdo. No me importa en absoluto si tú y Vinnie queréis una revancha antes de matarla. Pero no quiero más conductas temerarias. ¿Estamos de acuerdo?

—Sí, estamos de acuerdo.

—¡Mírame!

Angelo miró de mala gana a Franco.

—Dilo de nuevo.

—Estamos de acuerdo —repitió Angelo con voz enfadada.

—Bien. Eso está aclarado. Ahora vamos a comer. Montgomery no está dispuesta a cooperar. Tendremos que intentar pescarla cuando se marche esta noche.

# 21

*4 de abril de 2007, 15.05 h*

—¡Hola, perdone! —llamó una voz.

Laurie apartó la mirada de su trabajo. Una de las técnicas de histología estaba en el umbral con una bandeja de cartón con los portaobjetos.

—Maureen me ha pedido que se los traiga, y se disculpa por no haberlos terminado antes. Es que hoy no han venido dos a trabajar por enfermedad.

—Ningún problema —dijo Laurie. Cogió la bandeja—. Gracias por traerlos y gracias a Maureen por hacerlos con tanta rapidez.

—Se lo diré —respondió la mujer en tono amable.

Con la bandeja en las manos, Laurie echó una mirada a su mesa abarrotada. Pese a trabajar sin descanso, solo había llenado alrededor de dos terceras partes de la matriz, aunque el proceso, por pesado que fuese, se había acelerado desde el momento en que supo dónde buscar en los registros hospitalarios la información específica que necesitaba. También había ido añadiendo más categorías a medida que avanzaba, y eso la había obligado a volver a los casos que creía haber terminado. Una cosa era segura: con tantas categorías, hacer la matriz era muchísimo más trabajoso de lo que había pensado al principio.

Aunque Laurie sentía una satisfacción compulsiva con sus

progresos, se enfrentaba a una creciente desilusión, a la vista de que era poco probable que sus esfuerzos la ayudaran a solucionar el misterio. Había esperado encontrar algún factor común inesperado, pero no era así. Si en algunos casos aparecía el mismo quirófano, en el siguiente había otro; si varios pacientes estaban en la misma planta, el siguiente se encontraba en otra; y así sucesivamente. Sin embargo, había persistido y continuaría haciéndolo, dado que era todo lo que tenía.

Con la intención de disfrutar de una pausa en lo que era en esencia una aburrida copia de datos, Laurie despejó un espacio en su mesa para el microscopio. Encendió la lámpara, colocó el primer portaobjetos de una sección de pulmón de David Jeffries, escogió el objetivo de menor potencia y lo acercó pero sin llegar a tocar. Apoyó los ojos en los oculares y utilizó el tornillo de ajuste macrométrico para alejar el objetivo hasta obtener una imagen. Después giró el tornillo micrométrico y la imagen se vio con toda claridad.

Volvió a quedarse impresionada por el daño producido por las bacterias, que aparecían como racimos con forma de disco en el campo bidimensional del microscopio. La estructura alveolar normal del pulmón había quedado disuelta por las toxinas de la bacteria devoradora de carne y habían creado abscesos de diversos tamaños. Mientras buscaba con la ayuda de la platina, vio las distintas etapas de la infección en las paredes capilares, que provocaban hemorragias en el caldo séptico que llenaba los pulmones. La destrucción de la arquitectura normal de los pulmones le sugirió imágenes de una ciudad después de ser arrasada por un bombardeo o de un cámping de caravanas tras el paso de un huracán de fuerza cinco.

Durante más de una hora, Laurie miró los portaobjetos uno por uno. Al utilizar una lente de mayor potencia impresionaba todavía más la patogenicidad de la bacteria. Tras enfocar el tejido fibroso responsable del mantenimiento de la arquitectura normal del pulmón, vio que este se despegaba como la piel de una cebolla. Los vínculos covalentes se rompían y el propio colágeno se estaba disolviendo en las moléculas constitutivas.

—Hola, encanto —saludó Jack, que entró sin hacer ruido. Cada vez se movía con mayor facilidad con las muletas—. ¿Qué tal va el día?

Laurie lo miró, con el rostro más pálido que de costumbre.

—¿Qué pasa? —preguntó Jack. Su sonrisa desapareció—. Tienes un aspecto horrible.

Laurie respiró hondo, contuvo el aire un momento y después lo soltó. La destrucción del tejido que había visto había tenido un efecto visceral en ella. Que esto le hubiese ocurrido en cuestión de horas a una persona sana subrayaba lo frágiles que eran los seres humanos. Disfrutar de buena salud parecía un milagro.

Jack apoyó una mano en su hombro.

—¿De verdad estás bien?

Laurie asintió y de nuevo respiró hondo. Tocó el cañón del microscopio.

—Creo que deberías echar una mirada a esto. Ten presente que se trataba de una persona sana solo unas horas antes.

Laurie se apartó de la mesa para dejar espacio a Jack.

Jack puso las muletas a un lado y se inclinó hacia los oculares, pero a medio camino titubeó y volvió a erguirse.

—Espera un segundo —dijo en tono de sospecha—. ¿Esto es un montaje? ¿Me estás seduciendo astutamente para que mire un portaobjetos de tu caso de EARM de ayer?

—Recuérdame que nunca intente colarte nada —replicó Laurie con una débil sonrisa. Su presión sanguínea había vuelto a la normalidad, con lo que había recuperado el color en la cara y había desaparecido el malestar. Admitió que era una sección del pulmón de David Jeffries.

Miró en el microscopio, y, moviendo la platina, hizo un rápido recorrido de la sección.

—Caray, está destruido totalmente. Apenas se ve algo de la arquitectura normal.

—¿Cambia esto tu decisión sobre la intervención, cuando podrías encontrarte con semejante patógeno?

—¡Laurie! —exclamó Jack en tono de reproche.

—Vale —dijo Laurie con fingida despreocupación—. Solo preguntaba.

—¿Qué tal tus casos de hoy? Parecías estar más ocupada de lo habitual.

—Estaban bien, sobre todo desde la perspectiva de la enseñanza, por eso tardé más de lo esperado. Quería volver aquí cuanto antes para trabajar en mi matriz. —Palmeó las hojas—. Es la única cosa que me queda para mantener una remota posibilidad de convencerte de que estás corriendo el riesgo de exponerte al EARM durante la intervención.

—¿Y? —Jack la miró de reojo.

—Todavía no he encontrado nada —admitió ella antes de consultar su reloj—. Pero todavía me quedan unas quince horas.

—¡Por Dios! Y tú eres quien me llama empecinado…

—Eres empecinado. Yo solo soy persistente, y, por supuesto, tengo la ventaja añadida de estar en lo cierto.

Jack le hizo un gesto de rechazo a Laurie y cogió las muletas.

—Me voy a mi despacho para poner las cosas en orden ya que estaré ausente unos días. —Recalcó «unos días».

—¿Qué tal tus casos de hoy?

—No preguntes. Riva me prometió que serían interesantes, y en cambio me dio dos muertes naturales y una accidental, ninguna de las cuales tenía el menor interés. El caso de Lou era más interesante. El calibre de la bala y las marcas de una aparente cadena para mantenerla hundida indican que es el mismo asesino. La diferencia es que la violaron.

—Trágico.

—Otra prueba de la inherente maldad del hombre.

—Me alegra que digas hombre. Ahora sal de aquí. Solo me quedan quince horas.

—¿A qué hora quieres marcharte esta noche?

—Tendríamos que tomar taxis separados, a menos que quieras quedarte hasta tarde. Deseo acabar la matriz.

—Volveré cuando acabe por si acaso cambias de opinión. No me quedaré por aquí porque tengo la intención de ir a ver cómo mis amigos juegan al baloncesto para recordarme por qué estoy dispuesto a someterme a la cuchilla.

En esta ocasión, Laurie tuvo que morderse la lengua. En cambio, preguntó:

—¿Chet está en tu despacho o ya se ha marchado?

—No lo sé. He pasado primero por aquí.

—Pues si está, deberías intentar apagar su entusiasmo por su nueva amiga.

—¿Cómo es eso?

—Se da la coincidencia de que es la presidenta ejecutiva de la empresa que ha construido los tres hospitales especializados Angels.

—¿De verdad? —preguntó Jack arqueando las cejas—. Esa sí que es una coincidencia. ¿Por qué tengo que apagar su entusiasmo?

—Ella es quien prácticamente me echó ayer del hospital ortopédico. No sé a largo plazo, pero ahora mismo pongo en duda sus motivos.

—No te preocupes —dijo Jack—. Estoy seguro de que esta noche Chet ya estará mirando a alguna otra. Dentro de una semana ni siquiera recordará su nombre.

—Eso espero, por su bien.

Con Jack fuera de su despacho, Laurie volvió al microscopio. Aunque había hecho un esfuerzo para mostrarse animada, de nuevo se sentía deprimida. Había bromeado sobre las quince horas, pero en realidad era demasiado poco tiempo para resolver un misterio que había confundido a personas especializadas en epidemiología.

De pronto, la mano de Laurie dejó de girar el tornillo de movimiento horizontal de la platina. Había visto que algo inusual pasaba por el campo del microscopio. Dado que estaba mirando en alta resolución, los objetos pasaban muy rápido por el campo con muy poco giro del tornillo. Invirtió poco a poco la dirección, y el objeto extraño apareció de nuevo.

Laurie se quedó boquiabierta. Parecía estar en medio de lo que había sido un bronquiolo, con toda probabilidad cerca de un alveolo, o la bolsa terminal del árbol bronquial donde el oxígeno entraba en la sangre y salía el dióxido de carbono. De inmediato se preguntó si había estado allí desde el principio o si se trataba de algo artificial, introducido inadvertidamente o formado durante la preparación del portaobjetos. Era del tamaño de las células blancas que Laurie había visto, las células defensivas del cuerpo, pero no había núcleo. No había absorbido casi nada del marcador habitual utilizado en histología.

Más notable aún, era un disco casi redondo, simétrico con el borde dentado, que le daba la apariencia de una estrella. Esa simetría era importante, porque la mayoría de las que había visto no tenían tal simetría. Miró el objeto detenidamente. El borde dentado ocupaba casi una quinta parte del diámetro. El centro era opaco, con solo una pequeña indicación de nodularidad o moteado. Un minuto lo veía, y al siguiente no. Deseó que el objeto hubiese absorbido el colorante, porque de esa manera sabría que estaba viendo algo real, no un producto de su imaginación. Al tiempo que intentaba controlar sus nervios, Laurie cogió un rotulador para marcar el portaobjetos de forma tal que si se movía podría encontrarlo de nuevo; marcó cuatro puntos en las direcciones cardinales. Satisfecha, Laurie pasó a baja resolución. Cuando miró de nuevo, el objeto era mucho más pequeño, y como carecía de colorante, tendía a confundirse con el caótico entorno.

Volvió de nuevo a la alta resolución, y se aseguró de que el disco, fuera lo que fuese, todavía estaba en el campo. Una vez comprobado, bajó a toda prisa a buscar a Jack.

Cuando Jack miró el objeto, comentó:

—¿Cómo es que una de las rosquillas de mi abuela se metió en el pulmón de David Jeffries?

—Por favor, no bromees. ¿Qué crees que es?

—No bromeo. Parece salido del molde de rosquillas de mi abuela. Lo llamábamos una estrella, pero es obvio que tiene muchas más puntas redondeadas.

—¿Crees que es artificial?

—Eso parece, pero me desconcierta la simetría. Supongo que se debe a la tensión dinámica entre las fuerzas hidrofílicas e hidrofóbicas del interfaz del menisco.

—¿Qué demonios es eso?

—¿Cómo voy a saberlo? —replicó Jack, que continuaba mirando el objeto microscópico—. Solo estoy soltando un rollo seudocientífico.

Laurie le dio un golpe en el hombro en son de broma.

—Y yo que creía que sabías de qué hablabas.

Jack se apartó de los oculares.

—Lo siento, no tengo idea de qué es. Ni siquiera sé si es real.

—Yo tampoco —admitió Laurie.

—¿Has encontrado alguno más, o solo este?

—Solo este. Ahora que lo he encontrado, estoy ansiosa por ver si hay más.

—¿Tienes alguna idea de qué puede ser?

—Sé lo que parece, pero no puede ser.

—¡Vamos! ¡Dímelo!

—Parece una diatomea. ¿Las recuerdas de biología?

—No puedo decir que sí.

—Deberías. Son un tipo de alga o fitoplancton con las paredes celulares de sílice.

—Venga ya —dijo Jack—.¿Cómo puedes recordar eso?

—Eran tan hermosos…, parecían copos de nieve. Hice bocetos de ellos en la clase de biología en la OCME.

—Felicidades por tu descubrimiento. Pero si te interesa mi voto, yo me inclinaría por algo artificial más que por una diatomea pelágica, a menos que en el University le dieran un vaso de agua del mar Antártico como parte de su tratamiento terminal.

—Muy gracioso —replicó Laurie con sarcasmo—. Artificial o no, voy a seguir buscando a ver si hay más.

—¡Buena suerte! Yo me marcho. ¿Quieres cambiar de opinión y venir conmigo?

—Gracias, pero no. Voy a mirar estos portaobjetos un rato más y luego acabaré mi matriz. No me esperes levantado. Sé que te irás a la cama temprano.

—Dios bendito, Laurie. Estás buscando una quimera.

—Quizá sí. De cualquier modo, no estoy muy segura de que vaya a dormir mucho esta noche.

Jack se agachó para darle un beso en la mejilla, pero ella se levantó y le dio un beso en toda regla.

—Te veré más tarde —dijo Jack, y en un gesto afectuoso le tocó la punta de la nariz con el índice.

—¿Eso por qué ha sido? —preguntó Laurie, que se apartó instintivamente.

Jack se encogió de hombros.

—No lo sé. Solo quería tocarte porque creo... —Jack hizo una pausa, como si de pronto tuviese vergüenza—. Creo que eres fantástica.

—Sal de aquí, tontorrón —dijo Laurie, y lo empujó.

El torpe romanticismo de Jack amenazó con romper sus bien construidas defensas. En realidad, sus propias emociones estaban a flor de piel. Por un lado quería darle su apoyo durante todo el proceso, porque creía que le iría muy bien, como a cualquier persona, pero por el otro lado no quería perderlo y se sentía furiosa porque la estaba poniendo en una situación conflictiva.

Jack recogió las muletas y con una última sonrisa se marchó. Laurie permaneció de pie un momento, mirando las pilas que formaban sus veinticinco casos de EARM. Se asomó a la puerta y gritó a Jack:

—¡Recuerda usar esta noche el jabón antibiótico!

—Lo tengo en mi lista —respondió Jack sin volverse.

Laurie entró de nuevo en su despacho. Se detuvo un momento, consciente de que una de sus mayores dificultades para tener una verdadera relación era permitir que la otra persona fuese ella misma y que tomase algunas decisiones de forma independiente, con un egoísmo bien fundamentado. Desde su punto de vista eso era lo fundamental, y la decisión de operarse o no era un buen ejemplo de que un verdadero amante debía reconocer la existencia de dos centros en el universo.

Apartó de su mente lo que parecía una filosofía barata, y se sentó de nuevo a la mesa. Su mirada iba del microscopio a la matriz. Ambos la llamaban. Aunque creía que la matriz sería a la larga lo más prometedor, la supuesta diatomea era más atractiva. Laurie se inclinó para apoyarse en los oculares. Lo que quería hacer era buscar en todos los portaobjetos para saber si había más.


Angelo se detuvo en el mismo lugar donde habían dejado la vigilancia, en el cruce de la Primera Avenida y la calle Treinta. El edificio de la OCME estaba a la derecha. El tráfico era el habitual en hora punta. Aparcó y puso el freno de mano.

—Ningún Range Rover a la vista —comentó, y agitó una mano como si quisiera justificar su comportamiento del mediodía.

—Ni siquiera se te ocurra ir allí —dijo Franco, que se puso cómodo, dispuesto a comerse uno de los bocadillos y a tomarse el café que habían comprado en Johnny's.

—Aquí vienen Richie y Freddie —avisó Angelo, que miraba por el espejo retrovisor.

La furgoneta blanca aparcó casi pegada a ellos.

Franco no respondió. Estaba ocupado observando la zona para asegurarse de que no había ningún problema a la vista, como podía ser un vehículo de la policía aparcado o agentes de ronda.

Angelo bebió un sorbo de café y luego quitó el envoltorio del bocadillo. Cuando acabó se le ocurrió mirar a través del parabrisas, y dio un bote.

—¡El amigo!

El grito de Angelo fue tan inesperado que Franco dio un respingo y parte del café se derramó sobre su entrepierna. Angelo buscó a tientas el frasco de anestésico y una bolsa de plástico.

—¡Mierda! —Franco arqueó la espalda para levantar el culo del asiento.

Angelo dejó caer el frasco para sacar de debajo del asiento un rollo de papel de cocina, sin apartar la mirada de la puerta principal de la OCME.

Franco utilizó varios trozos para limpiar el café del asiento y algunos más para limpiarse los pantalones. Solo entonces miró a través del parabrisas.

—¿Dónde está Montgomery?

—No lo sé —dijo Angelo desilusionado—. Joder, esta mujer es peor que un grano en el culo.

Vieron cómo Jack levantaba un brazo con las muletas sujetas debajo de las axilas. Había bajado de la acera y se había metido en plena calle con los coches casi rozándolo.

—Esto pinta mucho mejor —opinó Franco—. Sin el novio, nos será mucho más fácil secuestrarla.

—Es probable que estés en lo cierto. Solo espero que no se haya marchado temprano.

—Relájate. No seas aguafiestas.


—¿Quiere un poco más de té? —preguntó el camarero.

Adam sacudió la cabeza. Estaba sentado en el salón de té oval junto al pasillo que llevaba a la entrada del hotel Pierre por la Quinta Avenida. Cuando era un crío era su salón favorito, por la variedad de galletas y pasteles que servían por las tardes. Mientras pasaba una página de la sección de arte del *Times*, notó la vibración de su BlackBerry. Sacó el móvil y vio que tenía un mensaje. Utilizó los botones apropiados para abrirlo. Era breve y simple: 63 Oeste 106.

Cargó la nota a su habitación y subió a recoger sus cosas. Se sentía animado. El momento no podía ser más preciso. Diez minutos más tarde, estaba en el Range Rover. Con la sensación de que el trabajo se acabaría muy pronto, cambió el disco en el reproductor de CDs: de Bach pasó a Beethoven.


Laurie se echó hacia atrás en la silla, que protestó rechinando. Con las puntas de los dedos se frotó los ojos. Había estado tan concentrada mirando por las lentes del microscopio que se había olvidado de parpadear todo lo a menudo que debía. Notaba en los ojos una sensación arenosa, pero después de solo cinco segundos de masajes, seguidos de rápidos parpadeos, se sintió bien.

Aunque todavía no tenía ni idea de qué era aquel objeto con

forma de plato y bordes serrados, encontró otros dos en el portaobjetos. Dado que las tres imágenes eran idénticas, dedujo que no podían haber sido introducidas cuando habían hecho los portaobjetos. Era obvio que habían estado en los pulmones de David Jeffries en el momento de su muerte.

El entusiasmo de Laurie se disparó. Se permitió fantasear que había descubierto un nuevo agente infeccioso que en conjunción con el estafilococo formaba una combinación letal. Bajó a toda prisa a histología y se encontró con Maureen, que estaba a punto de marcharse. Después de explicarle su caso, Laurie la convenció para que buscara los portaobjetos pulmonares archivados de otros casos de EARM. Se lo agradeció efusivamente y volvió corriendo a su despacho.

Para su satisfacción, encontró más discos con aspecto de diatomeas y advirtió que las cantidades diferían de un caso a otro, y que algunos no los tenían. Eran muy raros y no estaban manchados con el colorante, lo que excusaba a sus colegas por no haberlos visto. Fue en ese momento cuando la matriz le dio su primer resultado. Pese a no estar completa, le brindó una aparente corroboración de la patogenia de los discos. Cuanto más breve era el período entre los síntomas del paciente y el momento de la muerte, mayor era el número de diatomeas. Aunque aquel descubrimiento no cumplía con los postulados de Koch para confirmar a un microorganismo como fuente de una enfermedad particular, Laurie se sintió animada. Muy animada.

Desaparecido el malestar en los ojos, Laurie buscó la agenda. Era obvio que debía intentar identificar los discos serrados. Unos años atrás, Jack había vivido una situación similar con un caso de un quiste en el hígado, y había llevado el portaobjetos al NYU Medical Center para que lo mirase un gigante en el campo de la patología, el doctor Peter Malovar. Pese a tener noventa años y ser profesor emérito, mantenía un despacho y la lucidez de una mente enciclopédica. Su vida era su trabajo, pues su esposa había muerto veinte años atrás.

Con mano temblorosa, Laurie marcó el número de la extensión de Malovar, con la ilusión de que los rumores sobre las largas horas de trabajo que el anciano patólogo mantenía fuesen ciertos. Mantuvo los dedos cruzados mientras el teléfono sonaba una, dos veces, y luego, para su alegría, lo descolgaron cuando comenzaba el tercer timbrazo.

La voz de Malovar tenía un leve pero agradable acento británico, la tranquilidad de un abuelo y una sorprendente claridad para un nonagenario. Laurie le relató la historia en un rápido monólogo, aunque a veces, por la prisa, se tropezaba con las palabras. Cuando acabó, hubo una pausa. Por un segundo temió que hubiese colgado.

—Bueno, esto es una invitación inesperada —manifestó el doctor Malovar en tono alegre—. Me encantaría ver esos objetos que parecen diatomeas. Parece muy intrigante.

—¿Habría alguna posibilidad de que pueda llevárselas ahora?

—Estaría encantado —insistió el doctor Malovar.

—¿No es muy tarde? Me refiero a que no quiero retenerlo.

—Tonterías, doctora Montgomery. Estoy aquí todas las noches hasta las diez o las once. Estoy a su entera disposición.

—Gracias. Llegaré en unos minutos. ¿Es difícil dar con su despacho?

Escuchó las claras instrucciones antes de colgar. Cogió el abrigo y fue a paso rápido hacia el ascensor. Al entrar, su estómago gruñó para recordarle que se había saltado la comida. Como el doctor Malovar le había asegurado que todavía no iba a marcharse, pulsó el botón del segundo piso. No había mucho donde elegir en las máquinas, pero confió en que encontraría algo aunque solo fuese de valor calórico.

El comedor era el lugar preferido del personal subalterno, sobre todo durante las horas de la comida, y aquella noche no era una excepción. Eran poco más de las siete, y la mitad del turno de tres a once estaba allí. Con sus desnudas paredes de cemento, el volumen del ruido le resultó casi doloroso comparado con el silencio de su despacho. Mientras estaba delante de una de las máquinas intentando decidir qué sería menos malo, escuchó su nombre por encima del estrépito. Al volverse, vio los rostros sonrientes de Jeff Cooper y Pete Molimo. Eran los conductores del furgón de la Health and Hospital Corporation encargado de ir a recoger los cadáveres. Como con casi todo el resto del personal, Laurie había hecho amistad con ellos a lo largo de los años. Laurie y Jack, a diferencia de sus colegas, eran más dados a visitar las escenas a última hora de la tarde y de la noche, porque ambos consideraban que dichas visitas eran muy útiles.

Los conductores disfrutaban de una pausa en su trabajo. Habían acabado de comer, como daban fe los restos sobre la mesa. Excepto por los avisos de accidentes de tráfico mortales, se recibían pocas llamadas a la hora de la cena, y la actividad no aumentaba hasta las nueve. Ambos tenían los pies apoyados en las otras dos sillas desocupadas de su mesa.

—Hacía tiempo que no la veíamos, doctora Montgomery —comentó Jeff.

—Sí, ¿dónde se ha estado escondiendo? —añadió Pete.

Laurie sonrió.

—En mi despacho o en la sala de autopsias.

—Es un poco tarde para irse a casa, ¿no? —preguntó Pete—. La mayoría de los médicos ya se han marchado.

—He estado trabajando en un proyecto especial. Es más, ni siquiera me voy todavía a casa. Voy al NYU Medical Center.

—¿Cómo piensa ir hasta allí? No sé cómo está ahora, pero hace menos de una hora llovía.

—Iré a pie. Está demasiado cerca para ir en taxi.

—Yo la llevaré —ofreció Pete—. Llevamos rato sentados aquí, y estoy aburrido de hablar con este recalcitrante fanático de los Boston Red Sox.

—¿Qué pasa si recibe una llamada? —preguntó Laurie.

—¿Cuál es la diferencia? Tengo una radio.

Laurie tardó dos segundos en decidirse.

—¿Está listo para ir ahora?

—Claro que sí —dijo Pete, y recogió la bandeja con los restos de comida.

En muchos sentidos era una tontería ir en coche, porque la entrada del centro médico estaba en la misma manzana que la OCME, y cuando salieron del depósito a la calle Treinta, no llovía.

Es más, se veía un trozo de cielo azul verdoso por el lado oeste.

—Esto es un tanto ridículo —comentó Laurie, mientras Pete giraba casi de inmediato para entrar en el camino de acceso al centro médico, unos centenares de metros más allá en la Primera Avenida. Había conseguido alcanzar una velocidad de treinta kilómetros por hora—. Lamento haberle molestado.

—No es ninguna molestia —le aseguró Pete—. Quería alejarme de Jeff un rato. Está tan seguro de que los Sox ganarán a los Yankees que no calla.

Laurie se bajó del furgón, dio las gracias a Pete y agitó en el aire la caja de portaobjetos para hacer un gesto de despedida, mientras se apresuraba a pasar por la puerta giratoria. El vestíbulo estaba lleno de visitantes, pero Laurie los dejó atrás cuando fue hacia el sector académico de la institución. Tomó el ascensor para subir al sexto piso. Al salir, advirtió que reinaba el mismo silencio que en la plana donde estaba su despacho. La mayoría de las puertas estaban cerradas, y no se cruzó con nadie.

Encontró al famoso doctor en un cuarto pequeño y sin ventanas que bien podría haber sido un almacén, pero que el anciano había decorado con sus diplomas, premios y distinciones, todos en sencillos marcos negros.

Una gran librería con sus libros de patología, algunos encuadernados en cuero, abarcaba toda una pared. Gran parte del resto de la habitación la ocupaba una gran mesa de caoba cubierta con fotocopias y hojas escritas con una letra cursiva irregular.

Se puso de pie y extendió la mano cuando entró Laurie. Le sorprendió lo mucho que se parecía a Einstein, con su nube de pelo blanco. Tenía la espalda encorvada, como si su anatomía estuviese hecha para mirar por el microscopio.

—Veo que ha traído los portaobjetos —manifestó, al tiempo que miraba con entusiasmo la caja.

A la espera de su llegada, había preparado el impresionante microscopio instalado en una plataforma corredera en el extremo de la mesa. Era un microscopio de profesor con oculares a ambos lados. El aparato estaba equipado con una cámara digital de última generación.

—¿Comenzamos? —añadió, al tiempo que señalaba a Laurie una silla colocada en su lado del microscopio.

Laurie se sentó. Con el rabillo del ojo vio con cuánta atención la observaba mientras abría la caja de los portaobjetos y con mucho cuidado sacaba uno de los marcados con rotulador. Como el microscopio era suyo, se lo dio. Malovar se apresuró a colocarlo en la platina y alinear las marcas de rotulador. Después de bajar el objetivo de baja potencia, le dijo que utilizase el control de la platina para buscar el objeto de interés. Como había adquirido una gran práctica para localizar los discos a pesar de la falta del teñido, Laurie no tardó mucho en localizar uno.

—No sé si alcanzará a verlo, pero ahora está debajo del puntero.

—Creo que lo veo —dijo el doctor Malovar. Movió el objetivo para pasar a otro de alta resolución, y luego lo enfocó—. ¡Ah, sí! —exclamó como si sintiera un gran placer—. ¡Muy interesante! ¿Son todos similares?

—Lo son —respondió Laurie—. Mucho.

—Tanta simetría, unos bordes tan elegantes… ¿Los ha observado de perfil?

—No, no lo he hecho —admitió Laurie—. Por lo tanto, no sé si tienen forma de disco o son esféricos.

—Yo diría que tienen forma de disco. ¿Ha advertido la leve nodularidad?

—Sí, pero no sé si es real.

—Es real, desde luego. Fascinante también el grado de necrosis del tejido pulmonar.

Laurie se moría de impaciencia a la espera de que le dijese qué era, y se preguntaba por qué la martirizaba reteniendo la información.

—Está claro que están en los bronquiolos y no dentro de las paredes alveolares.

—Así es.

—Puedo ver por qué dijo que parecían diatomeas, pero a mí no se me hubiese ocurrido.

Laurie comenzaba a impacientarse. Por fin, preguntó:

—¿Qué son?

—No tengo ni la menor idea —contestó el doctor Malovar.

Laurie se quedó de piedra. Por la forma en que había descrito el objeto, había creído que lo había sabido desde el primer instante. La sorpresa dio paso al desconsuelo al saber que no podría convencer a Jack con aquella nueva y decisiva información. También le hacía pensar que quizá algunos de sus colegas las habían visto, y las habían descartado por poco importantes.

—¿Cree que tienen algo que ver con la fulminante infección que sufrieron estas personas?

—No tengo ni la más remota idea.

—¿Se le ocurre cómo podríamos identificarlas?

—Para eso sí que tengo una idea. Me gustaría observarlas en el microscopio electrónico, sobre todo después de abrir una.

—¿Es un proceso largo? ¿Podemos hacerlo esta noche?

El doctor Malovar se echó hacia atrás y soltó una carcajada.

—Su entusiasmo es digno de alabanza. No, no podemos hacerlo esta noche. Hace falta una técnica especial. Tenemos a una persona con mucho talento, pero por supuesto ya se ha marchado. Veré si por lo menos puede empezar mañana.

—¿Qué me dice de un microbiólogo? —propuso Laurie—. ¿Debo mostrárselas a un microbiólogo?

—Podría, pero no soy optimista. Yo también sé algo de microbiología. —Señaló el diploma de licenciado en microbiología.

Laurie se sintió desanimada.

—Pero creo conocer a alguien que será capaz de identificarlas con una mirada.

Los ojos de Laurie brillaron. La montaña rusa de sus emociones volvió a subir.

—¿Quién? —preguntó con ansia.

—Nuestro doctor Collin Wiley. Creo que lo que estamos viendo es un parásito, y el doctor Wiley es el director del departamento de parasitología.

—¿Podemos conseguir que lo vea esta noche? ¿Cree que todavía está aquí?

—No está. El doctor Wiley se encuentra en Nueva Zelanda en un congreso de parasitología.

—Dios bendito —murmuró Laurie. Volvía a estar en la pendiente de la montaña rusa. Se hundió en la silla.

—No se desespere, querida —dijo el doctor Malovar, que se inclinó a un lado para mirar a Laurie con sus ojos azul hielo—. Vivimos en la era de la información. Haré algunas fotos digitales de alta resolución y las enviaré por correo electrónico al doctor Wiley. Sé que lleva su ordenador portátil, porque allí tiene los PowerPoint de las conferencias. ¿Puede darme su dirección de correo? —Laurie buscó en su bolso una de las tarjetas profesionales. Se la entregó—. Perfecto. —Dejó la tarjeta en una esquina de la mesa.

—¿Cuándo cree que tendré una respuesta?

—Eso depende del doctor Wiley. Recuerde que está al otro lado del mundo.

Después de prometerle que le conseguiría una muestra del tejido pulmonar de David Jeffries, quizá incluso el bloque de parafina utilizado en la histología, Laurie dejó el despacho del patólogo. Mientras bajaba en el ascensor vacío, tomó una decisión. Aunque estaba ansiosa por terminar la matriz, decidió dejarla por el momento e irse a casa. Pensó que aún tenía una oportunidad, no muy grande pero al menos posible, de que el descubrimiento de aquellos objetos desconocidos bastase por sí mismo para hacerle comprender a Jack el riesgo que corría.

En la entrada del hospital pudo coger un taxi con relativa facilidad.


Adam giró en la calle Ciento seis, y tuvo la sensación de haber hablado demasiado pronto del inminente fin de la misión. En lugar de ser una tranquila calle lateral, había mucha gente y niños que disfrutaban del buen tiempo. Al pasar por delante de la casa de Laurie Montgomery la sensación aumentó, porque al otro lado de la calle había un gran parque con una impresionante cantidad de farolas con lámparas de gas de mercurio capaces de iluminar toda la zona con luz de día. Pero lo que acabó de convencerlo fue que, cuando se detuvo unos momentos para observar el lugar, vio al esposo o compañero lesionado de Montgomery en un lado de una cancha de baloncesto donde había más de cincuenta personas jugando o mirando. Al verlo apoyado en las muletas, Adam pensó que lo más probable era que Laurie ya estuviese en casa.

Pero no se desanimó. Todo lo contrario. Aún pensaba que ese era un lugar mucho más adecuado que delante de la OCME. Solo significaba que debería esperar hasta verla salir por la mañana camino del trabajo, y fuera caminando hacia el este para tomar un taxi en Central Park West, o hacia el oeste para tomar uno en Columbus Avenue. En cualquier caso, tendría la oportunidad de sorprenderla. Como Laurie había llegado al trabajo aquella mañana a la siete y cuarto, calculó que saldría de su casa alrededor de las siete menos cuarto. Decidido el plan, Adam se juró que estaría aparcado delante de la casa de Montgomery a las seis y cuarto como muy tarde.

—Buenas noches, señor Bramford —lo saludó el portero cuando se bajó del Range Rover en la puerta del Pierre—. ¿Volverá a necesitar su coche más tarde?

—No, pero lo quiero disponible a las seis de la mañana. ¿Será eso un problema?

—Ningún problema, señor Bramford. Aquí estará esperándolo.

Después de recoger sus cosas, en particular su bolsa de tenis, Adam entró en el hotel. Quería preguntar en la recepción si era demasiado tarde para que le comprasen una entrada para lo que fuese que ofrecieran esa noche en el Lincoln Center.


Para conseguir la atención de Angelo, Franco consultó su reloj con grandes aspavientos. Estiró el brazo izquierdo en toda su longitud, se levantó la manga de la chaqueta, dobló el codo y giró la muñeca. A su lado, Angelo miraba a través del parabrisas la calle en penumbra. De no haber tenido los ojos abiertos y ver que parpadeaba de vez en cuando, Franco habría dicho que estaba durmiendo. El tráfico en la Primera Avenida se había reducido a unos pocos coches. Solo las farolas evitaban que la oscuridad fuese total. El sol se había puesto hacía horas y la luna no lo había reemplazado.

—No va a suceder —acabó por decir Franco—. Al menos no ahora. No podemos quedarnos aquí toda la noche.

—¡La muy perra! —murmuró Angelo.

—Sé que es frustrante. Es como si nos estuviese provocando. Supongo que se marchó a su casa temprano, antes de que llegáramos, o quizá está trabajando hasta tarde. En cualquier caso, creo que deberíamos irnos. Las tropas de detrás de nosotros comienzan a ponerse nerviosas.

—Quiero quedarme otros quince minutos.

—¡Angelo! Es lo mismo que dijiste hace media hora. Es hora de marcharnos. Volveremos mañana por la mañana. No tardarás en tener tu venganza.

—Diez minutos.

—¡No! ¡Nos vamos ahora! Quería marcharme hace media hora. Ya he alargado nuestra estancia aquí más de lo que deseaba. No quiero que nadie se fije en nosotros y comience a sospechar. ¡Avisa a los tíos de atrás!

Angelo puso el motor en marcha y encendió y apagó los faros varias veces.

—Muy bien, larguémonos de aquí.

A regañadientes, Angelo se apartó del bordillo. Condujo sin prisa, de forma que cuando pasaron por delante del edificio pudo mirar a través de la puerta principal el interior del vestíbulo.

—El lugar parece muerto —comentó Franco—. Muy apropiado.

Angelo rompió el silencio cuando circulaban por la Primera Avenida.

—Quizá deberíamos ir a comprobar el apartamento del amigo, si no podemos pillarla aquí.

—Es la última opción —le soltó Franco sacudiendo la cabeza. Angelo y él habían visitado el apartamento de Jack diez años atrás, con desastrosos resultados—. Esa pandilla de amigos suyos son una amenaza para la sociedad, y siempre están alerta a la presencia de otras bandas. Vamos a quedarnos con lo que tenemos. Quiero decir que no llevamos sentados aquí una semana, tú ya me entiendes.

Angelo asintió, pero no estaba feliz. Se sentía como un niño al que le han prometido un juguete y se ve obligado a esperar.

Laurie bajó del taxi delante de su casa y miró hacia la cancha de baloncesto iluminada. Esa noche parecía haber más público de lo habitual, lo que hacía que el partido fuese mucho más disputado. Como prueba, los gritos de triunfo y de desprecio eran más estridentes. De puntillas, buscó a Jack entre los espectadores. Como disfrutaba tanto del juego, no le habría extrañado verlo, pero no fue así.

Unos minutos más tarde, lo encontró en la bañera.

—Llegas temprano. Con tanto trabajo como parecías tener con tu matriz, no esperaba verte hasta después de las diez como muy pronto. ¿Ya has acabado?

—No, no he acabado —admitió Laurie.

Se quitó el abrigo y lo arrojó al pasillo. Cerró la puerta del baño para que no se fuera el vapor. Bajó la tapa del inodoro para sentarse y miró a Jack.

—Me estoy remojando en jabón antibiótico —comentó Jack sin mirarla. La expresión grave de Laurie y que estuviese dispuesta a sentarse en el baño lleno de vapor le hizo temer que ella tuviera ganas de hablar, y dadas las circunstancias, solo podía haber un tema—. Creí que te gustaría saber lo responsable que soy.

—No acabé mi matriz porque encontré más de aquellas cosas con aspecto de diatomeas.

—¿De verdad? —dijo Jack sin demasiado entusiasmo.

—De verdad —repitió Laurie. Le describió cómo había encontrado más en los portaobjetos de David Jeffries, y también en la mayoría de los portaobjetos que había podido conseguir de los otros casos.

—¿Estaban en todos los portaobjetos? —preguntó Jack. Pese a saber dónde acabarían, estaba interesado. Se había convencido a sí mismo de que aquellos discos tenían un origen artificial.

—No en todos, pero sí en la mayoría. Lo más interesante es que, con la ayuda de mi matriz inacabada, descubrí que cuanto más breve es el intervalo entre la aparición de los síntomas y la muerte, mayor es el número de estos discos.

—¿Qué has hecho? ¿Contar al azar el número en cada portaobjeto?

—Así es.

—Bueno, eso es muy poco científico.

—Lo sé —admitió Laurie—. Solo es una indicación, pero era consistente, y por lo tanto de gran apoyo.

Jack se pasó una mano enjabonada por el pelo.

—Todo esto es muy interesante, pero no sé muy bien cómo interpretarlo. Ninguno de los dos sabe qué es.

—No me conformé con eso. Llamé al doctor Malovar, a quien tú alabaste tanto cuando tu caso de hígado.

—¿Cómo está? Es un encanto, ¿verdad? Admiro a ese tipo. Ojalá pudiese llegar yo a su edad, y no hablo ya de poder seguir trabajando.

—Está bien, pero ¿no quieres saber qué dijo?

—Por supuesto. ¿Cuál fue su diagnóstico?

—Dijo que no lo sabía.

Jack soltó una risa incrédula.

—¿No lo sabía? Estoy asombrado.

—En su opinión podría tratarse de un parásito.

—Eso es más coherente. ¿Le has pedido al doctor Wiley que le echase una ojeada?

—El doctor Wiley, desafortunadamente, está en Nueva Zelanda en un congreso de parasitología.

—En ese caso tendremos que esperar, porque Wiley es en su campo lo que Malovar es en el suyo.

—El doctor Malovar le envió unas fotografías digitales, así que estoy segura de que nos enteraremos cuando el doctor Wiley las reciba.

—Por supuesto, pero no hay ninguna garantía de cuándo será.

—Me temo que no.

—Muy bien, Laurie. —Jack se sentó en la bañera—. ¿Qué es lo que pretendes? ¿Es otro intento para que cancele mi intervención? Si es eso, dilo de una vez.

—Por supuesto que lo es —replicó Laurie con pasión—. Cómo puede no serlo si he encontrado un parásito desconocido asociado con un curso postoperatorio fatal. Lo que parece estar pasando es un sinergismo con el EARM, que acepto que está en todos los hospitales. Pero este parásito desconocido solo parece estar en tres hospitales, a uno de los cuales vas a ir para convertirte en una víctima potencial.

—Laurie, permíteme recordarte que va a operarme un cirujano que nunca ha tenido un caso de lo que sea esto, y que continúa operando sin interrupciones en el Angels Orthopedic Hospital. Bueno, no es del todo cierto. Tuvo que dejarlo cuando cerraron los quirófanos para fumigarlos. Pero desde entonces sigue trabajando todos los días sin ningún problema. En segundo lugar, no tengo ninguna enfermedad parasitaria. Quizá esa es la base de este brote. Puede que esas personas hayan visitado rincones ignotos del Amazonas y hayan pillado ese parásito desconocido para todos. Te felicito por tu trabajo, y desde luego continúa. Si resulta ser que ese parásito desconocido es infeccioso y tú has descubierto una nueva enfermedad, todos los honores serán para ti. Diablos, incluso podrías ganar el premio Nobel.

Laurie se levantó bruscamente.

—¡No seas paternalista conmigo!

—No estoy siendo paternalista. Solo intento combatir tu negatividad y prepararme para la operación de mañana. Ya sabes qué pienso. Lo que apreciaría de verdad sería un poco de apoyo de tu parte, y no todos estos miedos.

Laurie sintió una emoción que superó, por el momento, gracias a su furia y frustración. Salió del baño dando un portazo y fue por el pasillo hasta la sala a oscuras, donde se echó en el sofá a refunfuñar. Jack había tocado la llaga de su ambivalencia.

Carlo metió el Denali en una de las pocas plazas libres delante del centro comercial. Que escasearan los aparcamientos a las nueve y media de un miércoles significaba que el Venetian estaba a rebosar. Carlo y Brennan se apearon. El cielo estaba despejado. A pesar de la luz siniestra que llegaba del rótulo de neón del techo, se veían un par de estrellas. Brennan se desperezó con ruidosos gruñidos y gemidos mientras caminaban por la acera hacia la entrada del restaurante y pasaban por delante de una tienda de alquiler de DVDs. Brennan notaba el cuerpo rígido después de haber estado sentado en el todoterreno desde las cinco.

En el interior, tuvieron que buscar a Louie entre la concurrencia. Carlo lo vio cerca del bar. «¡Espera aquí!», le dijo a Brennan, y se alejó para abrirse camino entre las mesas. Carlo pensó que era una ironía que el restaurante funcionase de maravilla cuando en realidad era una tapadera para las verdaderas actividades de la familia Vaccarro. Lo atribuía a la influencia de Louie, que disfrutaba de la buena comida y el vino tinto, como atestiguaba el perfil de su cuerpo.

En cuanto Louie vio que se acercaba, se disculpó ante sus compañeros de mesa, se levantó y se lo llevó a un aparte. Pese al bullicio, era fácil mantener una conversación gracias a los paneles de terciopelo negro que cubrían todas las paredes y a las tejas acústicas del techo.

—¿Qué pasa? —preguntó Louie—. Llegas temprano.

—Lo han dejado por hoy —explicó Carlo—. Los cuatro volvieron al Neapolitan, aparcaron las furgonetas y entraron en el restaurante. Esperamos una hora y media, y en vista de que no volvieron a aparecer, vinimos para informarte de lo que ha pasado.

—Te escucho.

—Bueno, en realidad poca cosa. Desde el momento en que Arthur y Ted se reunieron con Angelo y Franco a media mañana, han estado apostados delante de la OCME. Excepto por aquella reyerta entre Angelo y el tipo desconocido, no ha pasado nada más. Ellos sentados en sus furgonetas y nosotros en mi Denali.

—¿Alguna idea de por qué estaban en dos furgonetas?

—Ni la más remota.

—Nada de esto tiene sentido —se quejó Louie—. Es mucho esfuerzo por su parte, pero ¿por qué?

Carlo se encogió de hombros. Él tampoco lo sabía, pese a que habían pasado gran parte de la tarde intercambiando ideas con Brennan.

—Pero precisamente porque no tiene lógica, la intuición me dice que es algo importante —señaló Louie, y después hizo una pausa. Quiero que mantengáis la vigilancia, eso seguro. Quiero saber dónde están Angelo y Franco y qué hacen. Que Arthur y Ted comiencen temprano, a las seis. No pudieron pegarse a ellos hasta media mañana porque salieron demasiado tarde.

—Se lo diré. ¿Alguna cosa más?

—¿Qué hay del localizador?

—Lo tenemos, y lo instalamos en el barco. Si quieres saber cómo funciona, tendrás que preguntárselo a Brennan.

—No me importa cómo funciona. Solo quiero saber cuándo sale el barco y adónde va. Dile a Brennan que no lo pierda de vista.

# 22

*5 de abril de 2007, 3.15 horas*

Laurie se dio la vuelta con mucho cuidado para no despertar a Jack y miró el reloj. Llevaba despierta casi una hora, y estaba segura de que no volvería a conciliar el sueño. No acababa de saber si se trataba de depresión, frustración o miedo, o una mezcla de las tres, pero no podía quedarse en la cama ni un momento más. Su mente no dejaba de dar vueltas a los mismos temas, con idénticos resultados.

Con todo el silencio de que fue capaz, se deslizó de debajo de las mantas, recogió a tientas las prendas que había dejado preparadas, porque la única luz provenía del dial del reloj, y caminó poco a poco hacia la puerta abierta del baño. Una vez dentro, asomó la cabeza al dormitorio para escuchar la respiración de Jack. No había cambiado, algo que la complació.

Al despertarse tan temprano y con la necesidad de ocupar su mente en otra cosa, a Laurie se le ocurrió de pronto ir al trabajo. Pensó que al menos podría acabar la matriz, independientemente de si aquello tenía algún efecto en la decisión de Jack. Tal como había demostrado la discusión de la noche anterior, no estaba dispuesto a ceder, y además ya era muy tarde. La intervención estaba fijada para dentro de cuatro horas y quince minutos.

Laurie se duchó deprisa y apenas utilizó maquillaje, como de costumbre. Mientras lo hacía, pensó en la noche anterior. Había comenzado mal, porque ambos estaban enfadados. Pero eso no tardó en cambiar, y de nuevo estuvieron de acuerdo en disentir. Aunque Laurie dijo que no quería tener nada que ver con la operación, como acompañarlo al hospital, había prometido que iría por la tarde para darle todo su apoyo en la rehabilitación. El doctor Anderson le había advertido que la movilidad después de la intervención sería limitada porque le colocaría un aparato que le estaría flexionando y extendiendo la rodilla continuamente, por lo menos durante veinticuatro horas.

Laurie se vistió rápidamente. Mientras comía un bocado en la cocina, escribió una nota a Jack donde le explicaba que había ido al trabajo y la razón, y le pedía que le dijera al doctor Anderson que la llamara a la oficina al finalizar la operación. Firmó la nota diciéndole que lo quería y prometiéndole que iría a verlo alrededor del mediodía.

Sin saber muy bien dónde dejarla para estar segura de que la viera, Laurie cogió un rollo de celo y entró en al baño por la puerta del pasillo. Habían diseñado el baño con dos puertas, una daba al dormitorio, y otra al pasillo, para los casos en los que uno se levantaba antes que el otro. Pegó la nota en el centro del espejo para que no pudiese decir que no la había visto.

Laurie recogió el abrigo, la llaves, la caja de portaobjetos y el bolso, abrió la puerta del pasillo, y ya estaba a punto de cerrarla cuando recordó que su teléfono móvil se estaba cargando en la mesilla de noche. Por un momento, dudó de si correr el riesgo de despertar a Jack. Convencida de que su marido debía dormir todo lo posible y que ella no necesitaría el móvil, pues pasaría la mitad del día en la OCME y la otra mitad con Jack en el hospital, decidió prescindir de él.

En el exterior estaba oscuro, excepto por un ligero tono rosado hacia el este, y la calle desierta en ambas direcciones. Pensando que habría sido mejor llamar a un taxi por teléfono, vaciló en el umbral. Pero no quiso perder más tiempo ahora que ya había bajado y echó a andar decididamente hacia Columbus Avenue. Sabía por experiencia que era mucho más fácil conseguir allí un taxi que en Central Park West, y acertó, porque en cuanto levantó la mano se acercó uno al bordillo.

Mientras el taxi circulaba hacia el centro por las calles casi desiertas, Laurie admitió para sí misma que el 5 de abril de 2007 no sería un día que querría volver a vivir. El grado de ansiedad, que alcanzaba límites desconocidos, se había evidenciado por las molestias abdominales que notó después de comer su magro desayuno y que ahora empeoraban por las sacudidas y saltos del taxi. Por un momento creyó que iba a vomitar, pero se le pasó. Fue un claro alivio cuando el taxi por fin llegó a la OCME. Laurie indicó al conductor que fuese por el lateral y bajase por la rampa hasta la zona de descarga. Todavía inquieta por el malestar, se apresuró a pagar el trayecto y bajó.

Esperó medio minuto o poco más hasta que desapareció la leve sensación de mareo, y subió la escalera hasta la entrada. Al pasar por el vestíbulo, saludó al guardia nocturno que estaba en su cubículo. Sorprendido al verla, el señor Novak se levantó de un salto, asomó la cabeza por la ventanilla y gritó a Laurie, que ya había llegado al ascensor.

—Buenos días, doctora Montgomery. ¿Qué la trae por aquí tan temprano?

—Solo un poco de trabajo atrasado —mintió Laurie. Se despidió con un gesto y entró en el ascensor.

Laurie se detuvo de nuevo en el segundo piso, como había hecho el día anterior, y compró un café en la máquina. Era curioso, pero el café parecía calmar su estómago. Al menos solía hacerlo.

Laurie encendió la luz de su despacho y, después de colgar el abrigo, observó su mesa abarrotada. El microscopio ocupaba el lugar central. Las pilas de expedientes de historias clínicas parecían temibles. La matriz se balanceaba en lo alto de una de ellas.

Apartó el microscopio junto con las otras bandejas de portaobjetos y se sentó. Colocó la matriz delante de ella. Antes de comenzar, quitó la tapa al vaso de café y bebió un sorbo. Hizo un gesto de desagrado. No porque estuviese demasiado caliente como se temía, sino porque tenía un sabor horrible.

De no haber sabido que lo era, habría sospechado si aquello era café o no. Volvió a taparlo y lo dejó a un lado, con la intención de bajar a la sala de identificación cuando Vinnie ya hubiera preparado el café para todos.

Cogió un expediente y la historia clínica y se puso a trabajar. No había pasado ni una hora, cuando sonó el teléfono. Como estaba tan concentrada y reinaba un absoluto silencio en toda la planta, el súbito y fuerte sonido de la campanilla la sobresaltó. Atendió asustada antes de tener la oportunidad de adivinar quién podía ser. Era Jack.

—¿A qué hora te has marchado?

—No estoy segura. Eran las tres y cuarto cuando me levanté.

—¿Por qué no me despertaste? Te he echado de menos cuando me he despertado hace unos minutos.

—Quería que durmieras todo lo posible.

—¿Estás agotada?

—Llevo días agotada. Por fortuna no tengo problemas para dormir.

—Me alegro de que habláramos de nuevo anoche, aunque al principio no me apetecía.

—Yo también me alegro.

—Bueno, tengo que meterme en la ducha con mi jabón antibiótico. Se supone que debo estar allí a las seis y cuarto, y ya son las cinco y veinte.

—Olvidé preguntártelo. ¿Cuánto se tarda en hacer el injerto del tendón de la rótula?

—El doctor Anderson dijo que poco más de una hora.

—Estoy impresionada. ¡Qué rápido!

—Los hace tan a menudo que se ha convertido en una rutina.

—Te veré al mediodía —prometió Laurie.

—Te quiero.

—Yo también te quiero.

Laurie escuchó el clic. Sonó como un punto final. Colgó sin prisas. ¿Qué le traería el día?, se preguntó inquieta. Deseó haber colgado primero, porque continuaba escuchando aquel inquietante clic una y otra vez en las profundidades de su cerebro.

Se libró de cualquier pensamiento pesimista provocado por la llamada y volvió a su matriz. Cogió de la pila que disminuía poco a poco un nuevo expediente y la historia clínica. Para mantenerse concentrada en la rutinaria tarea de entrar datos, trabajó de manera compulsiva, como si fuese cuestión de vida o muerte. Alrededor de las siete, cuando apareció Riva, solo le quedaban dos.

—¿Qué demonios haces aquí a estas horas?

—No podía dormir. Se me ocurrió que podía aprovechar el tiempo trabajando.

Riva miró por encima de su hombro la matriz casi completa.

—¡Impresionante! ¿Has descubierto algo espectacular?

—No —dijo Laurie. Pensó un momento en hablar a Riva del agente desconocido y con toda probabilidad infeccioso que había encontrado en los portaobjetos, pero cambió de opinión. Riva sin duda querría verlo, y ella estaba dispuesta a acabar su matriz.

—¿Todavía quieres tomarte hoy tu día de papeleo? —preguntó Riva.

—Por supuesto. Quiero acabar lo que estoy haciendo y después ir a ver a Jack. Lo operan hoy.

—Oh, es verdad —dijo Riva—. Me había olvidado. Así que tampoco puedo contar con Jack... Será mejor que baje y vea qué llegó anoche.

Para las siete y veinticinco, Laurie había acabado con la última entrada. Sostuvo la matriz en alto. Era muy extensa porque había anotado todas las variables conocidas para comparar los casos.

Comenzó a leer las casillas, atenta a cualquier inesperado factor común en los veinticinco casos que pudiese darle una pista del porqué y el cómo de las infecciones mortales. Pero nada pareció destacar, hasta que miró la columna de las fechas. Gracias a su facilidad para las matemáticas y para los números en general, le pareció ver un patrón. Aunque podía tratarse de una mera coincidencia, Laurie buscó su calendario y traspasó las fechas a los días de la semana. Para su sorpresa, había un patrón. Todos los casos oftalmológicos y de cirugía estética ocurrían los martes, los cardiovasculares los miércoles o viernes, y los ortopédicos los lunes o jueves. Gracias a sus conocimientos de estadística, comprendió de inmediato que veinticinco casos no era un número suficiente para dar ninguna credibilidad a su hallazgo, pero de todos modos le pareció curioso.

Volvió a la matriz y sin prisa fue leyendo cada entrada de las diversas categorías, como la edad, la duración de la intervención, el tipo de anestesia, etcétera, pero sin dar con nada significativo que llamase su atención. Acabó la lectura y miró el reloj de la pared. Eran las siete y media en punto, la hora para la intervención de Jack. Vio en su mente cómo el bisturí cortaba la piel, e hizo una mueca. Al mirar de nuevo la matriz, sintió pena por haberla acabado. Había conseguido mantener su mente apartada de todo aquello en lo que prefería no pensar.

De pronto, se le ocurrió otra cosa para no obsesionarse con la intervención. Pensó en el doctor Collin Wylie, que se encontraba en Nueva Zelanda, y en la posibilidad de que hubiese recibido las fotos del portaobjetos y las hubiese visto; y si lo había hecho, tal vez habría identificado qué era y habría enviado la respuesta. Eran muchos «si», pero, sin desalentarse, Laurie abrió su correo. No había pensado en hacerlo antes porque envió el mensaje durante la noche, sin recordar que Nueva Zelanda estaba en el lado opuesto del mundo, y por tanto en Auckland era por la mañana.

Un segundo después de haber pinchado en el icono, se abrió la bandeja de entrada y apareció una dirección C_WYLIE @NYU.EDU. Ansiosa, Laurie se apresuró a abrirlo.

> Doctora Montgomery:
> Saludos desde las Antípodas.
> Recibí las fotos micrográficas de Peter, y ya le he reprochado no haber reconocido un quiste de acanthamoeba polyphaga, aunque no fui muy duro, debido a la ubicación. Nunca había visto uno en el pulmón. Si quiere verlo mejor, utilice un reactivo de yodo. En cuanto a la nodularidad evanescente que Peter mencionó, solo puedo suponer que representa el encapsulamiento del mismo EARM que se ve en el campo microscópico. Se ha demostrado hace poco en Bath, Inglaterra, que el EARM puede invadir y multiplicarse dentro de la acanthamoeba, de la misma manera que la legionella, causante de la enfermedad del legionario.

Dado que la acanthamoeba normalmente come bacterias, es interesante preguntarse cómo el EARM y la legionella han desarrollado una resistencia antiamébica, y cómo es molecularmente similar el proceso en la resistencia al antibiótico. Volveré a la ciudad el lunes. Si puedo serle de más ayuda, por favor, no vacile en llamarme.

Con mis más cordiales saludos,

COLLIN WYLIE

Tal había sido el asombro de Laurie mientras leía el mensaje, que se había olvidado de parpadear y tuvo que compensarlo cerrando los ojos con fuerza y después parpadear varias veces seguidas. No sabía casi nada de las amebas en general o de las acanthamoebas en particular. Cogió del estante su *Principles of Internal Medicine* de Harrison y buscó acanthamoebas. La referencia era breve, y formaba parte de un artículo de infecciones por amebas independientes. Mencionaba el organismo como causante de la encefalitis, pero nada sobre la neumonía. También citaba que el CDC tenía un antisuero de fluoresceína disponible para un diagnóstico definitivo, que Laurie pensó que podía ser útil para confirmar la impresión del doctor Wylie.

Laurie dejó el texto y miró el estante en busca de una posible segunda fuente. Al no ver ninguna, se sentó otra vez al ordenador y escribió «acanthamoeba» en el buscador. Un gran número de resultados apareció en cuestión de segundos. Escogió uno general.

Con una sensación de urgencia cada vez mayor, Laurie leyó la primera parte del artículo, que citaba al protozoario como uno de los más comunes en la tierra y el agua potable. Describía algunas de sus características, entre ellas que era un bacteriófago, pero que en raras ocasiones causaba infecciones en los humanos. El siguiente párrafo analizaba esta cuestión en profundidad, y solo le dedicó un rápido vistazo.

Fue en ese momento cuando la mirada de Laurie vio el subtítulo del siguiente párrafo: «Acanthamoeba y EARM». Con una descarga de adrenalina corriendo por sus venas, Laurie leyó una ampliación de lo que el doctor Wylie había mencionado, en particular cómo el EARM podía infectar a la acanthamoeba. Pero además de lo que él había dicho, el artículo afirmaba que el EARM emergente de la ameba por lo general era más virulento. Luego, sacudida por una reacción similar a la de una descarga eléctrica, leyó que la acanthamoeba infectada con EARM podía actuar como un medio de propagación aérea para el estafilococo.

Se echó hacia atrás en la silla y miró la pantalla con la mente en blanco. Se había quedado atónita. Había creído que el EARM no podía propagarse por el aire, pero ahora sabía que sí, y por tanto todos los escenarios potenciales respecto a la propagación recuperaban su validez, en particular la idea de que los sistemas de ventilación de los hospitales Angels podían estar relacionados con ella.

Laurie hizo un esfuerzo para recuperar la calma. Tenía que pensar, y con el pulso acelerado y las ideas saturando su cerebro era difícil. Respiró hondo unas cuantas veces, y después de hacerlo recordó otra razón por la que había descartado la transmisión aérea como una posibilidad. Los pacientes nunca respiraban el aire del quirófano. Siempre era aire embotellado o filtrado. Analizó esta circunstancia. ¿Había dado con la solución definitiva o no? Con el creciente temor de que sus preocupaciones fuesen legítimas, cogió el teléfono. Las ocho menos cuarto podía ser la peor hora para llamar a un anestesista, porque ya habían comenzado las intervenciones de las siete y media, pero de todos modos Laurie llamó al Manhattan General Hospital. Había trabajado en un caso con el jefe de anestesiología del Manhattan, el doctor Ronald Havermeyer, y había sido muy amable. Laurie estaba segura de que él, mejor que nadie, podía garantizarle que los pacientes nunca respiraban el aire del quirófano, y estaría dispuesto a hacerlo. Además, dado que era el jefe, sin duda actuaba más como un supervisor, y lo más probable era que estuviese disponible.

Nerviosa, golpeó con los dedos la superficie de la mesa al tiempo que rezaba para que contestasen cuanto antes.

—Doctor Havermeyer —dijo por fin una voz.

Laurie le explicó en pocas palabras quién era, y sin decirle la razón, le formuló su pregunta.

—Es verdad —manifestó el doctor Havermeyer—. El enfermo nunca respira el aire ambiente después de la inducción hasta que lo llevan a la PACU, e incluso entonces, a menudo lo mantienen con fuentes embotelladas.

—Gracias —dijo Laurie.

—No se merecen. Me alegra haber podido ayudarla.

Laurie ya iba a colgar cuando el doctor Havermeyer le preguntó por qué había querido saberlo.

Le explicó a grandes rasgos su preocupación: que una bacteria en el sistema de renovación de aire pudiese ser responsable de una neumonía posquirúrgica hospitalaria.

—¿Habla usted de respirar prolongadamente aire ambiental, o solo tres o cuatro bocanadas durante quince o veinte segundos?

Laurie notó que se le secaba la garganta al intuir que estaba a punto de escuchar algo que no deseaba.

—Porque si es esto último, por lo general sí que ocurre —explicó el doctor Havermeyer—. Cuando el cirujano da la orden y es el momento de despertar al paciente, o al menos de terminar la anestesia, el anestesista a menudo inyecta oxígeno puro en el sistema para acortar el tiempo para la reutilización del quirófano. Durante la inyección, el paciente puede respirar dos, tres e incluso cuatro veces. Por lo tanto, es posible.

Laurie le dio las gracias y colgó.

De pronto, sus temores se confirmaron. El EARM se podía propagar por el aire si estaba encapsulado en la acanthamoeba, y los pacientes que recibían anestesia general respiraban, aunque solo fuese unos segundos, el aire ambiente del quirófano. Laurie recogió el papel donde había escrito los días de la semana en que habían ocurrido sus casos. Su memoria le decía que los ortopédicos eran los lunes y los jueves, y por desgracia era cierto. También era muy cierto que ese día era jueves, y que Jack iba a ser intervenido.

Con creciente desesperación, Laurie cogió una de las historias clínicas. Buscó la información de la anestesia para comprobar en qué momento había comenzado. La hora de inicio era una variable que no había incluido en la matriz. Para su horror, era a las 7.35. Arrojó la historia a un lado y cogió otra: las 7.31. Al tiempo que juraba por lo bajo, cogió una tercera: 7.34.

—¡Maldita sea! —gritó.

Otra más a las 7.30.

Cuatro casos de veinticinco fueron suficientes para que Laurie temiese lo peor con relación a Jack. Salió corriendo del despacho y pulsó enérgicamente el botón del ascensor con el deseo de apresurar su llegada. Consultó su reloj mientras esperaba. Eran poco más de las ocho. La intervención tardaría aproximadamente poco más de una hora, así que quizá lo conseguiría si tomaba un taxi de inmediato. Por fortuna, la Primera Avenida era un buen lugar para conseguir uno, debido a que había varios hospitales y otros servicios en la zona. Laurie había decidido que quería llegar a la sala de los equipos de ventilación del Angels Orthopedic Hospital tan pronto como fuera posible para asegurarse de que nadie más lo hiciese.


Por mucho que la noche anterior Angelo creyese que estaba deprimido, en aquel momento se sentía peor. Llevaban casi dos horas esperando después de haber llegado a las seis y cuarto, y seguían sin tener señales de Laurie Montgomery. Dado que ella y su amigo habían llegado la mañana anterior por la calle Treinta, habían aparcado la furgoneta de forma que pudieran ver el máximo posible de la calle. Cada vez que veía acercarse un taxi se le disparaba el corazón, pero se llevaba una desilusión tras otra.

—Creo que hoy no vendrá a trabajar —se quejó Angelo.

—Eso parece —dijo Franco mientras se mojaba el dedo para pasar la página del periódico.

—¡Como si a ti te importase una mierda!

Franco bajó el periódico y miró ceñudo a Angelo, que de nuevo miraba hacia la calle Treinta. Sintió deseos de decirle algo, pero no lo hizo. No valía la pena el esfuerzo. Se disponía a reanudar la lectura cuando vio una figura que salía del edificio y bajaba la escalinata de la entrada como si la persiguiese un fantasma.

—¡Es ella! —gritó Franco.

Angelo volvió la cabeza. Iba a preguntar dónde, cuando vio a Laurie. Estaba en el bordillo, y mantenía abierta la puerta de un taxi para que el pasajero bajase.

—Mierda —vociferó Angelo. Metió la mano detrás del asiento para buscar el anestésico, pero Franco le sujetó el brazo.

—No hay tiempo —lo advirtió Franco—. Tenemos que seguirla.

Vieron cómo Laurie hacía gestos para que la gorda pasajera se diese prisa, y a continuación la ayudaba a bajar, como si se hubiera quedado atascada. En cuanto la mujer se apartó de la puerta, Laurie se arrojó al interior y cerró de un portazo. Un momento más tarde, el taxi arrancó con un chirrido de los neumáticos.

—¡Caray! —exclamó Angelo—. El tipo ese debe de ser un fanático de las carreras.

—No los pierdas —gritó Franco mientras buscaba algo donde sujetarse.

Angelo, que no necesitaba que le recordase que no debía perder a Laurie, pisó el acelerador a fondo. La vieja furgoneta respondió de forma admirable, y arrancó con su propio rechinar de neumáticos.

Por un momento, Angelo miró por el espejo retrovisor para ver si Richie estaba atento. Así era, y lo seguía de cerca.

—¿Crees que habrá pasado la noche en el depósito? —preguntó Angelo moviéndose entre los carriles.

Franco no respondió. Estaba demasiado ocupado sujetándose y atento a que no hubiera coches de la policía. Por fortuna, no vio ninguno. Muy pronto el taxi y la furgoneta tuvieron que detenerse en un semáforo, y Franco aprovechó para ponerse el cinturón de seguridad.


Cuando Laurie consiguió subir al taxi le dijo al conductor el nombre del hospital, la dirección, y que era médico. Como una súplica final para conseguir que se diera prisa, añadió que se trataba de una emergencia de vida o muerte. El joven taxista se había tomado la petición al pie de la letra, y Laurie vio complacida que circulaban a toda velocidad por la Primera Avenida. No se había saltado ningún semáforo en rojo, aunque habían estado a punto, pero ella le había obligado a acelerar en ámbar.

Por desgracia, cruzar la ciudad era otra historia, y los pies de Laurie comenzaron un repiqueteo nervioso mientras esperaban que un taxi descargase en la esquina de Park Avenue. La parada no solo aumentó la ansiedad de llegar demasiado tarde, sino que le dio la oportunidad de aumentar sus temores. Si era verdad que todos los casos ocurrían dentro del margen que comenzaba a las siete y media, entonces era comprensible que Wendell Anderson nunca hubiese tenido un caso de EARM; él nunca comenzaba sus operaciones hasta mucho más tarde, hasta aquel día, para hacerle un favor a Jack.

Laurie apretó los dientes. Solo su ansiedad le impidió enojarse de nuevo con Jack por su empecinada insistencia en operarse aquel día.

A medida que se acercaban a su destino, después de girar por la Quinta Avenida, Laurie sacó dinero más que de sobra y lo pasó por la abertura de plexiglás. Abrió la puerta antes de que el vehículo se detuviera del todo, saltó a la acera y cerró la puerta del taxi tras ella para correr hacia la entrada; pero aminoró el paso al acercarse al portero por miedo a llamar demasiado la atención. Sin asombrarse por sus prisas, el hombre se llevó la mano al ala de su sombrero mientras empujaba la puerta giratoria.

Una vez dentro, Laurie se obligó a caminar a un paso casi normal. Recordaba la recepción del martes y no quería llamar la atención, sobre todo porque había un guardia de seguridad a un lado del vestíbulo. Llegó a los ascensores y pulsó el botón. Al mirar el indicador, vio que bajaba uno.

Su inquietud aumentó al advertir con el rabillo del ojo que el guardia se apartaba de la pared y caminaba hacia ella. Consciente de ello, miró en otra dirección. Notaba la presencia del hombre a su lado, un poco más atrás.

Llegó el ascensor y, más tranquila, Laurie entró y pulsó el botón de la cuarta planta. En los segundos que el hombre había estado detrás de ella, había temido que le dijera algo, pero no lo hizo. Sin embargo, el hombre entró en el momento en que ella se volvía, y sus miradas se cruzaron un instante. Eran los únicos ocupantes de la cabina.

Laurie se apresuró a desviar la mirada hacia el indicador de encima de la puerta y contuvo el aliento, convencida de que la interrogaría en cualquier momento. El ascensor se puso en marcha, pero se detuvo casi de inmediato.

Para su sorpresa, el guardia bajó en la segunda planta; al parecer había pulsado el botón mientras Laurie mantenía la mirada fija en el indicador. Soltó un suspiro de alivio.

Laurie subió hasta el cuarto piso y echó a correr por el aséptico pasillo blanco. Al llegar a la puerta de la sala de los equipos de ventilación titubeó, al tiempo que rezaba para estar en un error y que sus sospechas y temores fuesen el producto de una imaginación hiperactiva. Al consultar su reloj, vio que eran las ocho y cuarenta; la hora era la correcta.

Giró el pomo y con algo de esfuerzo abrió la puerta. De inmediato se vio envuelta por el profundo zumbido de las máquinas en la gran sala de techo alto y aislada.

La pesada puerta se cerró con un fuerte chasquido metálico que captó la atención de una figura con una máscara quirúrgica y vestida con una bata que se irguió detrás de unas tuberías. En una mano sujetaba una llave inglesa, que no podía considerarse un instrumento de cirugía, y en la otra un matraz tapado.

Laurie solo tardó un segundo en ver confirmados sus peores temores. «¡No!», gritó a voz en cuello, y corrió hacia el hombre, que dio unos pasos atrás como si fuese a escapar, pero entonces cambió de idea y defendió su terreno. Laurie avanzó a toda velocidad y de un manotazo le arrancó la máscara. Al instante, reconoció quién era: Walter Osgood.

El inesperado contacto hizo que Walter se tambalease. En su desesperación por buscar dónde sujetarse, dejó caer la llave inglesa y el matraz. La herramienta golpeó contra el suelo sin sufrir daños, pero el frasco se hizo añicos. El polvo blanco que contenía se desparramó por el suelo.

Laurie gritaba como un demonio al tiempo que golpeaba a Walter, que se protegía levantando los brazos cruzados; durante unos segundos dejó que los golpease. Laurie consiguió atravesar sus defensas y darle un puñetazo en el rostro con todas sus fuerzas, lo que le hizo reaccionar. En un arranque de furia defensiva, apretó el puño y descargó un golpe que le dio encima de la oreja. Laurie cayó como un saco. Sin darse por vencida, intentó levantarse, pero sintió que le inclinaban la cabeza hacia un lado. Walter la había cogido por el pelo y la arrastraba. Como la doblaba en tamaño y peso, a Laurie le costaba resistirse, pero de todos modos le golpeó y luego le arañó los brazos. La reacción del hombre fue golpearla de nuevo, casi con la misma fuerza de antes, con la mano izquierda.

Forcejeó para librarse de la mano que le sujetaba el pelo mientras Osgood la llevaba hacia una puerta. La abrió con la mano libre y la arrastró al interior. Laurie intentó darle un puntapié en las piernas, pero recibió otro puñetazo a un lado de la cabeza que la hizo caer en posición supina. Walter aprovechó la ocasión para escapar. Laurie se levantó tambaleante y se lanzó hacia el pomo, pero apenas llegó a tocarlo cuando se oyó un fuerte chasquido. Estaba encerrada.

Walter se tocó con cuidado la mejilla. Al apartar los dedos, vio una pequeña mancha de sangre. Se apresuró a recoger su máscara N95 y se la puso, aunque una de las ligaduras se había roto cuando Laurie se la había arrancado. A continuación corrió hasta un fregadero grande y hondo, donde encontró una toalla. La mojó, volvió a donde estaban los fragmentos del matraz roto y, con mucho cuidado de no provocar la menor corriente de aire, apoyó la toalla mojada sobre el polvo blanco.

Sin hacer caso de los gritos ahogados de Laurie que aporreaba la puerta del almacén, Walter sacó el móvil. Le alegró ver que tenía cobertura. Se apresuró a marcar el número de emergencia en Washington. De nuevo sonó varias veces. Mientras esperaba, hizo una mueca al escuchar los sonidos que llegaban desde el almacén.

Al parecer, Laurie estaba arrojando grandes recipientes de metal contra la puerta, algo que resultaba mucho más preocupante que los gritos y que golpeara la puerta con los puños. Le inquietaba que alguien pudiera oírla pese al aislamiento de la sala. Walter tenía muy claro que la doctora Montgomery debía ser eliminada, y cuanto antes mejor.

Por fin atendieron la llamada. Walter no tuvo paciencia para pasar por la habitual rutina; en el momento en que el hombre comenzó a preguntarle si llamaba desde un móvil, le gritó que no tenía tiempo para intrigas.

—Tengo a la doctora Laurie Montgomery encerrada en un almacén en la sala de los equipos de ventilación de los quirófanos. ¿Quiere oír cómo grita y aporrea la puerta? Todo este maldito asunto se irá al traste si no se acaba con ella ahora mismo. ¿Entiende lo que le digo? Sea quien sea su mejor negociador, como usted lo llama, está haciendo una chapuza. La doctora entró aquí y estropeó mi muestra, así que lo de hoy no se hará. Se lo advertí hace dos días.

—¿Dice que tiene a la señorita Montgomery encerrada en un armario?

—He dicho en un almacén de mantenimiento —vociferó Walter.

—¿En qué planta?

—En la cuarta. Está en el pasillo a la izquierda del ascensor En la placa de la puerta pone MANTENIMIENTO.

—¡No deje que nadie entre!

Walter se rió con sarcasmo.

—No lo entiende. Si uno de los técnicos viene aquí por alguna razón, no puedo impedirle el paso. No sé con qué frecuencia vienen.

—Tendré a alguien allí en un momento.

Esta vez fue Walter quien colgó primero. Por un momento se quedó allí, furioso por haberse metido en aquello y por lo que estaba ocurriendo, todo porque la empresa de seguros sanitarios no quería pagar el tratamiento del linfoma de su hijo.

Otro estruendo devolvió a Walter al presente. Fue hasta la

puerta del almacén, golpeó y dijo a Laurie que se callara; le prometió que la dejaría salir cuando se calmara.

—¡Déjeme salir ahora! —replicó Laurie.

—He llamado a seguridad. Vienen para aquí —vociferó Walter, pero su amenaza solo sirvió para que sonara otro terrible estrépito en el almacén. Renunció a cualquier charla y se dedicó a limpiar el polvo letal.

Adam había aparcado al lado del parque, delante mismo de la casa de Laurie Montgomery. Había llegado un poco antes de lo planeado para darse un margen, pero era obvio que algo iba mal. Algunas personas habían salido del edificio, pero ni rastro de Laurie o de su compañero.

Estaba a punto de admitir que debería volver más tarde, cuando notó el zumbido del móvil en la pierna. Era uno de sus supervisores de Washington.

—¿Dónde está? —preguntó el hombre.

—En la Ciento seis, en el Upper West Side.

—Vaya al Angels Orthopedic Hospital. El objetivo está encerrado en un almacén de la sala de mantenimiento. Uno de los nuestros está allí. Se llama Walter Osgood. La señorita Montgomery debe ser sacada de allí cuanto antes; luego haga lo acordado. Será un desafío, pero confiamos en que esté a la altura.

Adam se apresuró a cortar y puso en marcha el vehículo. Encendió el CD, y cuando sonó Beethoven lo puso a todo volumen.

En la oscuridad, Laurie comenzaba a desesperarse. Siempre había sido un poco claustrofóbica, y estar encerrada de aquella manera despertaba en ella temores infantiles. La única iluminación entraba por debajo de la gruesa puerta, y había sido incapaz de encontrar el interruptor de la luz. Después de los cinco primeros minutos de aporrear la puerta y gritar con la esperanza de que la oyera alguien aparte de Walter Osgood, comenzó a tantear en la oscuridad. El almacén medía unos tres metros por seis, con estanterías a ambos lados. Fue en el fondo donde encontró unos bidones de metal con las tapas cerradas como potes de pintura. No tenía ni idea del contenido pero pensó que quizá era pintura. Cogió uno, lo hizo rodar hasta la entrada y lo utilizó a modo de ariete contra la puerta, pero no consiguió ningún resultado visible a pesar de su peso. Tuvo que tener cuidado en la oscuridad para que al rebotar contra la puerta el bidón no le hiciese daño.

Por un momento, no hizo otra cosa que estar con el oído atento. Había pasado un rato desde que había oído a Walter moviéndose por la sala. Dado el silencio que había al otro lado y como estar en la oscuridad sin hacer nada le resultaba mucho más angustioso que esquivar el bidón, volvió a lanzarlo contra la puerta. En el segundo intento oyó un sonido más profundo cuando golpeó contra la puerta y otro más suave cuando cayó al suelo. Laurie se dijo que probablemente había saltado la tapa y el contenido se había derramado.

Agachada, Laurie fue palpando el suelo a medida que avanzaba. No percibió olor de pintura, por tanto, debía de ser alguna otra cosa. Al cabo de un momento tocó un fino polvo blanco. Se llevó los dedos al rostro y olisqueó con desconfianza. No fue hasta que lo tuvo muy cerca que olió algo, aunque siguió sin saber qué era. Lo más probable era que fuese algún producto de limpieza.

Laurie puso el bidón en posición vertical. Aún tenía más o menos la mitad del contenido. Lo apartó para no tropezar con él. Mientras iba a buscar otro oyó algo en la sala. Sonó como si hubiesen cerrado una puerta.

Con la ilusión de que pudiese ser otra persona aparte de Walter, Laurie comenzó a mover el pomo con una mano y a golpear la puerta con la otra, al tiempo que gritaba «Socorro», una y otra vez. En el pequeño almacén, sus gritos casi le provocaban dolor, pero supuso que apenas se oían en la otra habitación. Todo estaba perfectamente aislado.

Laurie dejó de gritar. Nadie había acudido en su rescate. Escuchó el murmullo de voces. Era obvio que alguien se había reunido con Walter y no había corrido en su ayuda. No le costó mucho suponer que esa persona debía de estar compinchada con Walter, sin duda para sacarla del hospital. Aterrada, pensó en qué podía hacer. No había sido capaz de defenderse de un solo hombre, y mucho menos podría hacerlo de dos. De pronto pensó en el fino polvo blanco. Desde luego no los retendría mucho tiempo, pero quizá lo suficiente para sacarles ventaja. Tal vez podría llegar al pasillo, donde los gritos atraerían la atención de alguien... de cualquiera.

Se acercó a la puerta y tanteó en busca del bidón destapado. Metió las dos manos y cogió todo el polvo que pudo. Luego avanzó de nuevo y se apretó contra la pared por el lado donde se abría la puerta. No pudo ser más a tiempo, porque la puerta se abrió de pronto y la hoja se estrelló contra la pared. Por un segundo no pasó nada; luego asomaron una cabeza y una mano que empuñaba algo que parecía ser un arma. Laurie le arrojó el polvo a la cara y después cruzó el umbral tras empujar al hombre hacia atrás.

Sin esperar ni un momento, Laurie echó a correr. Vio que Walter sujetaba al hombre, que se llevaba la mano libre a los ojos. El ardid los había pillado a ambos por sorpresa, y había sido más efectivo de lo que había esperado. El problema era que no había podido correr hacia la puerta que daba al pasillo sino hacia la puerta más alejada que, como le habían dicho, comunicaba con otra sala de acondicionadores de aire. Pero lo más importante era que había una segunda puerta que comunicaba con una escalera trasera.

Si bien el polvo le había dado la oportunidad de escapar, no era lo bastante cáustico para retrasar demasiado a Adam. Laurie apenas había pasado la puerta cuando Adam ya había recuperado más o menos la visión y estaba en condiciones de perseguirla, aunque todavía tosía un poco.

Adam entró en la segunda sala pero tuvo que detenerse. Durante un segundo no vio a su presa. Echó una rápida ojeada a la sala de techo alto y al laberinto de tuberías sin ver a Laurie. En cambio, vio en el último instante cómo la segunda puerta encajaba en el marco.

Había una serie de ascensores de servicio, pero Laurie los descartó. Pasó por otra puerta, que intuyó que estaría cerrada en el otro lado, y se lanzó por la escalera, que tenía dos tramos por piso. La primera intención había sido entrar de nuevo en el hospital en la planta de los quirófanos y montar un escándalo, pero la descartó por temor de que no se pudiese abrir por el lado de la escalera de emergencia. Continuó bajando. Detrás, oyó que Adam salía por la puerta de la cuarta planta.

Al llegar a la planta baja, Laurie salió a la desierta plataforma de descarga. A la derecha estaba el garaje, a la izquierda la rampa que llevaba a la Quinta Avenida. Sin vacilar ni un momento, Laurie corrió hacia la izquierda. Al menos podía confiar en que en la avenida habría muchos coches.

En medio de la rampa y a pesar de su agitada respiración, oyó cómo la puerta de salida se abría y chocaba contra la pared del edificio. Mientras corría a todo trapo, notaba cómo sus músculos se quejaban y cada respiración le quemaba los pulmones.

Laurie llegó a la calle. A su izquierda, a casi media manzana de distancia, estaba el portero de uniforme. En aquel momento no había nadie en la acera; la calle en cambio era otra historia. Tal como esperaba, el tráfico era intenso pero se movía a buen paso. A falta de una alternativa mejor, Laurie se lanzó a cruzar la avenida de varios carriles, algo que obligó a algunos coches a frenar en seco antes de continuar su marcha. Con los brazos en alto, Laurie intentó detener un coche, un taxi, un autobús, lo que fuese. Cuando vio que Adam salía por la rampa, comenzó a correr hacia el norte en el sentido contrario al del tráfico, mientras continuaba agitando los brazos y suplicando que alguien parase.


—¡Joder, allí está! —gritó Angelo cuando vio aparecer a Laurie corriendo por la rampa del aparcamiento del hospital. Se apeó del coche en un instante. Él y Richie habían aparcado sus respectivas furgonetas un poco al sur de la rampa de entrada, en el lado norte del hospital. Dado que el tráfico circulaba de norte a sur, habían decidido que era la mejor posición para pillar a Laurie en cuanto saliera por la entrada principal, pero se habían equivocado.

Franco saltó de la furgoneta azul mientras Richie y Freddie lo hacían de la blanca. Los cuatro hombres echaron a correr por la acera en el lado del parque de la Quinta Avenida, con Angelo un poco adelantado. De pronto, Angelo se detuvo y los demás lo imitaron. Todos vieron que Adam salía a la calle y corría en persecución de Laurie, gritándole a voz en cuello que se detuviese; también vieron que llevaba algo envuelto en una toalla.

Como Laurie, además de correr, daba palmadas en los capos de los coches con la intención de que alguno se detuviera, Adam recortó la ventaja rápidamente.

Laurie se volvió para mirarlo. En la sala de los acondicionadores de aire no lo había visto bien, pero ahora se dio cuenta de que era el mismo hombre que se había presentado como un cobrador en la OCME. Sin darle tiempo a que ella pudiese interrogarlo y sin decir palabra, Adam levantó sin prisas la toalla con forma de cono y dejó a la vista un cilindro negro apenas disimulado en la punta. Se oyó un sonido ahogado; Laurie cerró los ojos y se encogió en un movimiento instintivo. Pero no pasó nada. Abrió los ojos. A sus pies yacía Adam, todavía con la pistola en la mano, que asomaba en parte por debajo de la toalla. Laurie se quedó un momento inmóvil por la sorpresa, con la mirada puesta en su atacante, que apenas se movía, echado de bruces. El trance de Laurie no duró mucho. Un momento más tarde se vio rodeada por cuatro hombres, uno de los cuales gritaba «Policía» y mostraba una placa a los conductores, que finalmente se habían detenido. Otros dos coches habían llegado incluso a aparcar a un lado de la avenida, y los conductores se habían apeado.

Laurie se tranquilizó mientras dejaba que la llevasen hasta la acera del lado del parque. Fue allí cuando su calma se convirtió en otro ataque de terror. Uno de ellos era Angelo Facciolo, un viejo enemigo suyo de quince años atrás. Intentó aminorar el rápido avance hacia las furgonetas.

—¡Perdón! —dijo, todavía con el deseo de creer que eran sus salvadores—. ¡Paremos un momento! Estoy bien.

No le hicieron caso. Nadie habló. De pronto ella intentó separarse del cerco y se detuvo, pero no sirvió de nada. La levantaron en vilo de modo que sus pies apenas tocaban el pavimento. Como último recurso, aunque demasiado tarde, intentó la protesta verbal, pero ni siquiera eso le sirvió, porque una mano se le acercó por detrás y le tapó la boca.

Al llegar a los vehículos, abrieron la puerta corredera de la furgoneta blanca y arrastraron a Laurie al interior. Intentó resistirse, pero los cuatro hombres la aplastaban con sus cuerpos, haciéndole difícil poder respirar. Sintió que le ataban las piernas con cinta adhesiva, y luego los brazos. Aun así continuó resistiéndose y gritó cuando apartaron la mano que le tapaba la boca. Pero sus gritos no duraron mucho. La amordazaron con un trapo aceitoso sujeto con varias vueltas de cinta adhesiva.

# 23

*5 de abril de 2007, 14.15 horas*

Jack se encogió al sentir un pinchazo de dolor en la rodilla recién operada. Mientras cogía el vaso de agua de la mesilla de noche había olvidado dónde estaba. El dolor general de fondo no había desaparecido, pero el bendito calmante lo había reducido hasta el punto de que Jack podía no hacerle caso. Le habían puesto una cánula intravenosa que le permitía controlar la cantidad de calmante que tomaba. De esta manera, estaba seguro de administrarse menos, que era su objetivo. Sabía que todos los calmantes fuertes tenían un coste que se pagaba más adelante, aunque fuese con algo tan sencillo como un resfriado.

A partir del mediodía, Jack había estado muy ocupado, o sea que había estado mirando la televisión y hojeando revistas al mismo tiempo. Llevaba material de lectura más serio, pero sospechaba que no podría leer hasta el día siguiente o el otro, o quizá nunca. Prefería relajarse ahora que había pasado la gran tensión. La intervención ya era historia, y el doctor Anderson había aparecido alrededor de las once para informarle de que todo había ido como una seda. Solo había un problema: Laurie había dicho que iría sobre el mediodía y hasta el momento ni había aparecido ni había llamado.

A la una, Jack había llamado a la OCME, al suponer que se había retrasado, quizá retenida por un número mayor de autopsias de las que hacía habitualmente. Pero se enteró de que el día había sido normal. Riva le había dicho que Laurie había estado en su despacho alrededor de las siete pero que nadie la había visto desde entonces. Al creer que podría haberse ido a casa, llamó allí, y al no tener respuesta había dejado un mensaje para que ella lo llamara. Sin más ideas de adónde debía de haber ido, Jack no podía hacer otra cosa más que esperar. Ahora que eran las dos pasadas, comenzó a preocuparse de verdad.

Jack bebió un par de sorbos de agua; se disponía a volver a la lectura de las revistas y a mirar la tele cuando entró Lou Soldano. Se mostró muy atento cuando vio el artilugio al que estaba sujeta la pierna operada de Jack con cintas de velcro. El aparato flexionaba y extendía la rodilla, algo que el teniente supuso que debía de provocar un dolor constante. Después de asegurar al detective que no le molestaba, Jack le preguntó si había visto o tenía noticias de Laurie.

—Por eso estoy aquí —manifestó Lou con voz grave. Acercó una silla.

—Creo que es mejor que me digas qué está pasando.

—Esta mañana hubo un extraño tiroteo mientras tú estabas bajo la cuchilla. Ocurrió debajo mismo de tu ventana. La víctima es un hombre del que sabemos muy poco porque llevaba una identificación falsa.

Jack asintió. No se le ocurría de qué modo Laurie podía estar relacionada con aquello.

—Como sabes, los neoyorquinos son tíos bastante duros, y cuando se produjo el tiroteo no fueron muchos los que se detuvieron, aunque aparecen más testigos a medida que transcurre el día. De aquellos que se detuvieron, no hemos conseguido información consistente. Pero lo que parece seguro es que el individuo perseguía a una mujer que acababa de salir por la parte de atrás del hospital.

—¿La mujer disparó al tipo?

—No, no fue la mujer, sino un hombre que saltó de una furgoneta seguido por otros tres. Ese tipo disparó al hombre que iba a matar a la mujer, al menos eso dicen un par de testigos, y para corroborarlo, la víctima llevaba una pistola de calibre nueve milímetros con silenciador envuelta en una toalla.

400

—¿La víctima ha muerto?

—No. Se encuentra en estado crítico.

—¿Has podido hablar con él?

—No. Lo están interviniendo de urgencia cerca de aquí, en el Beth Israel.

—¿Qué hay de la mujer? ¿La has interrogado?

—De nuevo, no. A la mujer se la llevaron en una furgoneta blanca los cuatro hombres, que se hicieron pasar por policías de paisano. Como te he dicho, es un caso muy extraño.

—¿Cómo relacionas todo esto con Laurie? —preguntó Jack, aunque no estaba muy seguro de querer saberlo.

—Las descripciones de la mujer, aunque no son muy exactas, podrían corresponder a Laurie, algunas más que otras.

Jack miró a Soldano. Su mente, un tanto obnubilada por la anestesia, intentaba asimilar la información que le estaba dando Lou. No le gustaba lo que escuchaba pero quería mantener la esperanza.

—A ver si lo he entendido bien —dijo—. ¿No puedes relacionar con seguridad a la mujer supuestamente secuestrada con Laurie?

—Con seguridad, no —confirmó Lou—, solo la coincidencia en las descripciones. Eso y el hecho de que nadie sabe dónde está Laurie en este momento. Me refiero a que nadie en el trabajo, y desde luego tú tampoco.

—¡Dios bendito! —murmuró Jack—, y yo convertido en un inválido con una rodilla inútil.

Lou se levantó y dejó la silla en su lugar. Se acercó a la cama, donde la máquina flexionaba y extendía continuamente la rodilla con un sonido chirriante. Apretó el brazo de Jack.

—Solo quiero que sepas que tengo a un montón de personas, y me incluyo entre ellas, trabajando en esto a jornada completa. Hemos detenido diversas furgonetas blancas que circulan por la ciudad.

Jack asintió. Aunque la rodilla no le molestaba, en aquel momento estaba dominado por el miedo.

# 24

*5 de abril de 2007, 20.05 horas*

Poco después de las ocho, ya estaba lo bastante oscuro como para que Angelo pudiera hacer una rápida visita al club náutico. Aquella mañana, tras el secuestro, habían ido hacia el sur hasta un garaje donde conocían a Franco. No habían tenido problemas para trasladar a la aterrorizada Laurie de la furgoneta blanca a la azul. En aquel momento, Richie y Freddie se llevaron la furgoneta blanca de regreso a Queens, donde desapareció entre otros muchos vehículos.

Mientras tanto, Angelo y Franco llevaron la furgoneta azul, con Laurie en su interior, a New Jersey, donde encontraron un motel barato de dudosa reputación que alquilaba habitaciones por horas. Lo más importante para Angelo era que las entradas de las habitaciones estaban en el lado opuesto de la sucia recepción. Deseaba poder llevar discretamente a Laurie al interior, y no pudo quejarse. A aquella hora de la mañana, el motel estaba desierto.

Richie y Freddie regresaron poco antes del mediodía; llevaban comida de Johnny's y un par de cajas de cerveza. Los cuatro hombres pasaron las primeras horas de la tarde jugando a las cartas, comiendo bocadillos y, en general, entreteniéndose.

Fue después de la partida de cartas cuando Angelo decidió ocuparse de Laurie. Después de hacerle prometer que no montaría un escándalo, le quitó la cinta adhesiva y dejó que escupiera la mordaza. Luego le preguntó si tenía sed, y cuando respondió que sí, le acercó el vaso ya preparado. Laurie bebió a pesar del extraño sabor; a partir de entonces, todo fue muy fácil. Angelo había echado en la bebida una de sus pequeñas pastillas blancas. Más tarde le dieron otra para hacer que el traslado desde la furgoneta hasta el barco no presentase dificultades.

—Muy bien, muñeca —dijo Angelo mientras sacudía el hombro de Laurie—. Vamos a dar un bonito paseo en barco.

Sacaron a Laurie de la habitación del motel y la subieron a la furgoneta. Después de las dos pastillas de Rohypnol, ni siquiera necesitaba las ligaduras, pero prefirieron ponérselas. Angelo se sentó al volante y Franco iba a su lado mientras que Richie y Freddie iban en el coche del primero; el grupo inició el viaje hacia el frente marítimo. Una vez allí, se dirigieron sin más hacia el puerto deportivo. Todo iba bien hasta que el muelle quedó a la vista. En aquel momento vieron algo que no habían visto las noches anteriores: un coche.

Angelo detuvo la furgoneta. Richie frenó detrás.

—¿Puedes ver qué coche es? —preguntó Angelo.

Franco se inclinó hacia delante hasta casi tocar el parabrisas con la nariz.

—No es fácil, pero diría que es un Cadillac. Un Cadillac negro.

Franco se echó hacia atrás y miró a Angelo.

—¿Vinnie dijo que vendría?

—A mí no me dijo nada. ¿Crees que es Vinnie?

Franco se encogió de hombros.

—Podría ser.

Angelo puso en marcha la furgoneta y avanzó poco a poco. No le gustaban las sorpresas, y sabía que a Franco tampoco. Cuando estaban a unos veinte metros, frenó de nuevo. Esta vez, los dos se esforzaron para ver qué coche era.

—Creo que es Vinnie —dijo Angelo.

Franco se bajó, y en el momento de cerrar la puerta, comprobó que era el coche de su jefe. Caminó hasta la ventanilla del conductor y golpeó el cristal. El tintado le impedía ver si había alguien en el interior. Pero entonces, al mirar hacia el yate, salió de dudas. Por uno de los ojos de buey salía un rayo de luz que proyectaba un débil reflejo sobre el agua.

Volvió a la furgoneta y Angelo bajó el cristal de su ventanilla.

—Todo en orden —le informó Franco—. Es el jefe. Ya está en el barco.

—Me pregunto por qué —dijo Angelo. No estaba muy seguro de querer compartir aquella experiencia con nadie.

—Y yo qué sé.

Aparcaron, sacaron a Laurie de la furgoneta, le quitaron las ligaduras de los tobillos y la hicieron caminar por el muelle. Casi como una repetición del secuestro de la mañana, tuvieron que llevarla casi en volandas, pero no porque ofreciera resistencia.

—Creo que te has pasado con las pastillas —comentó Franco. Debido a su estado comatoso, Laurie parecía pesar muchísimo para ser una persona menuda.

—¡Hola, muchachos! —les gritó Vinnie cuando se acercaron. Había estado en las sombras de la cubierta de popa, pero entonces se mostró un poco más. Se escuchó el tintineo de los cubitos en la anticuada copa—. Espero que no os moleste mi presencia, pero no quería perderme la diversión. Ya he visto que habéis traído el cemento rápido y todo lo demás.

—Lo compramos ayer —le explicó Angelo—, y lo hemos subido a bordo hoy.

—Buen trabajo —aprobó Vinnie con calma—. También he traído a alguien conmigo. —Hizo un gesto hacia las sombras. Michael Calabrese avanzó a regañadientes con una débil sonrisa—. Se me ocurrió pensar —añadió Vinnie, al tiempo que pasaba un brazo por los hombros de Michael— que Mikey siempre nos endilga estos trabajos pero nunca se ensucia las manos. ¿Sabéis a qué me refiero? Solo es por prudencia hacer que participe. Si alguna vez se ve en un apuro, no podrá levantar las manos y decir que él no sabía qué estaba pasando cuando estas agradables personas desaparecieron. Angelo, sé que este es tu espectáculo, pero espero que no te importe compartirlo. ¿Es demasiado pedir?

Angelo se mordió la lengua y ayudó a Franco a subir a Laurie por la pasarela.

—No he escuchado tu respuesta —insistió Vinnie.

—A mí me vale —murmuró Angelo mientras llevaban a la mujer a través de la cubierta de popa.

—¡Ya está, Mikey! —exclamó Vinnie con una palmada en la espalda de Michael—. Se han acabado tus temores. Angelo está contento de tenerte a bordo, así que vamos a divertirnos.

Franco y Angelo se ocuparon de dejar a la drogada Laurie en uno de los camarotes, y Richie y Freddie soltaron las amarras. Vinnie subió al puente muy contento, y tras dejar la copa de whisky a su lado, puso en marcha los motores y apartó el barco del muelle. Mientras navegaban hacia el centro del río, Vinnie gritó que alguien pusiera uno de sus CDs de Frank Sinatra. Unos minutos más tarde, se escuchó la voz del hijo predilecto de Hoboken, para gran placer de todos.

Hacía una noche agradable. Soplaba poco viento y el agua estaba en calma. Una media luna asomaba por el serrado y resplandeciente perfil urbano. Al norte se veían las luces del puente George Washington con la vía Martha Washington recatadamente debajo. Al sur, a media distancia, estaba su destino aproximado: la iluminada Estatua de la Libertad. Al cabo de diez minutos, todas las preocupaciones, las inquietudes y los enfados habían quedado barridos por la suave brisa y el fuerte pero adormecedor murmullo de los motores. Todos estaban en el puente o bien sentados sobre las bordas a popa, excepto Laurie, que dormía bajo los efectos de la inesperada medicación, y Angelo, que se ocupaba de los preparativos para la verdadera razón que los había llevado allí.

En cuanto acabó, Angelo pidió a Franco que lo ayudara a subir a Laurie a cubierta.

—Tenías razón —admitió—. Creo que nos hemos pasado con la dosis. No se despertará.

Franco siguió a Angelo a la cubierta inferior y Richie bajó con ellos por si necesitaban más ayuda. Unos minutos más tarde reapareció el grupo cargado con Laurie y un bidón de veinte litros donde tenía metido los pies. Freddie se levantó de un salto de la silla plegable para que pudieran sentarla.

Todos se reunieron alrededor de la mujer. Incluso Vinnie bajó del puente después de conectar el piloto automático. Freddie fue a buscar una cuerda para mantener a Laurie erguida. Vinnie metió la mano en el bidón para comprobar la consistencia del cemento.

—Impresionante —afirmó Vinnie. Las piernas de Laurie estaban enterradas casi hasta la mitad de la pantorrilla—. Está casi seco.

—Solo tarda media hora —le explicó Angelo—. Es cemento hidrofílico. El tipo de la ferretería nos lo recomendó.

Vinnie miró a Angelo y le preguntó en son de broma:

—No le habrás dicho para qué ibas a usarlo, ¿verdad?

Todos se rieron mucho.

—El problema es que está dormida —dijo Angelo contrariado—. Quiero que sufra. En cambio, parece estar divirtiéndose.

—Intenta despertarla —le propuso Vinnie.

Angelo palmeó la mejilla de Laurie con la mano abierta un par de veces, pero no obtuvo respuesta. Lo intentó más fuerte. No tuvo mejor resultado.

Vinnie miró a Richie.

—Sube al puente y pilota esta bestia. No podemos dejar que siga en piloto automático. Corremos el riesgo de chocar contra alguna cosa.

Richie subió de mala gana la escalerilla del puente. No quería perderse la diversión.

—Tendremos que conformarnos con lo que hay —le dijo Vinnie a Angelo y, para el grupo, añadió—: Vamos a tomar otra copa y a brindar por la venganza de Angelo.

La juerga fue en aumento mientras el yate mantenía el rumbo hacia la Estatua de la Libertad. Sonaba un segundo CD de Frank Sinatra, y cuando se escuchó «My Way», cantaron a coro. Cuando llegaron a la altura de la famosa estatua, Vinnie le gritó a Richie que pusiera rumbo hacia el puente Verrazano.

—Eh, es mi turno de divertirme —se quejó Richie—. ¿Por qué no viene otro a pilotar este trasto?

Vinnie miró a Freddie y le señaló la escalerilla del puente.

—Tu turno —le ordenó con una sonrisa un tanto ebria.

Veinte minutos más tarde, Vinnie hundió el dedo en el bidón. El cemento hidrofílico había fraguado y resultaba fresco al tacto.

—Creo que está a punto —le dijo a Angelo, que palpó el cemento antes de asentir.

Vinnie se acercó a la escalerilla y gritó a Freddie que redujera la velocidad. Miró a Angelo.

—Este parece un lugar tan bueno como cualquier otro. —Estaban en la desembocadura del estrecho, delante mismo del puente Verrazano-Narrows.

—A mí ya me vale —asintió Angelo alargando las palabras.

—Freddie —gritó Vinnie desde el pie de la escalerilla—. Pon los motores en punto muerto y baja si quieres.

—Eh, muchachos —dijo Angelo—. Por lo visto, la brisa marina le ha sentado de maravilla. Parece estar despertando.

—Sí, así es —confirmó Vinnie.

—Vamos a darle un poco más de tiempo —propuso Angelo—. Quiero que se entere de lo que pasa cuando la echemos por la borda con sus zapatos de cemento.

—Perfecto —dijo Vinnie—. Es el momento para otra ronda. —Todos aplaudieron, incluso Richie, hasta que su jefe añadió—: Tú no, Richie. Esta noche te toca conducir.

Pasó una agradable media hora, mientras los hombres sentados alrededor de Laurie contemplaban cómo recuperaba la conciencia poco a poco. Llevaba unos quince minutos haciendo movimientos espasmódicos, y por fin sus ojos se habían entreabierto.

Aunque era obvio para todos, excepto para Facciolo, que la mujer no estaba lo bastante despierta, Angelo insistió en hablarle para que fuera consciente de su destino. Pero acabó por comprender que sus esfuerzos eran en vano.

Angelo se levantó con una mano apoyada en la borda y anunció:

—Vamos a hacerlo. —Desató la cuerda de alrededor del torso de Laurie que la había estado manteniendo erguida en la silla.

—¡Quiero que ayudes! —le dijo Vinnie a Michael, y le dio otra palmada en la espalda.

—Por mí no te preocupes —replicó Michael—. No quiero estropearle la diversión.

—Tonterías —exclamó Vinnie—. Esto es una actividad comunitaria. Insisto.

Michael observó el rostro de Vinnie. Comprendió que hablaba en serio. Muy a su pesar, se colocó a un lado de la figura desmoronada de Laurie.

—De acuerdo, todos a una —indicó Angelo—. ¡Primero, la levantamos!

Los motores estaban en punto muerto, pero el ruido era considerable, máxime cuando por el movimiento del yate los tubos de escape quedaban por debajo de la superficie y producían un burbujeo que al estallar recordaba el disparo de armas de fuego.

Llevar a Laurie desde la silla hasta el extremo de la popa fue más difícil de lo que habían esperado. Estaba tan laxa que debían mantenerla erguida entre varios mientras otros levantaban el bidón de veinte litros lleno de cemento. En aquel momento se enfrentaron a la dura tarea de levantar a Laurie y el bidón por encima de la borda.

—De acuerdo a la de tres —dijo Angelo.

Ninguno de ellos fue consciente de una gigantesca presencia que había aparecido en silencio de la oscuridad, pero desde luego lo fueron en cuestión de segundos. De pronto se quedaron todos de piedra cuando se vieron envueltos en el poderoso y cegador rayo de un reflector y escucharon la palabra «Quietos» emitida a todo volumen por un enorme altavoz direccional montado en una de las mayores embarcaciones de la flota de la policía marítima. Un gancho de abordaje cayó sobre la borda del yate y los dos barcos quedaron firmemente sujetos. Un momento más tarde, los agentes saltaron a bordo como si salieran de la luz y aliviaron a los juerguistas de la carga de Laurie y sus zapatos de cemento.

# Epílogo

*10 de abril de 2007, 14.30 horas*

El teniente detective Lou Soldano se apresuró a apagar el cigarrillo en el cenicero de su coche cuando giró por la calle Ciento seis. Cada vez que se acercaba a Laurie, e incluso a Jack, se sentía culpable por fumar porque les había prometido más o menos un millón de veces que dejaría ese vicio. Aminoró la marcha y aparcó en un lugar prohibido delante del parque al otro lado de la casa de la pareja. Puso la autorización del Departamento de Policía de Nueva York en el salpicadero y bajó del coche.

Aunque la primavera aún tardaría en llegar a la ciudad, a Lou le pareció que ya daba sus primeras señales en el barrio. Algunos brotes asomaban sus delicadas cabezas en un pequeño parterre del parque e incluso en algunos tiestos de las ventanas que estaban en el lado de la calle de Jack y Laurie. En la pequeña cuña de Central Park que se alcanzaba a ver al final de la calle había un grupo de forsitias amarillas.

El edificio de Jack y Laurie destacaba entre los demás porque lo habían rehabilitado el año anterior, cuando habían contraído matrimonio. Ahora algunos otros propietarios habían decidido rehabilitar los suyos. Era obvio que el barrio estaba en alza.

Antes de las obras, el teniente no tenía más que empujar la puerta principal, porque la cerradura llevaba rota desde antes de la guerra y nunca la habían reparado. Jack solía puntualizar en tono de guasa que era de la guerra de la Independencia. Ahora tenía que tocar el timbre, cosa que hizo. Jack y Laurie ocupaban los dos pisos superiores. Los demás los habían dividido en apartamentos de alquiler, pero sospechaba que los alquilaban por muy poco a familias necesitadas, en particular familias monoparentales.

Laurie fue quien respondió a la llamada, porque Jack aún cojeaba tras su reciente intervención. Su voz sonaba un tanto desencajada. Consciente de lo que ambos habían pasado, ya había dicho su nombre cuando se preguntó si no sería mejor postergar la visita. Como venía directamente del tribunal, no había llamado antes.

—¿Estás de broma? —preguntó ella enfadada, como si Lou estuviera aumentando sus preocupaciones.

—Solo preguntaba. ¿Quizá tendría que haber llamado?

—¡Lou, por el amor de Dios, sube de una vez!

Oyó el chasquido de la cerradura. Se apresuró a abrir la puerta y la sujetó con el pie.

—Ahora subo.

—Más te vale.

El teniente no tenía claro cuál podía ser el humor de Laurie. En el primer momento había sonado muy enfadada, pero ahora parecía estar resentida. Mientras subía el último tramo ahogándose por todos los cigarrillos que había fumado en su vida, juró por enésima vez que dejaría el tabaco al día siguiente o quizá al otro.

Antes de que pudiera llamar se abrió la puerta. Vio a Laurie con un puño apoyado en la cadera.

—Me alegra verte —dijo ella, y movió la cabeza por encima del hombro—. ¿Te importaría hablar con Luis XIV, que está allí?

Lou miró hacia la sala de estar. Jack estaba tumbado en el sofá, rodeado por toda clase de manjares, incluidos zumos, frutas y galletas. Miró de nuevo a Laurie. Se dijo que tenía buen aspecto pese a la horrible experiencia sufrida una semana atrás en manos de dos vengativos mafiosos de tres al cuarto. Su rostro mostraba el color normal, y sus ojos brillaban y estaban bien abiertos.

—Cree que puede pedir que le traigan una bicicleta estática medio reclinada y montarse sin más. ¿Puedes creerlo?

—Eso sería apresurar un poco las cosas —admitió Lou.

—Vamos, no te pongas tú también en contra de mí —protestó Jack con una sonrisa.

—No pienso meterme. —Lou levantó las manos—. Solo he hecho un comentario. Dejadme que os haga una pregunta: ¿No estáis un poco hartos de estar encerrados juntos aquí dentro? —Sabía que a Laurie casi habían tenido que ordenarle que pidiese la baja después del secuestro y la tortura.

Laurie y Jack se miraron irritados el uno al otro, y luego se echaron a reír al mismo tiempo.

—¡Ya está bien! —ordenó Lou—. ¿A qué viene tanta risa? ¿Os estáis burlando de mí?

Jack descartó la pregunta de Lou con un gesto.

—En absoluto. Creo que ambos acabamos de darnos cuenta de que tienes razón. ¿No es así Laurie?

—Me temo que sí. Creo que nos estamos enfadando el uno con el otro porque ninguno de los dos puede hacer lo que quiere. Ambos queremos salir.

Mucho más contentos de lo que estaban cinco minutos antes, Jack y Laurie agradecieron la visita del teniente, y Laurie se apresuró a prepararle un café. Ahora estaba sentada en el sofá junto a Jack, y Lou ocupaba una silla al otro lado de la mesa de centro.

—¿Qué tal os va, chicos? —preguntó Lou, con la taza de café apoyada sobre la rodilla.

Laurie miró a Jack y le hizo un gesto para que él hablara primero.

—Todo lo bien que se puede esperar. La cirugía fue un éxito, y, gracias a Laurie, no pillé nada que no hubiese pedido, me refiero a una fulminante infección de EARM. Estoy enfadado, para decirlo suavemente, porque no presté más atención a la amenaza. Pero te aconsejo que si un médico te dice que vas a tener pocas molestias posquirúrgicas, no le creas. Los cirujanos mienten como unos bellacos. Pero con esa salvedad, en términos generales, estoy bastante bien. Solo es duro cuando por la noche miro a través de la ventana y veo a los muchachos jugando. Me siento como un crío castigado.

—¿Qué tal tú, Laur? —preguntó Lou.

Laur era el nombre que los hijos del policía le dieron a Laurie cuando la conocieron quince años atrás.

Laurie lo interrogó con la mirada.

—Me siento mucho mejor de lo que la gente cree. Estoy segura de que es gracias al Rohypnol que me dieron. Me habían comentado que a menudo causa una fuerte amnesia, pero no tenía ni idea de lo completa que podía ser o que incluyera hechos anteriores. Solo tengo un vago recuerdo de haberme enfrentado a Osgood y de estar encerrada en un almacén. No tengo claro cómo salí. En cambio, recuerdo haber sido perseguida por… ¿cómo se llama?

—Adam Williamson —dijo Lou—. Una historia trágica, debo añadir. Al menos en algunos aspectos. Es un veterano de la guerra de Irak que pasó por un infierno y tuvo muchos problemas mentales.

—¿Se ha salvado? —preguntó Jack. Había advertido que Lou hablaba en presente.

—Así es. Se salvará. Lo que no sabemos es si está dispuesto a negociar un acuerdo con nosotros. Es obvio que lo tenemos pillado por intento de asesinato y conspiración. ¿Sabías, Laurie, que iba a dispararte a quemarropa?

—Eso me dijeron. ¿Hay algún testigo?

—Tenemos dos. La gran ironía es que Angelo es quien te salvó porque hirió a Adam antes de que pudiese disparar.

—Esa parte no la recuerdo —admitió Laurie—. Es más, no recuerdo nada hasta que desperté en el hospital.

—Eso es bueno —declaró Lou—. Cuando llegamos al centro de la bahía de Nueva York, te tenían metida en lo que ellos suelen llamar zapatos de cemento.

—Es lo que he oído. —Laurie se estremeció.

—Dime una cosa —intervino Jack—. En primer lugar, ¿cómo averiguaste que estaba allí, y segundo, cómo diablos los encontraste en la oscuridad en medio de la bahía?

—Esa es la mejor parte —respondió Soldano—, y de verdad no me importa atribuirme algún mérito. El muerto que recogimos la noche del lunes nos asustó a todos, y, como te comenté, me hizo creer que estaba empezando una guerra de bandas. Cuando me enteré de que en la calle se decía que Vinnie Dominick estaba detrás, fui a ver a la vieja organización de Paul Cerino para ponerlos sobre aviso, convencido de que el tipo podía estar relacionado con ellos. Resultó ser que no, pero los Vaccarro se preocuparon tanto que siguieron a los principales matones de Vinnie, Angelo y Franco, y descubrieron que Vinnie estaba utilizando un gran yate para sus delitos. La parte siguiente es la más astuta. Lo que hicieron fue buscar la manera de conseguir que la ciudad, me refiero a mí, los librase de la competencia que representaba Vinnie. Así que colocaron un localizador en el yate y luego esperaron a que surgiera una buena oportunidad. Louie Barbera, el sustituto de Paul Cerino, me llamó el jueves por la noche, en mi momento de mayor desesperación, y me ofreció la página, el nombre de usuario y la clave del GPS. Además me informó de lo que creían que iba a pasar para que no perdiésemos el tiempo, y no lo hicimos. Fue pura suerte que llegásemos a tiempo para salvarte. Por otro lado, la oportunidad no podría haber sido mejor desde el punto de vista de la ley. Pillamos a Vinnie Dominick y a todos sus lugartenientes de un solo golpe, y a un tipo llamado Michael Calabrese. Lo mejor es que los pillamos por intento de asesinato en primer grado, algo que no se puede considerar un delito menor. Más cosas: los policías recorrieron el barco y encontraron rastros de sangre que pertenecían a los dos muertos en la bahía: Paul Yang y Amy Lucas, ambos de New Jersey, y que trabajaban para Angels Healthcare.

—¿La Angels Healthcare que es propietaria de los hospitales Angels? —preguntó Laurie con voz tensa.

—Así es. Es una historia un tanto complicada. La investigación sigue abierta, y participan el FBI y la SEC. Es triste, pero es otro de esos casos donde hay por medio enormes cantidades de dinero; se trata del tipo de corrupción de la que tanto oímos hablar en estos días, aunque aquí no escatimaron los viejos delitos, como el asesinato, junto con la más reciente variedad de cuello blanco. Tal como creías, Laurie, el EARM estaba siendo propagado intencionadamente, y no solo con fines terroristas. Había un objetivo para esta locura: lo que intentaban hacer estas personas era sabotear la OPA y, en cierto sentido, el concepto de hospital especializado.

—¿Quiénes eran los responsables? —quiso saber Laurie.

—En última instancia, las personas que están detrás pertenecen a grupos de presión, la mayoría antiguos abogados y políticos que han entrado a formar parte de un *lobby* después de haberse retirado, o de no haber sido reelegidos. En esta particular organización de la que hablamos, encontraron a los clientes perfectos: la AHA y la FAH. Se les contrató para conseguir que la moratoria del Senado de construir hospitales especializados y registrarlos con los centros de servicios de Medicaid y Medicare se convirtiese en ley. Pero no hicieron eso. En algún momento decidieron ir más allá. Dispuestos a mantener a la AHA y a la FAH como clientes, asumieron la responsabilidad de asegurarse de que la primera OPA después de la moratoria no tuviera éxito. Por lo tanto, montaron la iniciativa EARM, como yo la llamo. Creyeron que se consideraría un fenómeno natural y que los inversores no acudirían a la vista del problema de liquidez causado por las infecciones posquirúrgicas.

—Entonces fueron ellos quienes buscaron a Walter Osgood. ¿Él solo era un peón en este asunto?

—Eso me temo. Sabemos que no lo obligaron sino que lo hizo por propia voluntad. Tenía el conocimiento para hacerlo y unas necesidades muy específicas que lo motivaban. Como creo que sabes, era microbiólogo, y por tanto le fue muy fácil conseguir el EARM del CDC y la ameba del National Culture. Tenía un pequeño laboratorio privado donde preparó lo que resultó ser un muy buen agente de bioterrorismo, al menos es lo que nos dicen nuestros consultores. Hizo que el EARM invadiese la ameba, proliferase, y a continuación logró que la ameba se enquistase. Una vez hecho esto, que al parecer es relativamente sencillo, secó los quistes para obtener un agente infeccioso que se transmitiera por el aire. Quizá lo más astuto es que podía utilizar los quistes para enviarlos al quirófano en el momento en que los pacientes anestesiados y que llevan tubos endotraqueales están a punto de ser despertados. La precisión era fundamental, y no funcionó al cien por cien, pero a medida que Osgood conocía mejor las rutinas de los cirujanos y la duración de las operaciones, fue mejorando.

—Suena como si te hubieras aprendido muy bien todos estos términos y conceptos —comentó Laurie.

—En un caso como este, necesitaba estar preparado para colaborar con los fiscales. La vista ha sido esta mañana.

—¿Cuáles eran las necesidades de Walter Osgood que mencionaste?

—Tenía un hijo que padecía una forma muy severa de cáncer. El único tratamiento se consideraba experimental, y la compañía de seguros sanitarios de los empleados de Angels Healthcare se negaba a pagarlo. Walter lo pagaba de su bolsillo. La empresa farmacéutica le cobraba veinte mil dólares al mes. ¿Puedes creerlo?

—Desde luego has aprendido mucho en pocos días.

—Es un caso candente como puedes imaginar. Tengo la suerte de que el FBI se ha dedicado de pleno. Llevan la voz cantante, porque el grupo de presión es de Washington, como ya podías suponer.

—Así que de una manera muy real Angels Healthcare ha sido saboteada durante varios meses.

—Es una buena manera de describirlo. Pero no eran precisamente unos inocentes corderitos.

—Desde luego que no —asintió Laurie—. Incluso si no sabían que el EARM estaba siendo propagado intencionadamente, continuaron con las intervenciones, pese a que la gente moría.

—Son culpables de algo más que eso en estos días de la ley Sarbanes-Oxley. Esta parte del caso la llevan los investigadores de la SEC. Una vez que Angels Healthcare comenzó a tener problemas de liquidez, estaban obligados por ley a presentar la información, sobre todo si había de por medio una OPA en cierne. Eso es algo que no se castiga con un cachete y una regañina. En la actualidad, ese tipo de omisiones se penan con grandes multas y condenas de cárcel. El gobierno está dispuesto a dar ejemplo con estos criminales de cuello blanco, porque siempre es el pobre de la calle el que termina herido.

—Todos nos hemos enterado de algunos casos muy famosos en el último par de años.

—Eso es quedarse corto —manifestó el teniente—. Ten la seguridad casi absoluta de que todos los ejecutivos de Angels Healthcare pasarán un tiempo con esos famosos delincuentes. Han arrestado y acusado a la presidenta ejecutiva, al director financiero y al director de gestión. Dos han pagado unas fianzas muy altas, pero el tercero no.

—¿Qué pasa si no sabían que debían presentar el informe cuando disminuyó la liquidez?

—La falta de conocimiento de una ley no es excusa —señaló Lou—. En este caso, lo sabían. Excepto la presidenta, todos son empresarios experimentados, y la presidenta está licenciada en administración de empresas. Todos sabían lo que se debía hacer. Es más, la razón por la que Paul Yang y su secretaria Amy Lucas fueron asesinados, hasta donde nosotros sabemos, es que Paul quería presentar la documentación y los demás lo presionaron para que no lo hiciera. Eso es algo muy grave.

—¿Los ejecutivos de Angels Healthcare también han sido acusados de asesinato? —preguntó Laurie sorprendida.

—No. Sabemos a través de Freddie Capuso que ha hecho un trato; que los asesinatos y que tú estuvieses a punto de morir fue por instigación de uno de los tipos que estaba a bordo, Michael Calabrese.

—Recuerdo que lo mencionaste. ¿Cuál era su papel?

—Había estado casado con la presidenta, Angela Dawson, y tienen una hija. Trabajó como agente de inversiones con Morgan Stanley pero lo dejó cuando se le presentó la oportunidad de invertir todo el dinero sucio de los negocios que controlaba Vinnie Dominick. En esencia era un profesional del blanqueo de dinero. Además, va a ser juzgado por asesinato.

—Dios, qué lío —opinó Laurie.

—En realidad, te debemos a ti haber descubierto el caso, o mejor dicho, los casos. De no haber sido por ti, todas estas personas seguirían con sus actividades.

—No creo merecer el mérito —dijo Laurie, que apretó el hombro de Jack—. Me temo que mis motivos se centraban en conseguir que Jack pospusiera la intervención, y por tanto el resto vino por añadidura.

El policía sonrió. No estaba de acuerdo, pero no iba a discutir.

—¿De qué han acusado a Walter Osgood? —preguntó Laurie.

—¿No te has enterado?

—¿Enterado de qué?

—Walter Osgood se suicidó ayer.

—¡Dios bendito! —exclamó Laurie.

—Su hijo, para el que intentaba reunir el dinero, murió el sábado. Osgood tenía muchas razones para estar deprimido.

—Ha sido una tragedia múltiple para todos los involucrados.

—Yo te diré qué es —intervino Jack, por primera vez desde el comienzo de la conversación—. Es el equivalente al dicho que se utiliza en política: el poder corrompe, y el poder absoluto corrompe absolutamente. La diferencia es que en la medicina es el dinero y no el poder.


Chet McGovern apretó la nariz contra la ventanilla del autobús y miró a través del East River el aeropuerto LaGuardia. Estaba lo bastante cerca como para ver las ventanillas de los aviones que esperaban para despegar. Estaba cerca, pero en otro sentido muy lejos, porque Chet McGovern viajaba en un autobús de la ciudad de Nueva York que circulaba por un largo puente de dos carriles, que no solo nunca había visto, sino que ni siquiera sabía que existía. Vivía en la ciudad desde hacía quince años y creía conocerla, pero ahí estaba, en un puente que medía casi lo mismo que el enorme George Washington; aquella era su primera visión, y rogaba para que fuese la última. El puente llevaba desde el barrio de Queens hasta Rikers Island, la mayor cárcel del mundo. Como metáfora de la encarcelación, Rikers Island estaba muy lejos de su vecino, el aeropuerto LaGuardia, que en contraste era un icono de la libertad.

La mañana de Chet había comenzado muy temprano en el juzgado. Aunque tenía una considerable experiencia por haber sido testigo en muchos juicios relacionados con muchos tipos de muerte, su contacto con los tribunales había sido escaso, y aquella mañana había tenido que realizar un curso acelerado. Durante el fin de semana de Pascua, había sufrido leyendo las noticias en el *Times* referentes a Angels Healthcare y a su presidenta fundadora, Angela Dawson. Ella, su director financiero y su director de gestión habían sido arrestados por un sorprendente número de cargos, incluidas varias conspiraciones, fraudes, blanqueo de dinero, violaciones del Acta Patriótica, y de la ley Sarbanes-Oxley. Un cargo incluso más serio de cómplice en un asesinato despiadado había sido descartado casi de inmediato.

Al principio, Chet se había puesto furioso. Aquella mujer lo había impresionado y por ella había llegado a comportarse de una manera absolutamente frívola para estar con ella y llegar a conocerla, para no mencionar el dinero que se había gastado con ella, y ahora, después de todo aquel esfuerzo, se enteraba por el periódico de que era una delincuente. Para él, había sido un recordatorio más de que no se podía confiar en las mujeres, como ya le había ocurrido con su ex novia de la facultad, y que mantenerlas a distancia era una actitud de sana prudencia.

Sin embargo, a última hora del domingo de Pascua, la respuesta inicial de Chet se había suavizado lo bastante como para poner en duda los cargos, porque no encajaban con la imagen mental y emocional que se había hecho de Angela Dawson. También se recordó a sí mismo un principio básico de la justicia norteamericana: las personas son inocentes hasta que se demuestra que son culpables. En aquel momento, otro hecho comenzó a preocuparle: los tres habían tenido la posibilidad de pagar una fianza, pero solo dos lo habían hecho. Angela Dawson no lo había hecho porque decía que lo había invertido todo en salvar su empresa.

A partir de aquello todo había ido cuesta abajo en lo que se refería al bienestar de Chet. Había sido incapaz de quitarse dos imágenes de la mente. Una era la de Angela encadenada a una pared de piedra en una húmeda y lóbrega mazmorra con ratas y cucarachas corriendo por el suelo. La segunda era la de una niña de diez años que lloraba día y noche. El lunes, Chet había tomado una decisión, que sin duda era irracional y tenía que ver más con sus propias necesidades que con la caballerosidad. El martes por la mañana había comenzado el proceso llamando a una agencia de fianzas para pedir una cita.

Fue en aquel momento cuando Chet empezó su aprendizaje acelerado. Siempre había tenido una visión un tanto simple del pago de una fianza. Una persona llevaba el dinero, lo daba, y ya estaba. Pero, sobre todo en casos notorios, como era el de Angela, y máxime cuando la fianza era abultada, como ocurría entonces, había más cosas de por medio. De hecho, a Chet y al fiador les llevó toda la mañana arreglar una cita con la comisión del tribunal para dejar constancia de que los veinticinco mil dólares de Chet y su aval de otros doscientos mil provenían de fuentes legítimas y no de dinero de la droga o algo similar. Forzado a esperar a que la comisión acabara de comer, Chet no había recibido la comunicación de que la fianza había sido aceptada hasta la una y media. Por esta razón eran casi las tres cuando por fin se acercaba a Rikers Island.

Chet echó una ojeada al interior del autobús. La mayoría de los pasajeros eran mujeres y parecían residir por debajo de la línea de la pobreza. Estaba muy claro que los ricos eran tan capaces como los demás de cometer un delito, pero a la hora de pagar por ello la parte del león recaía sobre los pobres.

Después de lo que le pareció un viaje interminable, el autobús llegó a su destino y se detuvo delante del centro de visitantes de la cárcel. Al bajar, su primera impresión fue que el complejo carcelario estaba sucio y mal atendido. No era un lugar agradable.

Sin saber muy bien adónde ir, Chet siguió a los demás y entró en el viejo y destartalado edificio. El ambiente era represivo. Mientras los demás iban a sus respectivos destinos, Chet se detuvo. No sabía qué hacer. No se había dado cuenta de lo grande que era ese lugar. Al ver a una persona con aspecto de funcionario, fue hacia él para pedir consejo, pero no lo necesitó. Vio a Angela sentada entre una multitud que tenían más en común entre sí que con ella.

Angela miraba con expresión perdida hasta que vio a Chet. Su reacción inicial fue de desconcierto, como si lo hubiese reconocido pero no pudiera recordar quién era. Chet se acercó y la miró a los ojos, que de pronto reflejaron el reconocimiento. Se levantó desconcertada.

—Chet —dijo en un tono que era a la vez una pregunta y una afirmación.

—Qué coincidencia encontrarla aquí —dijo Chet espontáneamente. No había pensado en qué debía decir.

Angela se rió inquieta.

—No tenía ni idea de que era usted. De buenas a primeras me dijeron que habían depositado mi fianza y que vendrían a recogerme. Creí que podían ser mi director financiero o mi director de gestión, pero nunca pensé en usted.

—Espero no ser una desilusión.

—Faltaría más —dijo Angela. Le dio un abrazo que le inmovilizó los brazos. Tardó en soltarlo. Cuando lo hizo, Chet vio lágrimas en sus ojos—. Le doy las gracias, y también de parte de mi hija. No sé qué más decir.

—Las gracias ya me valen, y no se merecen. —Chet señaló con el pulgar por encima del hombro—. Quizá debamos intentar coger el autobús que me ha traído. De lo contrario, no sé cuánto tiempo tendríamos que esperar al siguiente.

—Pues entonces vamos —dijo Angela ansiosa. Quería alejarse todo lo posible de Rikers Island, y cuanto antes mejor. Recogió su maletín y juntos fueron hacia la salida. Ambos parecían muy conscientes de la presencia del otro. No se tocaron.

—¿Por qué lo ha hecho? —quiso saber Angela cuando salieron.

—Si quiere que le diga la verdad, no lo sé.

Angela se detuvo un momento y miró a su alrededor.

—Cuando estás encerrada te das cuenta de lo mucho que das

por sentada la libertad. Esta ha sido la peor experiencia de mi vida.

—Creo que es mejor que nos demos prisa —dijo Chet.

El autobús todavía estaba en la parada, pero solo quedaban tres personas en la cola para subir.

Chet y Angela corrieron a tomarlo. El primer asiento vacío doble estaba casi al fondo.

—Creo que pagué su fianza porque no creí que hubiese hecho las cosas de las que la acusan.

—Lamento desengañarlo, pero sí que hice algunas, aunque no como dicen. He pasado un montón de horas muy tristes pensándolo. Lo más grave es que a sabiendas no presenté el ocho-K. Es un formulario obligatorio de la SEC. Pero ¿sabe una cosa? Nunca hubo un momento en que fuera inevitable presentarlo. Me refiero a que al principio no hubo ningún problema de liquidez, y que el brote de EARM se podía solucionar sin dificultades. Nunca sospechamos que había sido propagado intencionalmente.

—Hablé con un abogado amigo mío. Me ha comentado que en casos como este el juez tiene un gran poder discrecional.

—Eso espero —manifestó Angela—. Mi principal preocupación ahora mismo es la amenaza de perder mi licencia médica. Para mí, ese sería el peor castigo, porque finalmente he visto la luz. Como empresaria, no me gusta la persona en la que me había convertido. Es como si me hubiesen cegado. He llegado a comprender que el dinero es una meta seductora pero ilusoria, además de ser adictivo. El problema es que nunca estás satisfecho, y por mucho que ganara, no se puede comparar con cómo me sentía ayudando a los pacientes que acudían a mi consulta. Lo que estoy diciendo es que quiero volver a la medicina.

—¿Cómo ha dicho? —preguntó Chet sorprendido.

—Quiero volver a ejercer —repitió Angela—. Mi meta inmediata es resolver mis problemas legales, para poder hacerlo. Ha sido una lección muy dura, pero ahora sé que mezclar la medicina con los negocios es muy bueno para los negocios, porque manejas una gran cantidad de dinero, pero es un desastre para la medicina y los médicos que se dejan pillar.

—Interesante —manifestó Chet.

—¿Interesante? ¿Me está siguiendo la corriente? He pensado en esto sin cesar. Hablo muy en serio.

—No le estoy siguiendo la corriente —respondió Chet—. Todo lo contrario. Me doy cuenta de que me está diciendo por qué decidí pagar su fianza.

ESTE LIBRO HA SIDO IMPRESO
EN LOS TALLERES DE
BROSMAC
CL. C NÚMERO 34
28938 MOSTOLES